ACPL ITEM
S0-BWT-278
DISCARDED

Iris JOHANSEN

Man From Half Moon Bay

Star Light, Star Bright

Голос Сердца

Айрис Джоансен

Ты у меня одна
Звездочка светлая

Романы

МОСКВА
«ЭКСМО-ПРЕСС»
1998

УДК 820(73)
ББК 84(7 США)
Д 42

Iris Johansen

MAN FROM HALF MOON BAY
STAR LIGHT, STAR BRIGHT

Перевод с английского *М. Медведевой, А. Новикова*

Разработка серийного оформления
художника *С. Курбатова*

Серия основана в 1997 году

Джоансен А.

Д 42 Ты у меня одна. Звездочка светлая: Романы / Пер. с англ. М. Медведевой, А. Новикова.— М.: ЗАО Изд-во ЭКСМО-Пресс, 1998. — 448 с. (Серия «Голос сердца»).

ISBN 5-04-001878-9

Героини Айрис Джоансен отважны и решительны, но им не хватает в жизни главного — любви. И встреча с ней всегда так неожиданна, что не сразу поймешь... вот оно — счастье...

Молодая талантливая журналистка Сэнди полагает, что навсегда рассталась со своим мужем, для которого была лишь красивой куклой. И только оказавшись перед лицом смертельной опасности, они оба понимают, как много могут потерять, если не сделают шаг навстречу друг другу. («Ты у меня одна»)

Когда Квинби Свенсон пригласили ухаживать за мальчиком с необыкновенными способностями, она еще не знала, что встреча с его наставником, добрым и мудрым человеком, станет для нее началом новой, удивительной жизни. («Звездочка светлая»)

УДК 820 (73)
ББК 84(7 США)

ISBN 5-04-001878-9

Ты у меня одна

Роман

Глава 1

Сэнди рассеянным взглядом провожала идущих мимо кафе прохожих, фигуры которых искажал причудливый разноцветный узор витражных окон. Она слышала, что рядом о чем-то рассказывает ее подруга Пенни, но не вникала в смысл слов. И вдруг... Она вся напряглась, как от удара, пальцы непроизвольно сжали тонкую изящную ручку фарфоровой чашки.

Нет, не может быть!

Это никоим образом не мог быть Джордан. Просто случайный прохожий.

Она лишь мельком увидела высокого мужчину в джинсах и свитере грубой вязки, и он тут же исчез в толпе. Более того, толком разглядеть идущих мимо людей витраж не позволял. Сэнди даже не обратила внимание на то, какого цвета у этого человека волосы: темные, как у Джордана, или нет? Вот только походка... Тут его ни с кем не перепутаешь. На первый взгляд, Джордан двигался медленно и лениво. Но это впечатление было обманчиво и скоро исчезало. Каждый его жест был отточен и полон скрытой внутренней энергии и силы.

Много раз Сэнди видела его обнаженным — и всегда поражалась, как хорошо он сложен и физически развит.

— Что случилось? — услышала Сэнди голос подруги — Пенни Лассистер, и, вздрогнув, отвела взгляд от широкого проема окна.

Пенни, нахмурившись, смотрела на нее:

— Ты уже минут пять как отключилась и, наверное, не слышала ни слова из того, что я тебе говорила?

Только сейчас Сэнди, словно очнувшись, расцепила онемевшие пальцы и с трудом заставила себя улыбнуться:

— Прости, мне показалось, что я увидела... знакомого человека.

Конечно, это разыгралось ее воображение. От Сосалито до Гаваны — Бог знает сколько. Но ее прежнюю жизнь и нынешнюю разделяли не только километры.

В глазах Пенни сразу же вспыхнула тревога, и она резко повернула голову в сторону окна:

— Кемп?

Покачав головой, Сэнди поднесла чашку к губам:

— Нет, конечно. Что ты выдумываешь! Откуда здесь может взяться Кемп Толмэн? Как тебе известно, он сидит в нью-йоркской тюрьме. И мне, слава Богу, совершенно нечего бояться. Забудь о нем.

— Черта с два! — Пенни, прикуривая сигарету,

посмотрела прямо в глаза Сэнди. — Нет уж, я не забуду, что ты — единственный свидетель. Ты — бомба с зажженным фитилем для предстоящего судебного процесса. Кемп не зря тебе угрожал.

— С тех пор, как судья Бренлоу распустил присяжных заседателей и объявил о пересмотре дела, прошло уже четыре месяца. Кемп Толмэн находится за решеткой, так что нечего его бояться. — Сэнди ободряюще сжала руку своей подруги. — Я не настолько глупа, чтобы совсем забыть об осторожности. Но, с другой стороны, не могу же я запереться в четырех стенах, дрожать и прятаться. Так жить невозможно. И Кемп тоже не дурак. Из тюрьмы не убежишь, а если вздумалось за мной гоняться, то полицейские устроили бы ему засаду и подождали, пока он сам попадется им прямо в руки.

— Да, он не дурак. Дело куда серьезней, ведь он — сумасшедший, маньяк, — возразила Пенни. — Он уже убил четырех женщин. И я совсем не хочу, чтобы пятой стала ты. Так вот, пораскинув мозгами, я решила, что будет лучше, если мы переведем тебя в другой наш отдел...

— Нет! — сразу же возразила Сэнди. — Все эти твои предосторожности ни к чему.

Пенни сжала губы:

— Именно я направила тебя в Нью-Йорк, чтобы ты начала свое частное расследование, связанное с Кемпом! Значит, по моей вине ты стала случайной свидетельницей его последнего преступления. Поэтому даже не пытайся меня отговаривать. Я обя-

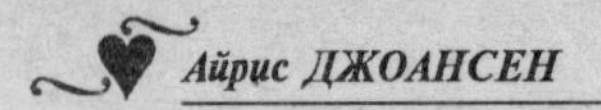

зана принять все необходимые меры предосторожности.

Ее голос звучал так безапелляционно, что можно было подумать, будто Пенни уже диктует секретарю приказ о переводе Сэнди. Словно в данную минуту она забыла, что речь идет о подруге, а не о подчиненной. И Сэнди это слегка встревожило. Уж она лучше других знала, какой упрямой может быть Пенни, если вобьет что-то себе в голову. Пенни Лассистер не походила на других издателей престижных журналов, которых легко можно было склонить в любую сторону. Решительная, умная, обаятельная, она превращалась в настоящую фурию, когда хотела добиться своего. Оставалось надеяться только на то, что решение Пенни еще не окончательное.

— Мне совсем не хочется возвращаться в Сидней, — призналась Сэнди.

Выражение лица Пенни смягчилось:

— А с чего ты решила, что речь идет об Австралии? Я имела в виду другое. Что ты скажешь насчет Гонолулу? Неужели тебе не хочется провести полгода на Гавайях?

Сэнди опустила ресницы, чтобы скрыть от подруги облегчение. У Джордана в Гонолулу был роскошный отель, но он там почти никогда не бывал. Как правило, за теми отелями, что находились за пределами Австралии, наблюдал его брат — Марч.

— Место, несомненно, намного привлекательнее Сиднея, но я уже сейчас представляю, как быстро мне осточертеет этот райский уголок. Я бы предпочла остаться здесь.

Пенни молча разглядывала свою чашку с ароматным напитком. Она нисколько не сомневалась в том, что Сэнди нелегко будет уговорить. В общей сложности они знали друг друга вот уже пять лет, из них года четыре Сэнди О'Рурк была ее лучшей и самой близкой подругой. За это время Пенни успела неплохо ее изучить, что, кстати, было совсем нетрудно: такого открытого, искреннего и честного человека, как Сэнди, она не встречала.

Когда Пенни принимала на работу ее, свежеиспеченную выпускницу колледжа, у нее, как у редактора, вызвали серьезное беспокойство две черты характера новой сотрудницы: ранимость и впечатлительность. По своему опыту Пенни знала, что с годами впечатлительность у репортеров переходит в цинизм, а честность — в беспощадность. Поэтому не сомневалась, что Сэнди либо зачерствеет, либо не продержится в «Уорлд рипорт» больше полугода.

К своему удивлению, она поняла, что ошиблась. Сэнди удавалось сочетать, казалось бы, несоединимые качества: умение стоять на своем и умение располагать к себе собеседника. Она не утратила искренности и теплоты в общении с людьми. Именно благодаря этим качествам ее интервью неизменно становились гвоздем номера. И, как правило, шли на первой полосе.

— Месяцев шесть сумеешь выдержать. Может, заодно научишься крутить хула-хуп. — Пенни загасила сигарету, ткнув ее в дно хрустальной пепельницы. — Надеюсь, за это время полиция добудет достаточно улик, чтобы доказать причастность Кемпа и к другим убийствам.

— И все равно я не понимаю, почему мне непременно надо уезжать, — упрямо повторила Сэнди. — У меня нет ни малейшего желания покидать Сан-Франциско. Мне здесь нравится, у меня много друзей. Квартира отремонтирована, и я могу наконец туда переехать...

— Гонолулу довольно далеко от Гаваны, Сэнди, — перебила ее Пенни. — И если ты считаешь, что пути твои и Джордана могут пересечься, то смею тебя заверить: шансы на такую встречу практически равны нулю. Конечно, я бы с большим удовольствием отправила тебя в парижское агентство, но, к сожалению, нам пока не удалось его открыть.

— Если я и не хочу уезжать из Сан-Франциско, то вовсе не из-за Джордана. — Встретив взгляд подруги, Сэнди поморщилась. — Ну хорошо, хорошо. Ты права. Я действительно не хочу видеть Джордана. Потому что пока не готова к встрече с ним.

— С тех пор, как ты уехала из Гаваны, прошло уже почти полтора года, — мягко напомнила Пенни. — До этого я никогда не замечала, чтобы ты пыталась от чего-либо увильнуть. У меня такое ощущение, что ты в своем воображении наделила Джордана Бандора какими-то немыслимыми качествами. Он обыкновенный человек — и все.

— Да ну? — насмешливо улыбнулась Сэнди. —

Ты ведь ни разу не видела его и ничего о нем не знаешь.

Пенни испытующе посмотрела в глаза подруги:

— Уж не боишься ли ты его?

— Нет, конечно. Просто Джордан... — Сэнди облизнула пересохшие губы и повторила: — Просто я еще не готова встретиться с ним. Пока. Ему всегда удавалось переубедить меня. Он... — она помолчала, подбирая слова, — умеет настоять на своем.

Слова подруги вполне отвечали тому, что слышала о ее бывшем муже Пенни. Австралийский бизнесмен — владелец роскошных отелей — слыл очень волевым, жестким и напористым человеком. Таким он был и в бизнесе, и в личной жизни. Можно только диву даваться, каким образом мягкая Сэнди сумела от него вырваться. Красавец Джордан Бандор считался богатым, фантастически богатым человеком. Но Пенни не сомневалась, что Сэнди привлекли в нем не деньги. После недельного знакомства Джордан предложил ей выйти за него замуж и настоял на том, чтобы она оставила работу. Через год Сэнди вновь появилась в кабинете Пенни в Сан-Франциско и сообщила о том, что с замужеством покончено и что ей хотелось бы занять прежнюю должность. С тех пор Сэнди ни разу не заговорила о Джордане, не произнесла о нем ни слова.

— Он случайно не запугивал тебя?.. — нахмурилась Пенни. — Ты ведь не из робких овечек, которые трепещут при каждом шорохе...

— Никто меня не запугивал. Кажется, я невольно ввела тебя в заблуждение и ты с моих слов составила о нем неверное представление. На самом деле Джордан чрезвычайно умный человек и бывает очень обаятельным. Окажись он здесь, ты бы пришла от него в восторг. Правда, главная его черта — властность. Пожалуй, это самый властный человек из всех, с кем мне доводилось встречаться в своей жизни.

— Вспыльчивый?

Сэнди покачала головой:

— Нет. Невозмутим, как скала.

Пенни усмехнулась:

— Как бы там ни было, но в данной ситуации твой бывший муж меня совершенно не интересует. Есть вопросы и поважнее.

Взгляд Сэнди снова невольно обратился к окну:

— Он еще не стал моим «бывшим мужем». Все дело упирается в какие-то бесконечные юридические проволочки.

Пенни слегка присвистнула:

— А я-то считала, что вы уже разведены.

— Надеюсь, это состоится в ближайшее время. Когда канцелярские крысы наконец заполнят свои бумажки и учтут каждый пунктик, — Сэнди посмотрела на часы. — Мне пора. Сейчас уже четыре, а в пять я договорилась встретиться с Майклом Донованом. Он пообещал, что расскажет кое-что — и только мне одной, — о своем новом фантастическом фильме, — с этими словами Сэнди поднялась.

Встреча и разговор с таким неглупым человеком, как Майкл, несмотря на то что она не позволила себе ни на минуту расслабиться, чтобы просто насладиться общением, оставила очень приятное ощущение. И Сэнди, вернувшись домой, уже предвкушала, что вот-вот сядет за работу, как вдруг зазвонил телефон. Услышав голос Марча, она растерялась и не знала, что ответить, но быстро взяла себя в руки и сказала, что, разумеется, будет рада его видеть. А положив трубку, заметила, что руки дрожат.

С чего бы это? Что тут такого, если с ней захотел увидеться брат Джордана — ясноглазый, неунывающий Марч, который ей всегда был симпатичен. Однако интуиция подсказывала ей, что его неожиданный визит — не случайность, и скорее всего имеет отношение к Джордану.

Так оно и оказалось, когда Марч, поздоровавшись и пройдя в комнату, без обиняков заявил:

— Мне бы не хотелось хитрить с тобой, поэтому сразу скажу, что я приехал сюда по просьбе Джордана.

— С каких это пор ты стал у него мальчиком на побегушках? — попыталась съязвить Сэнди, явно для того, чтобы скрыть свою растерянность.

— Ты лучше, чем кто-либо, знаешь, как это происходит, — пожал плечами Марч. — Но в этот раз он просто попросил меня прийти. И я не припомню ни одного случая, когда Джордан просил меня о чем-либо. Как я мог отказаться?

— Да, ему трудно отказать. Мы оба... — Она замолчала, пытаясь придать голосу твердость. — Давай-ка я заварю кофе. Что-то мне не по себе. Наверное, из-за этой проклятой погоды — чертова тумана. Я еле держусь на ногах. Надеюсь, кофе хоть немного меня взбодрит. — И она достала с полки кофеварку. — Ты не знаешь, как идут дела с разводом? Сдвинулись с мертвой точки? Может, мне надо подписать еще какие-то бумаги?

— Никаких.

— И когда же я наконец дождусь окончательного...

— Джордан хочет, чтобы ты к нему вернулась.

Сэнди как стояла с ложкой в руках, так и замерла от удивления:

— Что ты сказал?

— Он хочет, чтобы ты вместе со мной вернулась домой. И просил передать, что теперь все будет... иначе.

Сэнди снова зачерпнула ложечкой кофе и, не донеся до кофеварки, просыпала. Надо взять себя в руки, нельзя распускаться.

— Это что? Шутка?

— Если бы. — Марч поморщился. — Я бы с удовольствием отказался от исполнения подобной миссии, поскольку явно не гожусь для этой роли.

— Тогда зачем же ты взялся за нее?

— Потому что искренне люблю его, — просто ответил Марч. — Так же, как и ты, Сэнди.

— Я?.. — она замолчала и глубоко вздохнула. — Зато Джордан понятия не имеет о том, что такое —

любить. Что такое быть собственником — это да. Вот, пожалуй, единственное, на что он способен. Но не более того.

— Ты его не знаешь.

Сэнди резко повернулась. В ее глазах блестели слезы:

— Да, ты прав. Я знать не знаю, что он такое на самом деле. И проживи я с ним хоть сто лет, он не позволил бы мне узнать его получше. Вот почему я и решила уйти. Одного секса мне мало, чтобы жить с человеком.

— Вполне возможно, что он многое понял и переменился.

Сэнди горько рассмеялась:

— Переменился? А с чего ему меняться? Я ему не нужна. Джордану Бандору на самом деле не нужна рядом никакая женщина.

— Не пори чепуху, — нахмурился Марч. — Я еще не видел мужчину, который так дорожил бы женщиной, как Джордан дорожил тобой.

— Что вовсе не значит, будто он любит меня, — Сэнди нервно провела левой ладонью по тыльной стороне правой. — Это только секс.

— Как бы там это ни называлось, — покачал головой Марч, — но вы оба чуть ли не год жили друг для друга, словно в каком-то волшебном сне. Неужели этого мало, а, Сэнди?

— Сначала мне этого хватало, — она опустила глаза. — Но вскоре оказалось, что я и шагу не имею права ступить сама. Ты видел, как все происходило. Он не давал даже ветерку подуть в мою сторону. Не спускал с меня глаз ни на минуту. Я могла быть только женой Джордана Бандора — и более никем. Это было невыносимо. Все равно что превратиться в растение, в послушного робота.

— Сэнди, он...

— Нет уж, больше я не желаю быть чьей-то собственностью. Ты забыл, что Джордан умудрился ревновать меня даже к тебе?

Марч кивнул:

— Ну почему же, помню. Он даже не постеснялся потребовать, чтобы я держался подальше. Сначала я решил было, что это своего рода шутка. Я и не предполагал, насколько это удивит и возмутит тебя. Прости. Мне следовало знать, какой это удар по твоему самолюбию.

— Брось, ты тут ни при чем. Джордан делал все возможное, чтобы мы вообще не виделись.

— Сэнди, нельзя быть такой несправедливой. Ты так говоришь, словно он держал тебя взаперти. А на вашей вилле я не заметил ни единой двери, которая бы закрывалась на ключ.

— Еще чего не хватало! Конечно, он не запирал меня.

Щеки Сэнди залил румянец, когда она вдруг вспомнила, какими методами пользовался Джордан, чтобы лишить ее воли, превратить в тряпичную куклу. Нет, нельзя позволять себе вспоминать то, чем они занимались наедине. Джордан больше не имеет никакой власти над ее телом и ее чувствами. Пока она не думает о нем, пока не вспоминает об их совместной жизни, ей удается держать себя в руках.

— Разумеется, я оставалась добровольной пленницей. Иной раз даже могла выйти из дома одна. Но это случалось очень редко. — Она взяла кувшин и налила из него воды в кофеварку, не пролив ни капли. Маленькая, но все же победа! Это придало ей силы, чтобы твердо закончить: — Решение уйти я приняла самостоятельно. Я никогда не вернусь к твоему брату, Марч.

Какое-то время он молчал:

— Да я, собственно, и не надеялся тебя уговорить. Но обязан был попытаться. — И после еще одной паузы продолжил: — Когда он прочел твою записку, то чуть с ума не сошел. Я еще не видел его в таком отчаянии, если не считать того дня... — Марч оборвал себя на полуслове. — Но, видишь ли, люди способны меняться.

— Только не Джордан! Его ни переубедить, ни изменить нельзя. Он очень жесткий, несгибаемый человек. Все бесполезно.

— Но ведь можно же попытаться еще один раз!

Сэнди покачала головой:

— Мне это не по силам. Как ты считаешь, почему я решила обрубить все концы и уехала из дома, даже не дождавшись его возвращения из Сиднея? Да потому, что у него особый дар: присутствия — даже на расстоянии чувствуешь, будто он рядом.

— Ты же и сама понимаешь, что Джордан не хочет разводиться с тобой. И он найдет сотни всяких юридических способов держать тебя на крючке еще долгое время.

— А куда мне спешить? Рано или поздно ему все это надоест и он согласится на развод.

— Джордан? — Марч улыбнулся и покачал головой. — Странное дело, но, кажется, ты и в самом деле плохо его знаешь... Что ж, — он поднялся со своего места, — я исполнил свой долг и теперь могу со спокойной совестью уехать. Пока, малыш. Надеюсь, что когда мы встретимся в следующий раз, хотя бы погуляем, вспоминая добрые старые времена...

— Буду рада, Марч, — мягко улыбнулась она. — За время нашей совместной с Джорданом жизни ты был моим единственным другом. Ты сам знаешь об этом.

Он обернулся:

— А Джордана ты не считала своим другом?

Сэнди не смогла ничего ответить ему.

Марч недоуменно покачал головой:

— Да, кажется, он все-таки ухитрился изрядно тебе насолить. А мне-то казалось, чтс Джордан намного умнее. Немудрено, что теперь он ходит как пришибленный.

Сэнди печально улыбнулась:

— Боюсь, что ты ошибаешься. Джордана ничто не может вывести из равновесия. Ничто и... никто. И несмотря на все твои заверения, я не думаю, что он способен хоть в чем-то измениться.

— Ты так считаешь? — Марч открыл дверь. — А если подумать как следует? Вспомни, как Джордан ревнив. Просто дьявольски. И в этом смысле он ни на йоту не переменился. — Марч посмотрел на нее. — Тем не менее брат отправил меня к тебе. Может быть, это значит больше, чем банальные слова оправдания! И он хочет ясно дать понять это?

— Что именно?

— То, что доверяет тебе и готов принять любые твои условия ради того, чтобы сохранить ваши отношения.

— Слишком поздно, — прошептала Сэнди.

В глазах Марча промелькнуло неподдельное сожаление:

— Мне страшно жаль. Не знаю, как и повторю ему эти твои слова, — и он направился к двери.

— Марч...

Он остановился:

— Да?

— А где вы должны встретиться? Ну, чтобы ты передал ему мой ответ, — Сэнди нервно провела языком по внезапно пересохшим губам. — Сегодня мне вдруг показалось, что в толпе промелькнул Джордан. Потом я решила, что это просто игра воображения. С утра стоял такой туман, что немудрено было ошибиться. Но... Он случайно не здесь?

— Если он и здесь, я его не видел. — Что-то промелькнуло на лице Марча и сразу исчезло. — Его звонок застал меня на Таити. И он по телефону попросил меня приехать сюда, в Сан-Франциско, поговорить с тобой. Я подумал, что он звонил с Майорки.

Сэнди почувствовала такое облегчение, будто

камень свалился с плеч, и вслед за этим ощутила странное чувство пустоты:

— Ну конечно. Я так и знала, что ошиблась.

Марч хотел было что-то добавить к сказанному, но оборвал себя и закончил:

— До встречи!

Она кивнула:

— До встречи!

Дверь за ним закрылась, и только после этого Сэнди наконец перевела дыхание. Странно... Впервые ей было так трудно с ним. Ведь этого никогда не случалось прежде. С Марчем она всегда чувствовала себя легко и свободно. И пальцы у нее все еще дрожали, несмотря на то что тот уже ушел. Господи! Ну зачем она пытается обмануть саму себя и делает вид, что это Марч вывел ее из себя! На самом деле причина — Джордан. И никто другой!

Хватило и пары слов, чтобы снова ввергнуть ее в то прежнее состояние, в котором она находилась, когда была рядом с ним, и которое Джордан старательно в ней культивировал. И, к своему ужасу, Сэнди поняла, что снова жаждет его. Да, она страшно хотела близости с ним — надо честно признаться в этом хотя бы самой себе. Но ведь это желание — еще не есть любовь. В течение первых бурных месяцев она пыталась уверить себя, что они любят друг друга. Но как можно любить человека, которого, в сущности, не знаешь? Нет, с Джорданом ее связывало только желание, только секс в чистом виде. Наверное, у каждой женщины бывает в жизни такое. Вот и ее не миновала чаша сия. Но теперь, слава Богу, время, когда она находилась в невменяемом состоянии, прошло. И возвратиться к прежнему она бы не согласилась ни за какие сокровища мира. Слова Марча вывели ее из душевного равновесия, обретенного с таким трудом. Надо запретить себе даже вспоминать о Джордане. Надо постараться успокоиться, сосредоточить все силы, все свое внимание на работе.

Полтора года... Почему же он ни разу даже не попытался поговорить с ней? Почему не предупредил, что не может согласиться на развод? И с чего вдруг теперь отправил к ней брата с миссией примирения? Сэнди показалось несколько странным то, что он не искал ее на Майорке. Она считала, что Джордан решил сразу оборвать все концы и выкинуть ее из своей жизни. Сэнди случалось видеть, как холодно и жестко он обращался со своими деловыми партнерами, и подумала, что и с ней он поступает так же.

Мышцы тела оставались все еще настолько напряженными, что Сэнди с трудом заставила себя расслабиться, глубоко вздохнула и попыталась представить, как теплая волна растекается по телу. Надо будет постоять под горячим душем и сразу лечь в постель. А за интервью с Донованом она возьмется завтра утром. Главное — не позволить Джордану проникнуть за ту стену, которую ей удалось возвести вокруг себя. Эта стена всегда будет крепкой и непробиваемой. А ей сейчас необходимо только как следует выспаться.

В первые недели своего отъезда с Майорки она

довольно успешно использовала выверенную надежную тактику: просто жить час за часом, минута за минутой. Иначе ей было не выдержать, не вынести страшную муку.

С трудом, словно у нее на ногах были гири, она двинулась к бамбуковому занавесу, который отделял спальную комнату от ванной.

Да, за это время я научилась нелегкому искусству выживания, — подумала про себя Сэнди. Джордан пытался подавить ее как личность. Но она смогла по крохам снова восстановить индивидуальность. Стать такой же, какой была до этого замужества.

И теперь она никому не позволит встать у себя на пути, заставить плясать под чужую дудку.

Апартаменты Мака Девлина, расположенные на верхнем этаже небоскреба, были просторными и оформлены модным декоратором. В первый миг замершей у входа Сэнди показалось, что ей не удастся протиснуться дальше порога, — так много было гостей. Мужчины и женщины стояли плотной толпой, болтали, смеялись и выпивали. Драгоценности на женщинах сверкали не меньше, чем хрустальные люстры, украшавшие квартиры. Некоторых из присутствовавших Сэнди знала, но большинство были незнакомы. Наконец она заметила чету О'Брайан, Келли и Ника, которые разговаривали с Маком в противоположном конце зала, и стала пробираться к ним. И в этот момент рядом с ней возникла Пенни:

— Держи, — усмехнулась подруга, подхватывая два бокала с подноса в руках у лавировавшего в толпе официанта в черно-белом фраке, и вручила один из них Сэнди. — Учти, что до обеда скорее всего больше ничего не перепадет. Было бы неплохо, если бы Мак пометил своих официантов флюоресцентными значками — иначе здесь их просто невозможно отыскать.

— Что же ты не посоветуешь ему этого?

— Да разве к нему протолкаешься? Можно только докричаться. — Пенни быстрым взглядом окинула бархатное, цвета красного вина, платье Сэнди. — Красивое. — И слегка поморщилась. — Но если бы у меня была твоя фигура, я бы не стала надевать такие балахоны. Мой принцип известен: если у тебя что-то есть, так уж, сделай милость, подчеркни это всеми доступными средствами.

— Вполне разделяю твои взгляды. — Сэнди подмигнула Пенни и повернулась к ней спиной. — Только с одной разницей. Я считаю, что это надо делать незаметно. — Глубокий вырез на спине заканчивался ниже талии.

Пенни засмеялась и покачала головой, когда Сэнди снова повернулась к ней:

— Как твой редактор должна заметить, что ты выбрала не совсем точное выражение. Назвать такой вырез «незаметным» — большая натяжка. — Ее улыбка вдруг исчезла. — Да, кстати, совсем забыла про Гонолулу. Мне уже удалось закинуть удочку и договориться о встрече. Пообещай мне, что...

— Тебе понравилось мое интервью с Донованом?

— Та часть, где о его семье, сделана совсем неплохо. — Пенни нахмурилась. — Но ты напрасно стараешься обойти острые углы. Я вовсе не собираюсь... Что случилось? У тебя такое выражение лица, будто ты... — Пенни повернулась и посмотрела в ту же сторону, куда глядела Сэнди: в тот угол, где стоял Мак в окружении гостей, и слегка присвистнула. — Вот это мужчина! Что за таинственный красавец? Лицом почти что Мэл Гибсон, а сложен, как Кевин Костнер. Действительно, глаз не оторвать.

— Да уж, — каким-то странным тоном проговорила Сэнди.

Сделав глоток шампанского, Пенни, слегка нахмурившись, снова посмотрела на незнакомца, разговаривавшего с Маком:

— Наверное, какая-нибудь кинозвезда? Кому бы еще пришла в голову идея надеть черную повязку на глаз? Как пират из старых фильмов о капитане Флинте.

Сэнди продолжала молчать.

— Еще секунда, и я не смогу удержаться и начну продираться сквозь толпу в ту сторону, — пробормотала Пенни. — При виде такого мужчины... — она тотчас замолчала, когда увидела изменившееся лицо Сэнди. — Так ты его знаешь?

Сэнди наконец смогла преодолеть охватившее ее оцепение, и кивнула, неотрывно смотря на мужчину с повязкой на глазу:

— Это Джордан.

— Ах вот оно что, — протянула Пенни и более внимательно посмотрела на бывшего мужа подруги.

Еще вчера она удивлялась, как болезненно Сэнди реагирует на все, что связано с разрывом. Что эта рана, несмотря на время, оставалась свежей. Сегодня все стало понятно. Джордан Брандон излучал такой магнетизм, какого Пенни не ощущала ни в одном другом мужчине. От него веяло силой, властностью и... Пенни невольно перевела взгляд на его лицо. Четко очерченная линия бровей и скул сразу бросалась в глаза, но более привлекательными все же были его губы. И эта повязка на глазу! Она придавала ему столько шарма, столько обаяния! Ничего странного, что Сэнди сразу попалась на крючок. Вряд ли нашлась бы женщина, способная устоять против чар Джордана. Пенни придвинулась на шаг к Сэнди, показывая подруге, что она рядом и готова помочь ей в любую секунду.

— Если ты захочешь уйти, я передам Маку твои извинения.

— Нет. — Сэнди только на секунду прикрыла глаза, а потом повернулась к Пенни и улыбнулась. — Со мной все в порядке. Просто я этого не ожидала, меня застали врасплох.

— Какого черта он здесь делает? Откуда он взялся? — возмущенно проговорила Пенни. — Почему бы ему не заниматься своими делами?

— Джордан постоянно колесит по миру. Кто знает, каким ветром его занесло сюда? — Сэнди отпила глоток шампанского. — Думаю, что вскоре мы это поймем. Тактика Маккиавели ему не по душе. Джордан всегда идет напрямик, напролом, не обращая внимания на препятствия.

Глядя на мужчину в противоположном конце комнаты, Пенни понимала, что Сэнди ничуть не преувеличивает. Пока Джордан стоял неподвижно, создавалось впечатление, что он абсолютно спокоен, но когда он поворачивался и наклонял темноволосую голову, прислушиваясь к словам собеседника, — было видно, что каждое его движение полно мощи, внутренней силы. И Пенни вдруг ощутила себя совсем беззащитной.

— Может, нам найти укромный уголок и выпить чего-нибудь покрепче?

Сэнди ласково улыбнулась в ответ на заботливое предложение подруги:

— Мак хотел, чтобы ты была среди гостей и общалась со всеми этими «шишками». Не беспокойся из-за меня, Пенни. Ты ведь сама говорила вчера: мне надо приготовиться к тому, чтобы встретиться с ним лицом к лицу.

Да, но это было до того, как Пенни лично увидела Джордана и поняла, о чем идет речь.

— Говорить никому не запрещено. А я, кажется, умею делать смелые заявления. Но коли так получилось, остается одно: давай подойдем к нему и ты покажешь, как уверенно себя чувствуешь и прекрасно обходишься без него.

Сэнди с сомнением покачала головой:

— Спасибо за поддержку, но я не девочка, чтобы меня водили за ручку. Мне уже двадцать семь лет!

Справлюсь сама. Не волнуйся и занимайся своими делами.

Пенни заколебалась:

— Ты уверена?

— Разумеется, — Сэнди поднесла бокал к губам. — Просто я слегка удивлена. Джордан не из тех людей, которые зря... — она забыла, чем хотела закончить, потому что в эту минуту Джордан посмотрел прямо на нее... Его лицо оставалось спокойным, но Сэнди почувствовала, как эмоциональная волна прокатилась через весь зал и захлестнула ее с головой. Сэнди сжала тонкую ножку бокала. Она уже забыла холодную синеву этого взгляда.

— Сэнди?

Встревоженный голос Пенни привел ее в чувство. Отведя глаза в сторону, она выдавила из себя улыбку:

— Я же сказала: не волнуйся! У тебя и без меня дел хватает.

Подруга скептически поморщилась, но пожала плечами:

— Я скоро подойду, посмотрю, как ты, — и, повернувшись, скрылась в толпе.

Сэнди неотрывно смотрела на то, как пузырьки шампанского устремляются со дна бокала вверх. С минуту на минуту он будет здесь, рядом с ней. Пройдет сквозь толпу, как ледокол, и все инстинктивно будут расступаться перед ним, не понимая, почему это делают. Его ничто не остановит. Еще немного, и он...

— Привет, Сэнди.

Она подняла глаза и посмотрела ему прямо в лицо. О Господи! Как она боялась этой минуты. И не зря. Дыхание у нее сразу перехватило, в горле будто застрял ком.

— Каким ветром тебя сюда занесло?

— Я ждал, что ты сюда придешь, — Джордан сжал губы. — Я искал встречи с тобой все эти полтора года. — Взгляд его пробежал по ее тонкому лицу, задержавшись чуть дольше на мягких губах и на прядке серебристо-пепельных волос, которая непослушно завилась у самой щеки. Брови Джордана слегка нахмурились. — Ты подстриглась. Мне больше нравились длинные волосы.

— А мне — короткие, — Сэнди отпила глоток шампанского. — Марч не знал, что ты в Сан-Франциско?

— Сейчас уже знает. Я позвонил ему. Кстати, он поселился вместе со мной. — Джордан взял у нее из рук бокал с шампанским и поставил на сервировочный столик. — Уйдем отсюда. Мне надо с тобой поговорить.

Сэнди почувствовала, как ее охватывает страх и растерянность.

— А у меня нет ни малейшего желания ни с того ни с сего уходить. Во-первых, я только что пришла. Во-вторых, я даже не успела поздороваться с Маком...

— Ради Бога, Сэнди, перестань упрямиться... — Джордан внезапно оборвал себя, и Сэнди увидела, каких усилий ему стоило заставить себя замолчать. —

Ну хорошо, останемся, если тебе так больше хочется. Где тут можно уединиться?

— Зачем? Нам и сказать-то друг другу нечего.

— Нет, есть. — Он окинул взглядом комнату, остановился на дверях, ведущих на террасу, затем взял ее за руку и стремительно повел за собой сквозь толпу. — Нам давно нужно было откровенно поговорить. — Распахнув двери, он пропустил ее вперед. — Должен же я наконец узнать, почему ты от меня убежала.

— Почему убежала? Я оставила записку, в которой объяснила причину своего отъезда. — Услышав, как его дыхание участилось, Сэнди обернулась и поняла, что он смотрел на глубокий вырез ее платья, который заканчивался сзади ниже талии.

— Неужели нельзя было надеть что-нибудь более пристойное? Это даже хуже, чем прийти вообще раздетой.

Сэнди резко выпрямилась, словно почувствовала опасность:

— Дело вкуса. Кому что нравится. Раньше по твоей милости мне приходилось закутываться с ног до головы, как наложнице из гарема какого-нибудь шейха. Ты не позволял мне даже в шортах выйти за пределы дома.

Джордан сердито нахмурился:

— Это потому, что ты выглядишь слишком сексуальной. — Пройдя следом за ней на балкон, он закрыл за собой дверь. — И мне казалось, что тебя это не слишком задевает. Кажется, мы с тобой уже обсуждали это...

— Обсуждали... — Сэнди резко повернулась

лицом к нему. — Мы с тобой никогда и ничего не обсуждали. Ты сам приходил к какому-то выводу, принимал решение и деловито ставил меня в известность. Так что мне оставалось только послушно выполнять то, что тебе пришло на ум.

— Да и тебе это, кажется, доставляло удовольствие...

Она вспыхнула:

— Ты опытный любовник, Джордан. И тебе не составляло труда заставить меня полыхать огнем. Ты знал, на какие клавиши надо нажимать. И те дни, что мы были вместе, прошли, как в эротической дреме. Я ничего толком не соображала и не понимала. Все было как в тумане. — Она встретила его взгляд. — Но рано или поздно наступает момент, когда надо проснуться и посмотреть правде в глаза. И когда я наконец очнулась и поняла, что происходит...

— Это не было ни сном, ни дремой. Это была действительная жизнь... — в его голосе проскользнули приглушенные жесткие нотки. — Была ты. И был я. И тебе нравилось то, чем мы с тобой занимались. — Он шагнул к ней. — И ты откликалась на каждое мое движение так, как ни одна из встреченных мною прежде женщин. Вспомни, сколько раз на день мы занимались любовью? Какие ты издавала стоны и как впивалась ногтями мне в плечи? Ты помнишь это, Сэнди?

Невольно отступив на шаг назад, она попыталась мысленно отгородиться от него, поставить барьер, преграду, которая помогла бы ей устоять. Ни в коем случае не следовало вспоминать то, что происходило между ними. Оказавшись с ним наедине, она буквально становилась сумасшедшей.

— Я помню, как ты убедил меня бросить работу, отказаться от любимого дела. Помню, как ты разрушал все дружеские связи, которые у меня устанавливались с кем-либо. И я прекрасно помню, что к тому времени, когда решилась от тебя уйти, — я превратилась, можно сказать, в рабыню, которая...

Лицо его потемнело и слегка исказилось, как от боли.

— Из твоего наброска получается портрет эдакого маркиза де Сада. Разве я так обращался с тобой? Хоть раз я был жесток или груб? Единственное, чего мне хотелось, — это исполнять все твои желания.

— А ты хоть раз спросил меня: что именно я хочу? — печально улыбнулась Сэнди. — Конечно, физического насилия ты себе не позволял.

Его губы изогнулись:

— Это намек на то, что я подавлял твою психику?

— Ты сам подыскал определение. Так или иначе, но ты управлял, манипулировал мною. Ты умеешь заставить людей делать то, что считаешь нужным. И скорее всего даже не замечаешь, как это делаешь. Все у тебя получается само собой. Так вот! Я решила, что больше никому не позволю собой вертеть. — И она двинулась к дверям, ведущим в холл. — Вчера я сказала Марчу все, что думаю по этому поводу. Я не вернусь, Джордан. Найди себе другую женщину, которую будут интересовать только постельные забавы и более ничего.

— Это не забавы. Господи Боже мой, мне казалось, что ты сама понимаешь, что это не игры.

Сэнди не позволила себе оглянуться, пока шла к двери. Она кожей ощущала его взгляд, и от этого ее бросало в жар. Тело по-прежнему готово было откликнуться на каждое его прикосновение, на каждый жест, как отликается струна на движение руки опытного музыканта. Острое желание и сейчас охватило ее. Господи, еще секунда, и ей удастся нырнуть в толпу и раствориться в ней. Еще секунда... и она будет свободна.

— Я не позволю тебе уйти просто так...

— А я не буду спрашивать у тебя позволения, Джордан, — Сэнди открыла дверь. — До свидания.

Джордан стиснул кулаки. Какую-то долю секунды он еще видел ее серебристо-пепельные волосы сквозь прозрачные гардины, а потом Сэнди заслонили проходившие мимо люди. И все, что произошло, — исключительно по его вине, — подумал Джордан, горько сожалея о случившемся. Только сейчас он осознал, как по-идиотски повел себя. Ему хотелось быть мягким, терпеливым, внимательным, понимающим. А вместо этого он начал нападать на нее, обвинять во всем, выгораживая себя и перекладывая всю вину на Сэнди. Счастье, если после такого разговора Сэнди не обратится в полицию и не потребует, чтобы его обязали держаться от нее подальше.

Следовало бы заранее догадаться о том, что он непременно сорвется. Стоило им оказаться вместе, как в нем сразу проснулось чувство собственника. Напрасно он считал, что после долгой разлуки его реакция не будет такой острой, тем более что все это время он старался побороть себя, старался подавить свои привычки.

Но желание было таким мощным, что он сразу потерял контроль над собой. Конечно, ему очень бы хотелось дождаться такого времени, когда он сможет, разговаривая с ней, держать себя в руках, обуздывая свой темперамент. Если бы не обстоятельства, которые вынудили его действовать так настойчиво и быстро! Холодок пробежал у него по спине, когда Марч описал полупустое здание, в котором поселилась Сэнди. Ему не оставалось ничего другого. Как иначе он мог обезопасить ее жизнь? Тот выродок из Нью-Йорка все еще жив, и угроза для Сэнди оставалась вполне реальной.

Разговор не получился. Сэнди ушла расстроенной. Но Джордан слишком хорошо знал жену, чтобы не заметить, как ее тело по-прежнему чутко отзывалось на его присутствие. Стена, которой она пыталась отгородиться, защищала не лучше папиросной бумаги. А что, если она, выведенная из себя встречей с ним, уедет с вечеринки одна, в пустой дом, что стоял возле порта? Черт! Она могла уже уйти, пока он тут неизвестно чем занимается.

Выругавшись сквозь зубы, Джордан рванулся к двери, распахнул створки и быстрым взглядом окинул толпу гостей, выискивая серебристо-пепельную головку Сэнди.

Глава 2

Темно-синий «Мерседес», взвизгнув тормозами, остановился на пустынной стоянке почти впритык за «Хондой» Сэнди.

Сердце ее невольно сжалось от страха. А когда она увидела Джордана, вышедшего из автомобиля, ее охватил страх совсем иного рода. Ей казалось, что на том разговоре все закончится. Хотелось, чтобы так и было, черт побери!

Выйдя из машины, она изо всех сил хлопнула дверцей.

— Джордан, учти, что это моя квартира, это частная собственность. Значит, посторонним — тем, кого я не приглашала, — вход сюда воспрещен!

— Марч мне описал твое жилище. Сначала я поверить не мог, что оно действительно находится в таком месте. Ты что, совсем не понимаешь, что делаешь? Лучшего места для того, чтобы на тебя могли напасть, — и придумать нельзя. А ты еще толкуешь о приглашении.

— Соседние дома хорошо охраняются, — заметила она в свое оправдание. — А кроме того, тебя это не касается. Уходи, Джордан. Оставь меня в покое.

— Только после того, как ты войдешь в дом.

— Нет. Я сама в состоянии...

Но он, не слушая ее, уже подошел к лифту, и Сэнди не оставалось ничего другого, как последовать за ним.

— Мне не нужна охрана. Я вполне обходилась без нее все это время. Дойти до дверей своей квартиры — сущий пустяк.

— Да, обходилась, — Джордан повернулся к ней лицом. При электрическом свете лицо его выглядело угрюмым. — Но давай посмотрим, что мы имеем на данный момент? Ты стоишь под номером один в списке возможных жертв маньяка-убийцы. И несмотря на это, покупаешь жилье в почти пустом, еще не заселенном доме. Может быть, проще вернуться в Нью-Йорк и вручить ему нож, чтобы он перерезал тебе горло?

Сэнди посмотрела на него с нескрываемым изумлением:

— Откуда ты узнал про Кемпа?

Джордан хранил угрюмое молчание.

— Так откуда же?

— Из газет, — уклончиво ответил он.

— Сомневаюсь, что эта история дошла до австралийских газет. Признайся, откуда это стало тебе известно? — Она напряженно вглядывалась в него. — Ты вчера был в Сосалито?

Легкая тень пробежала по его лицу.

— Ты следишь за мной, — выдохнула она. — И как долго?

— Я здесь около месяца.

— Около месяца?! И Марч понятия не имел, что ты здесь? — Но тут она припомнила выражение лица его младшего брата, когда она выспрашивала у него, известно ли ему, где Джордан. — Или же знал и солгал мне?

Джордан еще какое-то время молчал, а потом медленно покачал головой:

— Как ты можешь так говорить? Ты его знаешь, он не способен лгать. — И улыбнулся. В его улыбке проскользнул легкий оттенок горечи. — Или ты забыла, что он всегда был, что называется, совестью нашей семьи?

— Тем не менее он что-то пытался скрыть от меня?

— Это случайно не материал для интервью, которое ты опубликуешь в своем «Уорлд рипорт»? — Джордан пожал плечами. — Наверное, Марч догадывался, что я могу быть здесь. Поскольку знал, что я несколько раз приезжал сюда в прошлом году.

— Несколько раз... — она недоуменно покачала головой. — Но зачем?

— Мне хотелось побыть рядом с тобой, — просто ответил Джордан.

У Сэнди возникло ощущение, словно ей не хватает воздуха и она вот-вот задохнется. И гнев, охвативший ее при виде Джордана, вдруг куда-то исчез. Но она отчаянно хваталась за это спасительное для нее чувство:

— Значит, ты следил за мной... Но какое право ты имел это делать? С какой стати?

— Мне хотелось уберечь тебя от опасности. Кемп...

— У тебя какая-то навязчивая идея.

— Я не охотился за тобой и не ходил за тобой по пятам. И у меня, как ты догадываешься, были здесь свои дела. Просто я договорился с агентством, чтобы они на всякий случай заботились о твоей безопасности, когда меня нет поблизости.

— Сыщики? Ты нанял сыщиков, чтобы они повсюду шныряли за мной? — Она даже встряхнула головой, словно не верила своим ушам. — Да, все, что касается твоей собственности, ты будешь охранять и готов держать под семью замками. — Сэнди принялась лихорадочно рыться в сумочке, пытаясь отыскать ключи. — И вдруг одна частичка ускользнула из твоих рук, да?

Джордан поморщился:

— Я никогда не считал тебя своей собственностью, Сэнди.

— Тогда с какой стати ты следил за мной? — Голос ее дрогнул, когда она неестественно засмеялась, и, открыв дверь лифта, вошла внутрь. — По какому праву?

— По праву любящего тебя человека.

Она прикрыла глаза:

— Не обманывай меня и себя, Джордан.

— А я не обманываю, — в голосе его послышалась хрипотца. — Вернись, Сэнди. Позволь мне доказать тебе, что нам хорошо будет вместе.

Она резко повернулась к нему, в глазах горели гнев и отчаяние:

— Но как я могу доверять тебе? Я прекрасно знаю все твои привычки. Просто ты не в состоянии выпустить из рук ничего, что захватил. И не в состоянии смириться, если что-то идет не так, как ты задумал.

— Ты права. И я приложу все силы для того, чтобы тебя вернуть. — Он помолчал. — Все свои силы.

Каждое слово Джордана задевало ее за живое, бередило свежую рану.

— Напрасно. Между нами нет ничего, на чем бы могли строиться наши отношения. Ничего общего.

— Но ты даже не даешь мне возможности попробовать начать все заново, — все тем же напряженным голосом проговорил Джордан. — Почему ты не сказала мне, что тебя тяготит? Почему убежала сломя голову?

— Всякий раз, когда я собиралась поговорить с тобой, — все заканчивалось тем, что мы оказывались в постели. Каждый из нас — с первого дня совместной жизни — ожидал чего-то другого. Вот почему у нас ничего не вышло. И не выйдет. — Она шагнула в кабину лифта. — Спокойной ночи, Джордан.

Но он уже стоял рядом с ней:

— Я поднимусь с тобой.

Но когда она протестующе дернулась, резко добавил:

— Не беспокойся. Я просто хочу убедиться, что

тебя никто не подстерегает у входной двери. — И Джордан нажал на кнопку. Лифт загудел и медленно, как улитка, пополз наверх.

— Каким образом кто-то мог забраться наверх и поджидать меня там, если дверь лифта оставалась запертой?

— Подделать ключи ничего не стоит.

Как близко он стоит. Джордан не прикасался к ней, но Сэнди чувствовала тепло его тела, запах, исходивший от него, — его собственный запах с примесью такого знакомого аромата лимонного лосьона, которому он отдавал предпочтение. Какого черта этот проклятый лифт так медленно тащится?

Сэнди чувствовала его взгляд на лице и знала, что он заметил, как лихорадочно бьется жилка у нее на виске, выдавая волнение. Джордан успел изучить ее как свои пять пальцев и всегда знал, когда ее тело готово уступить. Именно в этот момент он начинал атаку, и успех всегда был ему обеспечен.

— Помнишь, как ты в первый раз поднималась в мой кабинет в Сиднее?

Память помимо воли высветила картину, от которой глубоко внутри вспыхнуло и растеклось по телу пламя.

— Нет, забыла...

— А я помню, — бархатистые нотки прозвучали где-то возле уха. — Мы были женаты всего несколько недель. И тебе захотелось взглянуть, как выглядит мой кабинет. Конечно, с утра мы занимались любовью. Но это не утолило нас обоих. Какая-то искра проскочила между нами, и я остановил лифт между этажами...

Сэнди, конечно, помнила тот визит в его офис, когда какая-то первобытная сила бросила их в объятия друг друга прямо в кабине лифта. Как он повалил ее на ковер и склонился над ней с выражением неутоленной жажды и с какой животной страстью он взял ее на полу...

Джордан отступил на шаг. И снова, как на террасе, Сэнди почувствовала его взгляд на обнаженной спине:

— Господи, какая у тебя волшебная кожа, — прошептал он и легко провел указательным пальцем до впадинки. — Нежная и шелковистая, как атлас.

Его указательный палец поднялся вверх, к плечам, оставляя за собой огненный след и вызывая острое удовольствие.

Надо остановить лифт и открыть дверь, с отчаянием подумала Сэнди, но не в силах была даже пошевелиться. След, который остался от движущегося по ее телу пальца, словно паутина, сковал ее по рукам и ногам. Вернее, блаженство, растекавшееся по каждой клеточке тела и требовавшее продления ласки, делало ее пленницей. Подушечка указательного пальца медленно спустилась вниз, к тому месту, где заканчивался вырез и обозначилась ложбинка.

— А ягодицы — просто восхитительные.

Сэнди слышала его затрудненное дыхание за

своей спиной, и все это вместе — и грубоватая прямота слов и откровенность желания, которые звучали в голосе Джордана, — только подстегивали ее, вызывая столь же откровенное ответное желание.

— Стоило только увидеть, как ты шла по залу, — и я сразу захотел тебя. Нет, ты не виляешь бедрами. Но в твоей походке есть такое непередаваемое ощущение полета и свободы. Мне никогда не удавалось вдосталь наглядеться на тебя со стороны. — Рука Джордана скользнула за вырез.

Дыхание у нее перехватило — словно от удара током.

— Сколько времени прошло! — В голосе Джордана прозвучали нотки боли, а ладонь начала гладить ее ягодицы — мягко и ритмично. — Иной раз мне казалось, что я вот-вот сойду с ума оттого, что не могу войти в тебя и почувствовать, как ты двигаешься подо мной.

Полузакрыв глаза, Сэнди невольно оперлась спиной о его плечо, — так трудно ей было удержаться на ногах. До чего же ей хотелось, чтобы рука Джордана начала ласкать ее пылающее лоно. Одно легкое движение — и она получит желаемое. Джордан всегда знал, как доставить ей наслаждение. В том, что касалось физической близости, Джордан, казалось, читал ее мысли. Именно в такие минуты она ощущала единение с ним.

По правде говоря, физическая близость — это единственное, что их объединяло.

Эта мысль пронзила Сэнди такой болью, что

мгновенно разрушила паутину желания, в которую она опять попалась.

— Нет! — Она отдернулась от него, будто обожглась, и, едва раскрылся лифт, выскочила из него, чтобы тут же броситься к спасительной двери своей квартиры.

— Сэнди!.. — Джордан непостижимым образом уже стоял рядом. Склонившись к ней, он проговорил прерывистым голосом: — Позволь мне войти... Ты ведь хочешь меня. Ты хочешь того же, что и я. Нам обоим это нужно.

Она резко повернулась лицом к нему, глаза ее сверкали на побледневшем лице:

— Да, я хочу тебя. Но это неважно. Неужели ты не понимаешь? Мне нужен муж, который может предложить мне нечто большее, чем ты. Мне нужно знать, о чем он думает, что переживает. И я испытываю потребность в такой близости, которая превращала бы меня и его в одно целое... — она почувствовала, как слезы наворачиваются на глаза, и замолчала на полуслове. — Впрочем, какое это имеет значение? Скорее всего тебе нет дела до того, что я имею в виду.

Джордан ответил не сразу. Слегка запнувшись, он проговорил:

— Да. И я не уверен, что смогу дать то, чего ты ждешь.

— Вот почему, уезжая, я поклялась, что больше не попадусь в капкан. — Она отвернулась. — Быть может, самое лучшее, что ты можешь сделать, — забыть обо мне.

— Именно это я и не могу, — осевшим до хрипоты голосом ответил Джордан. — Скажи, как мне убедить тебя в том, что это выше моих сил?

— Сможешь, черт возьми! — Сэнди вошла в квартиру и захлопнула за собой дверь.

Стоило только отгородиться от Джордана, как она почувствовала такую слабость, что ей пришлось прислониться к стене. Еще чуть-чуть, и она бы уступила ему. Она все еще дрожала, охваченная той бурей чувств, которые Джордан опять в ней вызвал. Но главное в другом: она встретилась с ним один на один и смогла устоять, не поддаться искушению, — попыталась приободрить себя Сэнди. А в следующий раз наверняка будет легче. Господи Боже, как ей хотелось верить, что так оно и будет!

А Джордан отошел от двери и вернулся к лифту. Левая щека дернулась, когда он нажал на кнопку. Через несколько минут он уже сидел за рулем своего «Мерседеса», глядя прямо перед собой невидящим взглядом. Боль скоро пройдет, и тогда он окажется в состоянии думать. Только бы дождаться этого момента! Джордан опустил голову на руль, который сжимал так крепко, что побелели костяшки пальцев. Постепенно ему удалось взять себя в руки и даже расцепить окоченевшие пальцы. Вернулась и способность контролировать ход мыслей. Теперь надо хорошенько осмыслить то, что сказала Сэнди, а уже потом начинать строить планы. Для этого у него будет масса времени, поскольку он заявил Марамбасу, что сегодня ночью его услуги не потребуются. Оставлять Сэнди без охраны нельзя. И доверить ее охрану он не может никому.

На следующий день посыльный принес Сэнди прямо в здание «Уорлд рипорт» браслет из рубинов и бриллиантов. В черной бархатной коробочке не оказалось никакой записки.

В два часа дня ей принесли соболиную шубку и розы. И опять без всякой записки или визитной карточки.

В четыре часа раздался звонок: владелец платной стоянки сообщил ей, что ключи от нового «Ламборджини», который является ее собственностью, находятся у него в офисе. И он готов прислать их в любую минуту.

— Нет, не надо, — ответила Сэнди, сжимая телефонную трубку. — К ключам приложена какая-нибудь записка?

Но и без того она уже знала ответ. Ничего. Медленно положив трубку, она молча смотрела перед собой.

— Джордан? — спросила Пенни.

— Скорее всего. Кому еще могло взбрести в голову прислать машину, которая стоит бешеные деньги, и даже не написать записки? — Сэнди недоуменно покачала головой. — Зачем все это он вытворяет?

— Тебе лучше знать, — пожала плечами Пенни. — Но так или иначе, это надо прекратить. Мак терпеть не может, когда в издательстве начинают заниматься чем-то другим, кроме работы.

— Согласна. И я постараюсь разобраться с этим как можно скорее. — Сунув в сумочку футляр с браслетом и набросив на плечо шубку, она кивнула. — До завтра, Пенни.

— Совсем не обязательно идти к нему самой. Можно воспользоваться услугами посыльного.

— Браслет, соболиная шуба и «Ламборджини»? Не уверена, что такие дорогие вещи можно доверить посыльному.

— Но Джордан ведь отправил все это с посыльным, — помимо воли в карих глазах Пенни проскользнула тень беспокойства. — Он ведь не дурак. И если хотел найти способ, как снова повидаться с тобой, то придумал бы что-нибудь более оригинальное.

— Разумеется. Джордан любит неординарные поступки, — бросила Сэнди, покидая комнату.

Через сорок пять минут она уже стояла у входной двери Джордана и нажимала на кнопку.

— Зачем? — спросила она, как только Джордан открыл дверь. И, пройдя в комнату, бросила футляр с браслетом, шубу и ключи на кушетку. — Ты прекрасно знал, что я не возьму ничего.

— Я покинул тебя такую огорченную, что побоялся: а вдруг ты больше не захочешь меня видеть? — Джордан закрыл дверь и прислонился к ней спиной. — И таким образом решил убить сразу двух зайцев.

— Двух зайцев?

Он кивнул:

— Вынудить тебя прийти ко мне и начать новый этап ухаживания.

Она недоуменно смотрела на мужа:

— Ухаживания? Но мы с тобой разводимся.

Джордан покачал головой:

— В ближайшие сто лет — навряд ли, любовь моя. Ты превратишься в седенькую старушку, которую будут возить в коляске, раньше, чем тебе удастся освободиться от всех узлов, которые будут вязать один за другим мои адвокаты.

— Джордан, пожалуйста, будь разумнее. Я не передумаю.

— Передумаешь, — он сжал губы. — И я приложу все силы, чтобы ты поняла: в тех вопросах, которые имеют отношение к тебе, я не способен проявлять благоразумие. — Джордан отступил на шаг от входной двери. — Думаю, что смогу выполнить твое пожелание. Я стану твоим самым лучшим другом. Обдумав все вчера ночью, я понял, чего тебе не хватало: ухаживания. — Легкая улыбка пробежала по его губам. — Ты все помнишь, ведь мы оказались в постели, сразу как повстречались. А через неделю — поженились. И, к сожалению, проскочили такой важный этап в отношениях, как ухаживание. Его-то тебе и не хватает.

— Джордан... — растерянно начала Сэнди. — Не слишком ли ты поздно все затеял? Ничего не выйдет...

— Выйдет. — Голос его дрогнул от воодушевления. — Ты вбила себе в голову, что между нами есть только сексуальное влечение. Что, кроме этого, нас ничего не связывает. Конечно, меня тянуло к тебе, как магнитом. И я, как наркоман, не мог прийти в себя и осознать, что происходит. Но это не означает, что, кроме твоего, столь притягательного тела для меня ничего более не существует. Я люблю тебя, черт возьми!

Проблеск надежды вспыхнул в ее душе:

— Мне трудно в это поверить.

Джордан непроизвольно шагнул к ней, но, увидев, что она так же непроизвольно отступила, замер на месте:

— Прости, желание дотронуться до тебя иной раз бывает непреодолимым, и я не успеваю вовремя сдержаться. — Но, — с нажимом проговорил Джордан, — в этом, в сущности, нет ничего дурного. Наша близость всегда была прекрасной. — Он глубоко вздохнул. — Итак, процесс ухаживания начался. Хочешь, я опишу тебе, как все будет дальше?

Сэнди медленно и неуверенно кивнула.

— Никакой сексуальной близости.

Глаза ее широко распахнулись.

— Да, я так решил, не удивляйся, — его губы изогнулись в лукавой улыбке. — И смею заверить тебя, что коли уж вынужден был принять такое чрезвычайное решение, то переверну все вверх дном, лишь бы все было как надо. Может, загвоздка именно в сексуальной стороне дела? По-твоему, это единственное, чего я хочу от тебя, и что использую это для того, чтобы управлять тобой, так ведь?

Она снова кивнула.

— Тогда я не трону тебя даже пальцем и больше не буду принимать за тебя никаких решений. Мы будем встречаться, болтать... но не более того. Ты согласна?

— А если я скажу «нет»?

Лукавство, тенью проскользнувшее по его лицу, проявилось отчетливей:

— В таком случае через каждый час в редакцию «Уорлд рипорт» будут приходить все новые подарки на твое имя. А я буду слоняться рядом, как бездомный щенок, — голос его стал бархатисто-шелковым, — и буду стараться соблазнить тебя, как только подвернется более или менее удобный момент.

— Понятно, — взгляд женщины испытующе пробежал по его лицу. — Но это не ловушка? Ты в самом деле собираешься выполнять то, что обещаешь?

Джордан вскинул брови:

— Господи, ты же знаешь: я никогда не нарушал своего обещания или данного слова.

— В среде деловых партнеров, действительно, твое слово значит все. Но я не уверена, что это же самое относится...

— В любую секунду ты вольна прекратить мой «эксперимент». Надеюсь, эти условия тебя вполне устраивают?

Наверное, я совершаю большую глупость, подумала Сэнди. Джордан для нее всегда был загадкой. Он предупреждал, что пойдет на все ради того, чтобы вернуть ее. И не исключено, что это очередная уловка, чтобы добиться своего, вынудить ее разоружиться, расслабиться, чтобы потом застать врасплох. Надо сразу отказаться, иначе потом несдобровать.

— Пожалуйста, — проговорил он тихо.

И сердце ее непроизвольно дрогнуло от жалости к нему. Джордан, каким она его знала и каким помнила, всегда был властным, самоуверенным. За все то время, что они были вместе, он никогда ни о чем не попросил ее. Может, и вправду еще не все потеряно и можно надеяться на перемену? Боже, как же ей хотелось поверить ему. Без Джордана, без его умения взбудоражить и вскружить ей голову жизнь Сэнди стала такой одинокой, такой скучной...

— Поверь мне. Больше я никогда не стану пытаться управлять тобой, диктовать что-либо или навязывать...

Поверить ему? Их связывала только физическая страсть, а не духовная близость, построенная на доверии. Однако если окажется, что та картина, которую он нарисовал перед ней, написана в реалистичной манере, то по сравнению с этим поблекнут все самые смелые мечты. Это будет истинное счастье. Полное и гармоничное, доселе неслыханное и невиданное.

— Ответь, Сэнди.

— Я верю тебе. Пока, — медленно проговорила она и замолчала, какое-то время раздумывая. — И если ты собираешься ухаживать за мной, то пусть это идет так, как у всех нормальных людей. Пусть твои детективы оставят меня в покое. И ты не должен кружиться надо мной, как коршун.

Его охватило невероятное чувство облегчения:

— Хорошо. Ты не пожалеешь о том, что согласилась на мои условия.

Сэнди твердо посмотрела ему в лицо:

— Но если я пожалею, — это будет наша последняя встреча, — без обиняков закончила она. — Начинать все с самого начала у меня уже больше не будет ни сил, ни желания. Я не мазохистка, Джордан.

— Насчет этого можешь не волноваться, — по-мальчишески озорно проговорил он. — У нас получится. Предоставь событиям идти своим ходом и ни о чем не беспокойся.

Она вздохнула:

— Значит, опять все без моего участия! А я хочу, чтобы мы вместе принимали решения и вместе обсуждали, как все получается. Именно это и есть дружеские связи, а не очередная форма рабства — пусть и в золотой клетке.

— Прости, — он растерянно заморгал. — Это...

— Это привычка, — закончила она за него. И вдруг поймала себя на том, что улыбается. — Тебе придется очень долго отвыкать от таких привычек.

— Ничего, в конце концов я справлюсь. — Он посерьезнел. — С твоей помощью. Ты же знаешь, Сэнди, прежде я никогда не обращался к тебе за помощью. Надеюсь, ты не откажешь мне сейчас?

Молчание, которое неожиданно затянулось, было наполнено такими богатыми оттенками чувств и настроений, которых прежде она никогда не замечала. И Сэнди вдруг поймала себя на том, что смотрит на Джордана, не в силах оторвать от него глаз. Всем своим видом он просил ее о том, что невозможно было выразить словами, что лежало за пределами обыденных понятий и выражений. О том, что было запрятано глубоко внутри. И только когда пришло осознание этого, Сэнди наконец смогла отвести взгляд и слабо улыбнулась:

— Хорошо, но и ты должен пойти мне навстречу. Если ты и дальше будешь присылать мне в редакцию подарки, Мак окончательно выйдет из себя. Больше никаких подарков, хорошо?

— Ладно, никаких подарков. — Джордан печально посмотрел на соболиную шубку, что так и осталась лежать на кресле. — Но, в сущности, наш уговор не означает, что ты не можешь принять...

— Нет, — отрезала Сэнди, даже не дав ему закончить фразу.

— Жаль. Впрочем, все это можно оставить до того времени, пока ты... — он замолчал и робко улыбнулся, заметив воинственное выражение, промелькнувшее у нее на лице. — Знаю, знаю. Можешь не говорить, я и сам догадался. Это нажим. Я опять оказываю на тебя давление и тороплю события. Это въелось в меня, черт бы побрал мой характер!

— Да, — суховато отметила Сэнди, — за год нашей совместной жизни я успела заметить эти качества.

— Но с этой минуты все пойдет по-другому. Клянусь. — Джордан повернулся к двери и распахнул ее настежь. — Я заеду за тобой в семь часов. Хочу тебе кое-что показать.

Не без удивления Сэнди отметила, что Джордан совсем ее обезоружил:

— Вообще-то принято спрашивать: доставит ли ваше общество даме удовольствие или нет? — с едва уловимой улыбкой на губах проговорила она. — Не забудь, что это тоже входит в ритуал ухаживания, Джордан.

Он тоже улыбнулся:

— Не окажешь ли ты мне честь, согласившись поужинать вместе сегодня вечером?

— Буду рада, — ответила Сэнди уже в дверях, где она остановилась на миг, и посмотрела на него. — Форма одежды — парадная или обычная?

— Джинсы, кроссовки и ветровка. До вечера!

Сэнди чувствовала на себе его взгляд, пока шла через холл к лифту, и раздумывала о том, почему приняла это сомнительное предложение. Все опять повторяется: она попала под обаяние Джордана и не может вырваться из сковывающих ее пут так, как если бы и не покидала его.

Возле лифта она замедлила шаг и обернулась. Джордан по-прежнему стоял в дверях и смотрел с таким видом, словно знал, какие чувства ее терзают. Конечно, знал, черт бы его побрал!

Мгновение спустя он улыбнулся. И в его улыбке было столько любви, участия и понимания, что ее тревога тотчас испарилась.

— Все правильно, любовь моя! — негромко проговорил он. — Ты приняла верное решение, — и медленно закрыл дверь.

Странно, но она почему-то и в самом деле успокоилась. И, нажимая на кнопку лифта, подумала: в конце концов, нет ничего непоправимого в том, что она согласилась принять условия Джордана. Пусть попробует доказать на деле, насколько она заблуждалась на его счет.

Куда же он собирается повести ее сегодня вечером? Почему-то ей представлялось, что Джордан пригласит в какой-нибудь роскошный ресторан, где будет играть тихая интимная музыка, где будут гореть свечи и так далее. А вместо этого — джинсы, кроссовки и ветровка. Интересно...

Сэнди в недоумении смотрела на массивный стальной скелет небоскреба, который вздымался перед ней на фоне заходящего солнца:

— Это ты и хотел показать мне?

Джордан кивнул и протянул ей ярко-желтую каску:

— Надень. Мы поднимемся с тобой на самые верхние этажи. Оттуда открывается потрясающий вид. — Надев свою каску, он протянул руку, помогая перепрыгнуть грязный участок улицы. — Строительство закончится только через четыре месяца, но зато ты сейчас сможешь увидеть, как это все делается.

— Новый отель?

Джордан покачал головой:

— Это будет штаб-квартира — Международный центр «Бандора». Хочу перевести всю администрацию из Сиднея в Сан-Франциско.

Она посмотрела на него с удивлением:

— Почему?

— Тебе здесь нравится больше, — просто ответил он, помогая ей снова преодолеть завалы грязи и отводя в сторону от движущегося бульдозера. — Наверное, оттого, что ты чувствуешь себя в большей безопасности у себя на родине. — Он чуть крепче сжал ее руку. — А мне хочется, чтобы ты чувствовала себя в безопасности рядом со мной. И еще мне представляется, что у тебя могут возникнуть профессиональные проблемы, если придется принуждать себя осваиваться в чужой стране.

— Ты переводишь сюда свою штаб-квартиру из-за меня? — прошептала она. — А что, если нам не...

— Наступит день, когда у нас снова будет семья. И этот день не за горами. — Он подвел ее к кабине лифта и нажал на кнопку. Лифт стремительно понес их вверх. — Вот, кстати, как должен работать лифт. Может быть, ты дашь согласие — я тотчас пришлю бригаду рабочих, которые переоборудуют твой допотопный лифт в современное чудо техники?

— А мне он нравится. В нем есть свой характер.

Теплая улыбка озарила его лицо:

— Помнится, ты про свой побитый «Фольксваген» тоже говорила, что у него есть свой характер.

Сэнди сразу внутренне напряглась. Слова Джордана разбередили старую рану:

— Он очень мне нравился. И ты не имел права заменять его на новый.

— Да, наверное, — вздохнул он. — Но я так боялся, что эта развалина остановится где-нибудь в самом неподходящем месте, и ты попадешь в аварию. Все не мог отделаться от преследовавших меня по ночам кошмаров, как тебя везут в больницу, а то и в морг.

— В самом деле? — поразилась Сэнди. — Почему же ты ничего не сказал мне о том, что тебя это беспокоило? Меня всегда можно убедить, если привести разумные доводы. А я-то думала, тебя возмущает сама мысль о том, что твоя жена разъезжает в драндулете, который похож на смятую консервную банку.

— Мне казалось, ты и сама все понимаешь... — Джордан замолчал, глядя прямо перед собой. — Дело в том, что говорить о тех вещах, которые чрезвычайно важны для меня, невероятно трудно. Такое впечатление, что какие-то ящички внутри захлопываются сами собой, и оттуда уже невозможно ничего вытащить. — Лифт остановился. И Джордан шагнул прямо на строительные леса. — Будь поосторожнее, хотя балки прочные и лежат плотно, но ты все же держись за перила покрепче. — Обняв ее за плечи, Джордан подвел Сэнди к самому краю. Но пальцы его невольно сжали плечо так, что ей стало больно. — Садись.

Она села и свесила вниз ноги. Легкий чистый ветерок наполнял легкие свежестью. А глазам открывалась необыкновенная панорама океанского побережья.

— Ты прав. Какой потрясающий вид! И я представляю, что ты чувствуешь, когда оказываешься здесь, наверху.

— Что ты имеешь в виду? — уточнил он, устраиваясь рядом и по-прежнему крепко обнимая ее за плечи. — Сядь чуть-чуть поглубже. Ты села слишком близко к краю.

Сэнди слегка подвинулась назад.

— Да я и сама толком не знаю. Это не просто выразить словами. Но, глядя на громады небоскребов, чувствуешь себя такой маленькой, такой уязвимой. А еще... понимаешь, что все они возводились в свое время именно таким образом, как этот. Балки, конструкции и... пространство... — она беспомощно пожала плечами. — Ты ведь догадываешься, о чем я говорю?

— Что за этими фасадами скрывается грубый остов? — выражение его лица было таким мягким, когда Джордан посмотрел на Сэнди. — И мы в чем-то такие же?

Сэнди кивнула:

— Верно. А при этом еще и ощущение надежности, и стойкость, которым можно и позавидовать.

— Может быть, кому-то — да. Но только не тебе. Ты сама очень сильный человек.

— Я? Ты считаешь меня сильной личностью? — Сэнди смотрела на него во все глаза. — Почему ты так решил? У меня даже не было возможности продемонстрировать силу воли.

— Я всегда знал, что ты очень сильная, — Джордан смотрел на раскинувшийся внизу город. — Это и пугало меня больше всего.

— Пугало тебя? Ды ты шутишь.

Джордан отрицательно покачал головой:

— Удержать возле себя слабого нетрудно. Но

удержать сильного волевого человека — задача не из легких. И я понимал, что должен проявить массу изобретательности, чтобы всегда владеть ситуацией. — Джордан повернулся и посмотрел ей в глаза. — И я старался. Я тратил столько энергии, чтобы понять тебя!

Ошеломленная Сэнди смотрела на него с полным недоумением:

— Зачем?

— Потому что не хотел тебя потерять, — усмехнулся он. — И все равно потерял. И это означает, что я вел себя не так уж умно, как мне казалось.

— А почему ты решил признаться в этом сейчас? Почему решил рассказать?

— По той же самой причине, по какой хотел тебя контролировать. Все, что я делаю, упирается именно в это. Я понял, что потеряю тебя, — если не буду предельно откровенным. — Он указал на залив. — Я купил участок земли на той стороне, в Сосалито. И когда ты будешь готова выбрать архитектора для строительства нашего дома, мы с тобой туда съездим.

Она покачала головой:

— Сначала этот офис, теперь дом. Не слишком ли ты спешишь?

— Я ждал почти полтора года. Так что, на мой взгляд, ползу медленнее улитки. — Джордан поднялся. — Пора идти вниз. В сумерках ходить по недостроенному небоскребу — рискованное дело. — Притянув Сэнди к себе, Джордан сжимал ее руку как тисками все то время, пока они добирались до шахты лифта.

Дверцы распахнулись, и они вошли внутрь. И тут Сэнди почувствовала дрожь в руках Джордана. Вскинув глаза, она увидела, что он бледен как полотно:

— Джордан, что случилось? Что с тобой?

Он улыбнулся:

— Ничего особенного. Просто у меня сердце зашлось от страха, ведь ты стояла на такой высоте, на зыбких строительных лесах.

— Тогда зачем же ты привел меня сюда?

Кабина лифта слегка вздрогнула и остановилась. Они снова оказались у основания небоскреба. Джордан взял ее под руку и повел вперед:

— Маленькая проверка.

— Кого? Меня?

— Нет, что ты! Только меня самого. Полтора года назад я бы ни за что не поднялся на верхотуру. — До выхода со строительной площадки оставалось уже совсем немного. — Но я все же сумел преодолеть себя. И это значит очень многое, как мне представляется.

— Что-то я не совсем понимаю...

Теперь они уже шли по тротуару. И в этот момент Джордан остановился, повернул ее лицом к себе, снял с нее желтую каску и распушил примятые прядки волос.

— Дать тебе возможность получше меня узнать — это еще не вся задача. Мне необходимо и самому узнать себя. Понять: что я способен выдержать, а что — нет.

Сэнди никак не могла уловить, о чем идет речь, и испытующе на него посмотрела. Последние закатные лучи упали на посерьезневшее лицо Джордана, высветив его правильные, четкие черты.

— Наверное, нам обоим надо многому научиться, — медленно проговорила Сэнди. — Каждую минуту я открываю в тебе все новые, не известные мне до сих пор стороны твоего характера.

Джордан слегка поморщился:

— До сих пор удивляюсь, как смог позволить тебе шагнуть на эти леса? Нет ничего лучше честности во взаимоотношениях между людьми, но, Бог мой, каким трудом даются такие вещи! И насколько это рискованно!

— Ничего подобного, — улыбка озарила лицо Сэнди. — И, признаться, ты мне нравишься намного больше, когда я вижу, что не такой уж ты непробиваемый, что в твоих доспехах есть дыры.

Джордан усмехнулся ей в ответ:

— Может, под «дырами в доспехах» ты подразумеваешь покореженный «Фольксваген» и допотопный лифт в твоем доме?

— Характер — очень важная вещь, — отрезала Сэнди. — Запомни, корни, уходящие вглубь, не менее интересны, чем побеги.

Джордан снял каску и подошел к своему «Мерседесу», припаркованному недалеко от строительной площадки:

— Ну что ж, коли так, давай сейчас заедем куда-нибудь, выпьем кофе, и я предоставлю тебе возможность заглянуть в глубины моей души и увидеть, какие там таятся подводные рифы. Уверяю тебя, у меня их имеется более чем достаточно.

— Вообще-то мне уже пора домой. Завтра надо на работу.

Джордан повернулся к ней и, слегка прищурив глаза, внимательно посмотрел в лицо:

— Насколько я понимаю, работа значит для тебя очень много? За последние несколько месяцев вышло несколько твоих интервью. Я их все прочитал. По-моему, они оставляют сильное впечатление.

— Спасибо. Наверное, заметно, что мне больше нравится брать интервью, чем писать обычные статьи или очерки. Каждый раз надо суметь копнуть глубже, вытащить на поверхность то, что составляет суть человека, его характер, и часто бывает важнее того, что на поверхности. — Сэнди чуть-чуть поморщилась. — К слову сказать, большинство из тех, у кого я беру интервью, не нуждается в рекламе, и мне приходится тратить массу времени на то, чтобы они согласились со мной встретиться. Я бы ничего не пожалела ради того, чтобы взять интервью, к примеру, у Алекса Бен-Рашида или у Маргарет Тэтчер, но боюсь, что это так и останется несбыточной мечтой.

— Уверен, что для такой настойчивой женщины, как ты, — это всего лишь вопрос времени, — улыбнулся Джордан. — Значит, ты отказываешься от чашечки кофе?

Сэнди замешкалась.

— Если я начну уговаривать тебя, то ты тотчас обвинишь меня в том, что я снова тобой манипулирую. Так что за тобой, Сэнди, последнее слово.

Итак, последнее слово за ней, а не за Джорданом. Это ощущение маленькой победы ударило в голову, как шампанское.

— Правда? — и, сунув руки в карманы ветровки, шагнула вперед. — А мне вовсе и не хочется домой. Мне...

Джордан слегка вскинул брови, дожидаясь окончания.

— Мне очень хочется пойти куда-нибудь выпить кофе.

Джордан насмешливо поклонился:

— Весьма польщен, миледи. — И открыл дверцу «Мерседеса». — И приложу все силы, чтобы доставить вас домой до наступления полуночи.

— Ну и как продвигаются твои дела? — поинтересовался Марч, когда Джордан вернулся домой за полночь. — Есть успехи?

Джордан покачал головой:

— Пока меня ведет только надежда, — он потянулся к телефону и снял трубку. — На данный момент вроде бы кое-какие соглашения достигнуты.

— О, какие мы стали скромные, — проговорил Марч, словно не веря своим ушам. — Неужто передо мной действительно Джордан Бандор, а не его двойник?

— Отстань, — Джордан начал быстро набирать номер. — Мне и без твоей язвительности нелегко, так что уймись. Я пообещал Сэнди, что отзову детективов.

Марч слегка присвистнул:

— И ты в самом деле решился пойти на это?

— Я же обещал ей, — Джордан стиснул трубку. — И слово сдержу. Просто мне надо будет как следует поломать голову над тем, как обезопасить ее, когда она будет без охраны.

— И каким образом ты собираешься это устроить?

— Проводить с ней как можно больше времени. Только и всего, — криво усмехнулся Джордан. — Больше ничего не остается. — На другом конце послышался гудок. — А если мне это не удастся, есть еще один способ получше. Отправлю людей Марамбаса в Нью-Йорк, следить за Кемпом. Думаю, у него не выйдет обвести вокруг пальца сразу и полицию, и частных детективов и улизнуть от них. — В трубке послышался мужской голос, и Джордан поднес ее к уху. — Марамбас, в наших планах придется кое-что изменить. Послушай, мне бы хотелось...

Несколько минут спустя он положил трубку на место и остановился, задумчиво глядя на телефон.

— Ну как? — окликнул его Марч.

— Что? — с отсутствующим видом отозвался Джордан. — Ах, да. Марамбас сказал, что они отправятся прямо сейчас. — И снова поднял трубку. — Ведь в Седихане сейчас уже утро?

— В Седихане? — удивился Марч. — Думаю, что да. Стоит мне несколько дней пробыть на новом месте, как я привыкаю к новому ритму и забываю, как было. А зачем тебе понадобилось звонить в Седихан?

Но ответа он так и не дождался, потому что Джордан уже говорил по телефону.

3 Зак. № 1108 Джоансен

Глава 3

— Ты выглядишь немного усталой. Перелет оказался утомительным?

Сердце Сэнди дрогнуло, она резко повернулась и увидела Джордана, который стоял, прислонившись спиной к стене, напротив того места, где выходили пассажиры рейса. На нем были джинсы, а рукава кремовой рубашки он закатал до локтей. В бурлящем потоке говорливых, помятых после перелета людей, от его фигуры — со спокойно скрещенными на груди руками — исходило ощущение силы и спокойствия — как от скалы посреди кипящих волн.

— Не настолько утомительным, как боялась. Поскольку до Седихана в самом деле — чертовски далеко. Как хорошо, что ты надумал меня встретить. Не ожидала, что увижу кого-то в полночь. — Она внимательно оглядела его. — Интересно, каким образом тебе удалось узнать номер моего рейса... Наверное, от Мака Девлина? Вы оба вели себя как заговорщики.

— Да мы с ним едва знакомы! И виделись пару

раз, наверное, не больше. — Он забрал у нее из рук дорожную сумку и пластиковый пакет. — Во всяком случае, номер рейса я узнал не от него. Моя машина припаркована неподалеку. Ты не подержишь мой кейс?

Она кивнула и зашагала рядом с ним.

— Так все же: откуда ты узнал? Поездка состоялась так стремительно, что мне не удалось заранее зарезервировать обратный билет. Его удалось взять только в Седихане.

На губах его играла непринужденная улыбка:

— Скажу только, что дело обошлось без детектива.

— Джордан, черт побери, признайся... — Она остановилась, глаза ее вдруг широко распахнулись. — Постой-ка!.. А ты случайно не сговорился с самим Алексом Бен-Рашидом?

— Мы с ним хорошие знакомые. Моя фирма построила в Марасефе отель, и я провел в Седихане несколько месяцев в его резиденции. Алекс чрезвычайно интересный человек. Лучше скажи, удалось тебе собрать хороший материал для интервью?

— Не просто хороший, а потрясающий. Может, получится самая лучшая вещь из всех, которые мне когда-либо удавалось сделать. У него яркие, смелые планы. — Она остановилась у «Мерседеса». — Это ты все устроил, так ведь? Мне сразу показалось очень странным то, что секретарь шейха вдруг позвонил в редакцию и назначил встречу, хотя до того целый год мне отказывали под всякими предлогами. Как ты сумел организовать это для меня?

— Алекс ни за что бы не согласился дать интервью, если бы ты не пользовалась такой репутацией среди пишущей братии. — Джордан открыл дверцу и поставил сумки на заднее сиденье. — Когда ваша встреча состоялась, он признался, что разговор произвел на него большое впечатление. Так что ты все равно добилась бы своего рано или поздно. Мне просто следовало чуть-чуть ускорить процесс.

Сэнди порывисто сжала его руку:

— Но почему ты решил этим заняться?

Джордан словно окаменел, глядя на ее руку. Она невольно проследовала за его взглядом и увидела неожиданно отчетливо, какой светлой выглядит ее кожа на его бронзовой от загара коже с рельефным рисунком мускулов... и какое тепло исходит от его тела... и какую мощь и энергию излучает Джордан.

Отдернув руку, Сэнди неуверенно улыбнулась:

— А мне показалось, будто мы обговорили с тобой — больше никаких подарков.

— Какой же это подарок? Всего лишь компенсация.

— Компенсация? Ты о чем?

— Из твоей творческой жизни выпали те месяцы, когда ты не работала по моему настоянию. Выходит, что я украл у тебя нечто, представлявшее для тебя ценность. А значит, должен вернуть той же монетой.

Сэнди почувствовала, как ее горло сжалось.

— И ты решил подать мне Алекса Бен-Рашида на серебряном блюдечке?

Теплая улыбка озарила его лицо, но глаза оставались серьезными:

— Сомневаюсь, что Алекс позволит кому бы то ни было на свете сервировать подобное блюдо. Но я рад, что хоть в какой-то степени сумел посодействовать. Что же касается Маргарет Тэтчер, то, боюсь, эту железную леди тебе придется обрабатывать самой. Я с ней не знаком. — Он помог Сэнди сесть и потом занял водительское место. — Откинься на спинку и расслабься. Если заснешь, я разбужу тебя, когда доберемся до дома.

Она покачала головой:

— Нет, подбрось меня до редакции. Хочу напечатать все сегодня же, иначе интервью не попадет в номер.

— Сейчас — три часа ночи. Ты и без того устала... — жесткие нотки, прозвучавшие в его голосе, заставили ее напрячься. — Какого черта? Неужели нельзя подождать... — Джордан сразу оборвал себя, заметив выражение ее лица. И когда заговорил вновь, это уже был другой человек. — Тебе непременно надо напечатать его нынешней ночью?

Сэнди кивнула утвердительно:

— Это горящий материал. Весь номер как раз посвящен Востоку. В противном случае интервью пролежит несколько недель.

— Отлично. — Джордан вырулил на дорогу. —

Довезу тебя до редакции и подожду снаружи, пока ты не закончишь работу. А потом отвезу домой.

Нахмурившись, Сэнди проговорила:

— Но это уж какое-то безумие. Пройдет довольно много времени, прежде чем я закончу. Просто довези меня до работы, а оттуда я уже возьму такси.

— Да нет, проще будет, если я подожду тебя внизу, — повторил он. Встретив ее взгляд, Джордан улыбнулся. — У меня тоже есть свои «горящие идеи», как и у тебя.

Стук в дверь был громким и уверенным.

— Сейчас! — Сэнди накинула на себя ветровку, лежавшую на кресле возле кровати, и заторопилась к двери. — Ты приехал раньше времени, — и она открыла дверь. — Я ожидала...

— Но нежданный гость — всегда интереснее, — Марч усмехнулся и поцеловал ее в кончик носа. — Тебе, Сэнди, надо смириться с тем, что Джордан почти никогда не делает того, чего от него ждут.

— А я думала, что ты уже вернулся к себе. Джордан не упоминал о том, что ты в Сан-Франциско. — Она на секунду обняла Марча, снова отметив, насколько он обаятелен. Такое же впечатление он производил на всякого, с кем ему доводилось встречаться. — Почему ты не звонил мне?

— Джордан настолько прочно зарезервировал место рядом с тобой, что и комар не найдет щелочки. Поэтому я решил, что мне имеет смысл побыть в тени, пока вы с Джорданом не уладите свои дела. — Его улыбка погасла. — Господи, до чего же я рад, что все идет хорошо.

— И я тоже, — негромко проговорила Сэнди. — Но не стоит ничего загадывать. Хотя возможно все.

— Ты как и Джордан, — он внимательно посмотрел ей в лицо. — Но, похоже, надежда воодушевила тебя настолько, что ты прямо светишься изнутри.

Сэнди ничуть не удивили его слова и то, что у него появилось такое впечатление при встрече. В иные минуты ей самой казалось, что сияние, которое она излучает, может освещать полгорода.

— Да, ты прав насчет Джордана. Он изменился до неузнаваемости. — Она и мечтать прежде не смела, что когда-нибудь увидит своего мужа таким, каким он был эту последнюю неделю: сдержанным и одновременно мягким. Он открылся ей с совершенно другой стороны. Сэнди никогда не сомневалась насчет его ума и силы характера, но, оказывается, понятия не имела, каким заботливым, понимающим и добрым при этом он может быть.

— Рад это услышать от тебя, — темные глаза Марча смотрели на нее с теплотой и любовью. — Ты наконец-то обрела в нем настоящего друга?

— Пока еще нет, но думаю, что это случится в недалеком будущем, — на нее вдруг нахлынула волна безудержной радости. Скоро. Очень скоро. Она ощущала приближение этого. Еще немного и... — Сэнди накинула куртку. — Джордан должен появиться с минуты на минуту. Собирается показать мне здание, которое возводит на другом берегу залива. Хочешь присоединиться к нам?

— Планы несколько переменились. Джордан позвонил и попросил меня заехать за тобой. Он объяснил, как проехать, и сказал, что будет ждать нас там.

Сэнди почувствовала смесь разочарования и огорчения:

— Так занят, что не смог сам заехать за мной? — Крайне неразумно с ее стороны ожидать, что все внимание Джордана будет отдано только ей одной. В конце концов, после возвращения из Седихана они и без того проводили вместе почти все вечера. И тем не менее она испытывала огорчение, черт побери!

Марч пожал плечами:

— Мой, как всегда, таинственный и загадочный брат упомянул о каком-то испытании, но о чем идет речь конкретно, клянусь, я так и не понял.

— А я, кажется, догадываюсь, — медленно протянула Сэнди, вспомнив о том, что говорил ей Джордан в тот вечер, когда они сидели на крыше небоскреба и смотрели на раскинувшийся перед ними город. Он снова испытывает себя, сражается со своим чувством собственника, со своей ревностью, вызванными боязнью потерять ее. — Нет, вернее, знаю наверняка, что он имел в виду. — Закрыв за собой дверь, она взяла Марча под руку. — Не торопись. Я чувствую, что сегодня нам предстоит провести чудесный вечер.

Марч слегка нахмурился, заинтригованный ее тоном:

— Ну раз ты так считаешь... Лично я не большой охотник до загородных прогулок. Для меня существует только город... — но тут же быстро добавил: — Но уж коли мне непременно нужно совершить эту вылазку на природу, то я счастлив, что буду в такой чудесной компании.

— Ну хватит, хватит, Марч, — отмахнулась она, входя в кабину лифта. — Не растрачивай попусту галантность. Мы ведь как-никак родственники. Вот появится подходящая особа, и можешь смело пускать свое оружие в ход.

— Ты же знаешь, что я галантен всегда, — ответил Марч непринужденным тоном, — это и делает меня столь неотразимым.

Вечер и в самом деле оказался чудесным — именно таким, как и ожидала Сэнди. Ощущение переполнявшего ее счастья было столь сильным, что она не могла усидеть на месте, пока они весело болтали втроем. И солнце было золотым, и небо — невероятно синим. Все казалось необыкновенным. Она бегала, как развеселившийся щенок, с одного места на другое, восхищаясь то видом на залив, то любуясь рядами эвкалиптовых деревьев, которые отделяли северную границу их владений.

— Нет ничего лучше запаха эвкалипта. Помнишь то громадное каучуковое дерево, похожее на призрак? Стоит мне только вздохнуть и представить... — в эту минуту она поймала на себе снисходительные улыбки и взгляд обоих братьев, свела брови и сердито бросила им: — Разве я не говорила, что терпеть не могу покровительственного отношения к себе. — Круто развернувшись, она закончила: — Впрочем, сегодня у меня такое хорошее настроение, что я не позволю всяким австралийским типам его испортить.

Джордан покачал головой; легкая, мягкая улыбка пробежала по его губам:

— Думаю, что мы наблюдаем за тобой не столько покровительственно, сколько с восхищением. Не могу припомнить, когда в последний раз я испытывал ощущение полноты и радости жизни. И это чудесно...

Сэнди снова посмотрела на них, засмеялась и отбросила непослушную прядку с лица. Ту же радость, то же ощущение полноты жизни испытывала и она. И внес это в ее жизнь не кто иной, как Джордан, — вдруг пронеслось у нее в голове. В закатных лучах солнца волосы Джордана казались еще темнее. А загорелая кожа отсвечивала бронзой. Ветер с моря теребил его рубашку, облегавшую широкую грудь. Он стоял, слегка расставив ноги. И джинсы подчеркивали стройные, мускулистые ноги. Настоящий мужчина. И настолько привлекательный, настолько притягательный, что ее даже бросило в жар при мысли об этом. Догадка поразила ее как гром среди ясного неба. Последние дни Джордан старался делать все возможное, чтобы никак не спровоцировать у нее мысли о близости. И в этот раз в его действиях не было ни малейшего намека на секс. Что не помешало ей испытать прилив почти животного по силе чувства. Смех комом застрял в горле, когда Сэнди поймала себя на этом.

Джордан видел, что с ней происходит, — поняла Сэнди по тому, как изменилось выражение его лица. Она нервно облизнула языком пересохшие губы, чувствуя, что тело реагирует на присутствие Джордана помимо ее воли. Надо немедленно отвести взгляд. Нельзя рисковать и в мгновение разрушить с трудом возведенную между ними преграду. Нельзя позволить себе близость с Джорданом. Рассудком Сэнди понимала это, но тело почему-то отказывалось ее слушаться. Одна горячая волна накатывалась за другой, а она все никак не могла заставить себя отвести взгляд от Джордана.

Он первым отвел глаза. И отвернувшись, отрывисто спросил:

— Не пора ли нам возвращаться? Как вы считаете? — Вся его фигура будто окаменела. — Марч, ты отвезешь Сэнди домой, хорошо? — и двинулся по траве к своему «Мерседесу», припаркованному у дороги.

Ощущение беспредельного счастья, внезапного и всепоглощающего, захлестнуло Сэнди. Джордан догадался о том, как она была возбуждена, и не только не воспользовался этой ситуацией, но, напротив, постарался помочь ей справиться со своими эмоциями.

— Подожди, — голос ее сразу ожил, окреп, — подожди, Джордан.

Он остановился, но не повернул головы. Сэнди

видела, что мускулы его тела по-прежнему натянуты, как струны.

— Да?

— Мне бы хотелось устроить небольшую вечеринку. Ты ведь не знаком ни с кем из моих здешних друзей. Почему бы вам с Марчем не заглянуть сегодня вечером? Пару бокалов вина...

— Нет. Только не сегодня.

— Ты занят? — Она не могла скрыть разочарования. — Жаль, что мне не пришло в голову предупредить тебя заранее, но мне казалось...

Джордан пробормотал что-то сквозь стиснутые зубы и выдохнул:

— Ну хорошо, я приду, — и снова двинулся к «Мерседесу».

— Мне бы не хотелось, чтобы из-за меня ему пришлось менять свои планы, — слегка упавшим голосом сказала Сэнди, обращаясь к Марчу. — Просто все было так чудесно, и я подумала, что...

— Ты права, все было хорошо. И Джордан все воспринял так, как надо, — Марч с понимающим видом смотрел вслед уходившему брату. — Ты представить себе не можешь, как ему сейчас трудно! Он совершил такой марш-бросок за фантастически короткий отрезок времени! Не забывай об этом. Как и о том, что могут быть срывы. Не требуй от него невозможного, Сэнди!

— Будто речь идет не о заурядной вечеринке, а о переговорах по атомному разоружению, — отозвалась Сэнди упавшим голосом.

Марч заботливо обнял ее за плечи и повел к машине, которую припарковал за машиной брата.

— Конечно же, Джордан придет, — в глазах его промелькнули лукавые огоньки. — А поскольку ты так трогательно умоляла и меня присоединиться, то я буду счастлив составить вам компанию.

— Ах, Марч, ты ведь знаешь, как я рада. Просто меня огорчило, что Джордан...

— Тсс... я понимаю, — Марч искоса посмотрел на нее. — Но если хочешь загладить свою оплошность, то пригласи на радость мне кого-нибудь из своих подружек...

— Будет сделано, — усмехнулась Сэнди, — высоких блондинок?

Он кивнул:

— Каких хочешь. Угодить мне нетрудно.

Сэнди иронически фыркнула:

— Да! Так я и поверила. Боюсь, во всем Сан-Франциско не найдется ни одной девушки, которая бы не слышала о том, какой ты ловелас.

— Да я в городе не больше недели. Откуда им знать о моих похождениях?

— Ты за неделю успеваешь больше, чем другой за год! — Непринужденная, веселая болтовня с Марчем постепенно помогла Сэнди прийти в себя и вернуть хорошее настроение, в котором она пребывала последнее время. Походка ее снова стала легкой и быстрой. — Идем скорее, у нас уже осталось не так много времени. Надо еще обзвонить всех, потом зайти в магазин, купить вино и фрукты. — Она задумчиво свела брови, пытаясь вспомнить, какие запасы имеются в доме. — Пожалуйста, помоги мне, Марч, а то я не управлюсь одна.

— Ну вот, сначала меня обзывают ловеласом, а потом превращают в мальчика на побегушках... Где справедливость? — он поднял руку, останавливая ее протестующий возглас. — Я пошутил. С удовольствием тебе помогу. И мы закатим грандиозную пирушку!

— А ты знаешь, он очень даже ничего! — нехотя заметила Пенни, глядя в тот конец комнаты, где стоял Джордан и внимательно слушал Ронду Шварц, которая, отчаянно жестикулируя, описывала ему, как выглядит новая скульптурная группа. — Он, без сомнения, сумеет очаровать любую, стоит ему только захотеть.

— И тебя в том числе, — поддразнивая подругу, заметила Сэнди. — Признайся, Пенни, что он тебе понравился. Ну же, не стесняйся.

— Да, он очень симпатичный. И то, что он прекрасно разбирается в людях, весьма впечатляет, — проговорила Пенни, но, встретив требовательный взгляд Сэнди, добавила: — Ну хорошо, хорошо! Да, я нахожу его остроумным человеком, и он чертовски привлекателен. Ты удовлетворена?

Сэнди покачала головой:

— Мне хочется, чтобы ты его полюбила.

— Полюбить вулкан? Нет! — отрезала Пенни. — Ты восхищаешься его непередаваемой красотой, уважаешь за силу, но побаиваешься того, что скрывается в глубине. И уж меньше всего тебе хочется взять его домой и забавляться с ним, как с котенком. Нет, никто не справится с вулканом. — Выражение ее лица смягчилось. — Не считая, конечно, Сэнди О'Рурк.

— Он заметно переменился, — сказала Сэнди, воодушевляясь. — Стал более открытым и свободным по сравнению с тем, каким я знала его прежде.

— А тебе не кажется, что ты выдаешь желаемое за действительное?

На какую-то долю секунды Сэнди замешкалась. Но когда ее взгляд вновь отыскал Джордана, она решительно ответила:

— И все-таки он переменился. Раньше Джордан терпеть не мог подобные вечеринки. Делал все возможное, чтобы избегать их. А сейчас — посмотри: он и в самом деле получает удовольствие.

— Ты так думаешь? — Пенни поставила бокал на столик. — В общем, вид у него вполне довольный... В те моменты, когда не наблюдает за тобой. Ну ладно, оставим это. Мне пора идти. Завтра, рано утром, я лечу в Лос-Анджелес.

— Наблюдает за мной? — искренне изумилась Сэнди. — Да он ни разу не посмотрел в мою сторону.

— Явно — нет, — Пенни усмехнулась. — Но смело могу заключить пари на что угодно: каждую секунду он точно знает, где ты находишься и с кем разговариваешь. А теперь проводи меня до лифта как уважаемую гостью. По дороге я расскажу тебе о том, что приз получил снимок Келли О'Брайн, помещенный в прошлом номере.

— Снимок кита? Потрясающе! Только Келли могла поймать такой момент, где удивительным образом переплетаются беззащитность и сила животного. — Она прошла следом за Пенни к лифту. — Снимок завораживает, от него просто невозможно отвести глаз.

— Да, — Пенни вошла в лифт. — Спокойной ночи, Сэнди. Вечер удался. Все было замечательно. — Ажурные дверцы закрылись. — Только не забывай про вулкан. Мне бы очень не хотелось, чтобы ты оказалась рядом в момент извержения.

Сэнди рассмеялась:

— Пенни, он никогда не... — и замолчала. Кабина лифта уже начала опускаться, и Пенни все равно бы ни слова не услышала. Мнение подруги для Сэнди значило очень много, она всегда прислушивалась к ее словам. Но на этот раз Пенни явно ошибалась. Она не могла понять Джордана и тех усилий, которые он прилагал, желая измениться. Раздавшийся взрыв смеха заставил Сэнди вернуться к гостям. Весь вечер загадочная улыбка играла на ее губах. Нет, на этот раз Пенни не в состоянии понять, что происходит.

Два часа спустя, когда она закрыла дверь за последним гостем и оглянулась на Джордана, тот удовлетворенно вздохнул:

— Было очень мило, не правда ли?

— Я так люблю такие вечеринки... — она принялась собирать посуду. — Господи, комната выглядит как после землетрясения. Я видела, что ты разговаривал с Раймондом Вардеком. Он случайно не пытался толкнуть тебе одну из своих картин? В последнее время у него появилась навязчивая идея заполучить богатого покровителя. Жизнь вечно голодного художника ему осточертела.

— Тогда почему он продолжает рисовать? — Джордан поставил стаканы на поднос и пошел следом за ней на кухню.

— Потому что любит живопись. Но устал бедствовать. Он хороший парень, в самом деле. Видишь, над кушеткой, — как раз его работа. За это я четыре раза покормила его обедом. Картина называется «Хризантемы».

Джордан с сомнением посмотрел на желтые и оранжевые пятна, причудливо разбросанные по светлому фону:

— По-моему, вполне хватило бы и одного. Обеда.

— Ничего ты не понимаешь. А мне картина нравится. В ней столько света и радости. — Снимая с подноса, который он держал, стаканы, она быстро устанавливала их в посудомоечную машину. — Каждый цветок будто маленькое солнышко.

Джордан улыбнулся:

— Значит, он и в самом деле художник, заслуживающий четырех обедов, — и изучающе посмотрел на нее. — А почему ты так беспокоишься из-за Вардека? Я же вижу: дело не только в его спорных работах, но в чем-то еще!

— Мне очень жаль его. Не так-то просто в наше время быть художником. — Она взялась за тарелки. — И он с удовольствием ел гуляш, которым я его угощала. Раз ему нравится то, как я готовлю, значит, у него хороший вкус. И вообще, он очень милый.

— Веские аргументы. А как насчет остальных? На мой взгляд, сегодня был настоящий винегрет: художники, скульпторы, школьные преподаватели...

— Мне нравятся эти люди, я их люблю, — просто ответила Сэнди. — Мне с ними интересно.

— И они тебя любят, — Джордан пристально всмотрелся в нее. — Ты весь вечер была в окружении гостей. Каждому хотелось поговорить с тобой, улыбнуться... — он отвернулся, — прикоснуться к тебе...

Сэнди аккуратно установила последнюю тарелку и, засыпав моющее средство, проговорила:

— А Пенни признала, что ты человек неординарный. Но при этом сказала, что немного за меня беспокоится.

Джордан кивнул:

— Она к тебе привязана. Посему и не могу укорять твою подругу за то, что она не слишком мне доверяет.

Сэнди подняла на него глаза:

— Это верно...

— Она умнее многих других и подмечает то, что остальные упускают из виду. Что еще она тебе сказала?

Сэнди пожала плечами:

— Сказала, что ты напоминаешь ей вулкан.

— Надеюсь, недремлющий, — усмехнулся Джордан. — Я слышал эпитеты и похлеще.

— Пенни не подыскивала сравнение специально. Я сама это из нее вытянула. Мне показалась, что ее пугает твоя скрытая энергия. Но я сумела ее убедить, что оснований для беспокойства нет.

Джордан замер:

— Правда?

— Да, я ответила ей, что ты уже не тот человек, которого я оставила, что ты очень изменился, — она помолчала. — И что я могу тебе доверять.

Он посмотрел на нее так, словно Сэнди ударила его:

— Ты великодушна. А мне казалось, что потребуется намного больше времени, чтобы ты поверила в то, что я настроен решительно. — Джордан снова отвел взгляд. — Но ведь ты всегда отличалась доверчивостью. Именно это и давало мне в прошлом возможность свободно управлять тобой. Неужели до сих пор жизнь не научила тебя, насколько опасно быть такой доверчивой, Сэнди?

Она с недоумением посмотрела на мужа:

— Но ты ведь просил, чтобы я тебе поверила? Ты действительно очень изменился. Я не только вижу это своими глазами, но и... чувствую это.

— Не так, как бы хотелось мне самому, — мускул на его щеке дернулся, выдавая волнение. — Мне пора идти. Завтра я тебе позвоню.

— Что случилось? Что тебя встревожило? — Нахмурившись, Сэнди смотрела ему вслед. — Джордан, я хочу сказать тебе...

— Нет, ничего не говори, — он открыл дверь и только после этого повернулся к ней лицом. И Сэнди поразило выражение муки на его лице. — Я стараюсь. Бог свидетель, как я стараюсь. Но до конца пути еще очень далеко. Так что не торопись надевать мне на голову лавровый венок победителя и не слишком-то доверяйся. — Голос его внезапно дрогнул. — Мне понравились твои друзья, Сэнди, но я с трудом выносил их присутствие рядом с тобой. Я еще не могу спокойно смотреть, как ты улыбаешься кому-то, кроме меня. Мне кажется, будто наждачной бумагой проводят по свежей ране, когда... — он запнулся, глубоко вздохнул. — Но что же делать, если я полюбил женщину, к которой люди тянутся? Им хочется общаться с тобой, иногда просто прикоснуться к тебе... — Джордан снова запнулся и вынужден был на секунду замолчать. — Так что мне надо постараться с этим смириться.

И прежде чем Сэнди успела что-либо ответить, он закрыл дверь. А минуту спустя она услышала гудение спускающегося вниз лифта. Она стояла неподвижно, пытаясь осознать то, что услышала от Джордана, взвесить сказанное им только что. И вдруг радостная улыбка осветила ее лицо. Джордан попытался убедить ее не слишком ему доверяться. Но она не могла не доверять человеку, который был с ней так искренен. Так, как никогда прежде.

И, включая посудомоечную машину, Сэнди поймала себя на том, что напевает какую-то веселую мелодию.

Когда Джордан вернулся к себе, возле телефона он увидел записку. В ней говорилось, что ему надо срочно связаться с Педро Марамбасом.

Тот поднял трубку после первого же сигнала:

— Кемп сбежал.

Джордан сжал трубку так, что побелели костяшки пальцев:

— Когда?

— Пока еще не удалось установить точно. Как будто нынешней ночью.

— Как ему это удалось? Ведь и вы, и полицейские держали его под наблюдением.

Некоторое время Марамбас молчал:

— Понятно, что мы это дело прошляпили. И я не хочу искать оправданий. Полицейским тоже сказать нечего. Кемп выскользнул, как уж. Но это не означает, что ему удастся далеко уйти.

— Вопрос достаточно спорный, — мрачно отозвался Джордан. — Местные власти уже известили о случившемся?

— Думаю, что да.

— Тут нечего думать. Надо убедиться, так это или нет, — процедил сквозь зубы Джордан. — С сегодняшнего дня ставьте охрану возле дома моей жены.

— Уже сделано. С миссис Бандор ничего не случится, гарантирую.

— В противном случае вам не поздоровится. Помнится, кто-то мне клялся, что Кемп ни в коем случае от него не ускользнет.

— И не ускользнул бы. Учитывая, что мы тесно сотрудничали с местной полицией и не спускали с него глаз, чтобы не вышло какой накладки. — Только сейчас по голосу Марамбаса можно было догадаться, насколько он выбит из колеи. — Понятия не имею, как ему удалось бежать. У нас не бывает проколов, мистер Бандор.

— То же самое вы говорили, когда мы заключали договор, и я на вас рассчитывал, — в голосе

Джордана прозвучали саркастические нотки. — Советую сделать все, чтобы сохранить хорошую репутацию вашего агентства. Иначе мне не составит труда ославить вас на весь мир. Я не хочу, чтобы этот Кемп пугал миссис Бандор. Вам все ясно?

— Вполне. Понимаю, как вы огорчились, но...

— Боюсь, что нет. Никто не в состоянии даже представить этого. — Не просто огорчен, подумал про себя Джордан, а до смерти напуган. Ужас пробрал его до самых костей. — Сообщайте мне все, что вам станет известно, — и он положил трубку.

Кемп. Джордан видел его фотографии в газетах. Он был поражен тем, какая у маньяка заурядная внешность. Обычный человек. Не может быть, чтобы тот, кто убил и искалечил столько молодых женщин, не имел каких-то особых примет. У Кемпа не было ничего, что выделяло бы его из толпы. Разве только одно: он выглядел неухоженным, одиноким, никому не нужным. И все.

— Господи, — пробормотал Джордан, — храни Сэнди! — Кемпу ведь безразлично то, какая она добрая и нежная, какое тепло и свет излучает, какой красотой ее наделила природа. До всего этого Кемпу нет никакого дела. Для него она была бы всего лишь очередной жертвой.

Джордан отошел от телефона и упал в кресло, стоявшее у стола. Нет, он не даст ее в обиду. И чем бы лично ему не пришлось заплатить, ни единый волос не должен упасть с ее головы. Он не позволит, чтобы грязные руки Кемпа коснулись Сэнди.

Глава 4

— Тебе надо немедленно съезжать с этого чердака, — проговорил Джордан, входя. — Самолет из Сиднея прибывает завтра утром. А до того ты переберешься ко мне. Где твоя сумка? Я помогу тебе сложить вещи. — Он оглядел спальню. — Кемп ускользнул от полицейских Нью-Йорка. И не исключено, что он уже на пути сюда.

— Знаю, — негромко проговорила Сэнди.

Джордан резко повернулся к ней:

— Тебе позвонили из местного полицейского управления?

Она кивнула:

— Лейтенант Блейз позвонил мне несколько часов назад. Не спрашиваю, где раздобыл эту новость ты. При том штате детективов, который кормится у тебя на фирме, это неудивительно. Впрочем, какая теперь разница, — она криво усмехнулась. — Лейтенант Блейз был очень вежлив и даже извинился за то, что меня разбудил. Не стоит говорить, что после его звонка я, конечно же, не могла и глаз сомкнуть.

— Вижу, — он пробежал взглядом по ее побледневшему и осунувшемуся лицу: под глазами темные круги, в уголках губ жесткие складки. Его наполнила такая нежность к ней, что даже горло перехватило. — Не волнуйся. Я сделаю все, чтобы с тобой не случилось беды. — Он отвернулся. — Не надо укладывать все вещи. Я потом отправлю когонибудь за ними. Возьми только то, что понадобится в самое ближайшее время.

— Нет, Джордан.

Обернувшись, он коротко бросил:

— Господи, ведь это тебя ни к чему не обязывает. — С чего ты взяла, что я попытаюсь воспользоваться твоим переездом? Да, я буду рядом. Но мне просто не хочется, чтобы этот ублюдок перерезал тебе горло. После того, как Кемпа схватят, ты можешь возвращаться сюда, и я выполню все, что только ты для меня придумаешь. Прыгну через горящее кольцо, пройду по бревну, — сделаю все, что ты скажешь.

— Мне вовсе не хочется, чтобы ты прыгал через горящее кольцо, — проговорила Сэнди. — Вчера вечером я уже сказала, что доверяю тебе.

— Тогда почему же ты не хочешь ко мне перебраться?

— Не могу, — устало отозвалась она. — Ты даже не представляешь, как мне хочется, но это невозможно. По крайней мере не сейчас.

Джордан непонимающе продолжал смотреть на нее:

— Но именно сейчас тебе необходимо уехать

отсюда. Хуже места и придумать нельзя. Кемпу не составит труда подстеречь тебя здесь.

— Именно поэтому я и выбрала эту квартиру.

Он замер.

— Прошу прощения, не понял, — тщательно выговаривая каждое слово, обратился к ней Джордан. — Я, видимо, не расслышал тебя?

— На сей раз полицейские точно знают, где находится жертва. Им не составит труда найти свидетелей нападения на... — Сэнди указала на себя. — По выводам психологов, Кемп относится к тому типу людей, которые всегда выполняют свою угрозу. Так что нью-йоркские полицейские в сотрудничестве с местными легко схватят его на месте преступления. Все очень просто.

— И ты решила выступить в роли приманки? — выдохнул Джордан. — Господи, неужели ты позволишь им воспользоваться тобой?

— Это единственный способ поставить точку в этом деле и не дать маньяку угрожать другим женщинам. Ведь то, когда он снова выйдет на охоту, всего лишь вопрос времени. А он любит немного потянуть время. — Плечи Сэнди передернуло от отвращения. — Изучить его привычки и вкусы — единственное, что мне удалось. Я хорошо знаю, что он из себя представляет.

— И теперь ты дожидаешься, когда он созреет для нападения на тебя?

— Нет, — нахмурилась Сэнди. — Лейтенант Блейз — человек опытный и знающий. Он уверил меня, что...

— «Знающий», «опытный», — перебил ее охрипшим голосом Джордан. — Это после того, как Кемп выскользнул у них прямо из рук!.. Не говори чепухи! — на мгновение Джордан застыл, осененный какой-то догадкой. — А может, именно они дали ему возможность улизнуть?! Специально отвернулись, чтобы он удрал.

Сэнди кивнула:

— Да, решив, что это самый удобный момент. Напряжение Кемпа достигло предела и...

— До чего же все стройно и логично, — снова перебил ее Джордан — Не удивлюсь, если весь этот план разработал именно лейтенант Блейз. Если Кемпа удастся схватить до того, как тот тебя прикончит, — лавры достанутся именно ему. Но даже если Кемп его опередит и доберется до тебя раньше, чем его схватят, — все равно преступник окажется в руках правосудия, а потом и на скамье подсудимых. Каждый получит по заслугам. И я уверен, что «Уорлд рипорт» заинтересован получить уникальный материал, независимо от того, кому придется его писать!

— Совсем не так, как ты пытаешься выставить это дело. Меня никто не принуждал. Я сама дала согласие. — Сэнди поморщилась. — Ни Пенни, ни Мак понятия об этом не имеют. Для них мое решение окажется полной неожиданностью.

— Тогда сообщи полицейским, что передумала. Скажи, что не хочешь играть в кошки-мышки. — Джордан шагнул к ней. — Позвони им немедленно.

Она покачала головой:

— Джордан, он уже убил четырех женщин. А скорее всего и больше, просто об остальных случаях ничего не известно. Не могу же я позволить ему и дальше убивать.

— Но при чем здесь ты? Это не твое дело. Пусть полиция занимается ублюдком, который... — он замолчал, видя, каким непреклонным стало выражение ее лица. — Ну хорошо, ты можешь дать им согласие, но играть в другую игру. Переберись ко мне. Не пытайся облегчить работу Кемпу. Позволь мне быть рядом, чтобы я мог тебя защитить.

— Подставить тебя? А как я оправдаюсь перед собой, если с тобой что-нибудь случится?

— Быть может, тебе вовсе не придется укорять себя в чем-либо, если Кемп доберется... — Джордан запнулся, пытаясь изо всех сил сдержаться и не давать гневу захлестнуть себя. — Не надо храбриться. Позволь мне помочь тебе.

— Я не храбрюсь, — прошептала в ответ Сэнди, — мне до смерти страшно. В зале суда у меня была прекрасная возможность понаблюдать за этим человеком. Он невменяемый, Джордан.

Мужчина решил использовать это признание как оружие:

— Значит, и поступки его будут совсем другими, не теми, которые ждет полиция. И получается, что они не в состоянии тебя защитить. Как они смогут рассчитать следующий его шаг, если он ненормальный?

Сэнди облизнула пересохшие губы:

— Пожалуйста, не пугай меня. Я и так обмираю от ужаса. Я должна, да, да, должна помочь довести это дело до конца.

— Сэнди, черт тебя возьми, ты не можешь так рисковать... — он оборвал себя на полуслове. Все равно из этого ничего не выйдет. Что бы он ни твердил, ему не удастся переубедить жену. — Тогда скажи, что делать мне? Чем я могу тебе помочь?

— Ничего не делай, ничего не предпринимай. Держись подальше и предоставь полиции самой завершить работу. — Она посмотрела ему в глаза. — Мне не хочется, чтобы ты даже близко подходил ко мне в течение нескольких ближайших дней.

Джордан смотрел на нее во все глаза и чувствовал, как в нем поднимается страх и ужас:

— Нет, я не могу тебе этого обещать. Твоя затея — безумие, Сэнди.

— Что поделаешь, такова жизнь. Иной раз приходится ходить по самому краю пропасти, переживать страх и отчаяние, — она прерывисто вздохнула и заставила себя улыбнуться. — А сейчас, мне кажется, тебе пора уходить. Минут через пятнадцать должен прийти лейтенант Блейз. Нам надо кое-что обсудить.

— Я останусь здесь и выскажу этому кретину все, что думаю.

— Нет, — отрезала Сэнди. — Не вмешивайся. Я сама заварила эту кашу, мне ее и расхлебывать.

— Черта с два. Я... — Джордан осекся в который уже раз, увидев выражение ее лица. Сэнди не смотрела на него так с того вечера, когда он ушел от нее, поклявшись начать все сначала. И если он не замолчит, то разрушит все, что с таким трудом и старанием — кирпичик за кирпичиком — возводил. Один неверный шаг, и он окажется там, откуда начинал. А доверие и взаимопонимание, которое установилось между ними, развеется как дым. Его вывели из равновесия те чрезвычайные обстоятельства, в которых они оказались. Когда Джордан заговорил снова, его голос был хриплым от напряжения. — Послушай, Сэнди. Ты прекрасно понимаешь, что я не смогу стоять в сторонке и, сложив руки, наблюдать за тем, что происходит...

— И все же тебе придется вести себя именно так: стоять в стороне и смотреть, — негромко, но отчетливо сказала она. — Ничего другого, кроме как ждать, не остается и мне. Если действительно хочешь помочь, самое лучшее, что ты можешь сделать, — это уйти прямо сейчас и не мешать.

Какую-то долю секунды Джордан, казалось, был в замешательстве, потом развернулся и пошел к выходу:

— Нет, я что-нибудь придумаю. Я найду способ вытащить тебя из этой мышеловки. — Уже открыв дверь, он обернулся. — Для меня на свете нет ничего важнее, чем ты. И я сделаю все, чтобы с тобой ничего не случилось. Все, что в моих силах.

Дверь с грохотом захлопнулась. Единственный жест возмущения, который Джордан не сумел подавить.

Сэнди без сил опустилась на кушетку, обхватив себя обеими руками. Стоило Джордану выйти, как она почувствовала себя одинокой и беззащитной. Ее бил озноб. Господи, зачем она его отпустила? Как же ей хотелось уткнуться ему в грудь, почувствовать крепкие объятия, дать ему защитить себя от всех грядущих напастей. Она лучше других знает, как умен и находчив Джордан, как силен физически. Вот было бы замечательно целиком положиться на него и больше ничего не бояться!

Но если она втянет Джордана в это дело, тогда опасность будет грозить и ему. Нет, она не может поставить его под удар. С какой стати? Даже мысль о том, что Джордан может оказаться в опасности, испугала ее больше, чем возможность оказаться один на один с Кемпом. Как ни крути, то, на что она решилась, — единственно правильный ход.

В дверь позвонили.

«Лейтенант Блейз, — обреченно подумала Сэнди. — Пусть сначала покажет в глазок удостоверение личности, а уж потом я ему открою. Кажется, он говорил, что ключ от лифта у него есть. Но все же не стоит открывать дверь кому попало».

Поднявшись с кушетки, Сэнди медленно двинулась к входной двери.

— Опять звонил Марамбас, — сказал Марч, как только Джордан вошел. — Он сообщил, что встретился с агентом полиции, который держит его в курсе всех дел. И пришел к выводу, что нью-йоркская полиция что-то сильно темнит. Они водят наших людей за нос и...

— Короче, это они помогли Кемпу сбежать, — закончил за него Джордан, садясь в кресло. — А что еще он сообщил?

— Так ты уже обо всем знаешь?

— Все было подстроено, как я сразу не догадался. — Его губы сжались в тонкую полоску. — И жертвенным ягненком должна выступить Сэнди. С полного ее согласия и горячей готовности.

— То-то, я смотрю, на тебе лица нет.

— Точнее не скажешь. Ну уж если они выпустили Кемпа, то, надеюсь, висят у него на «хвосте» по крайней мере. Ты не знаешь, Кемп уже добрался до Сан-Франциско?

Марч покачал головой:

— Думаю, нет еще. И вряд ли сумеет добраться раньше, чем через двое суток. Денег у него в обрез. И он купил билет на автобус от Нью-Йорка до Сан-Франциско. Автобус прибывает на станцию Грейхаунд в пятнадцать ноль пять. Марамбас предупредил, что его человек уже вылетел сюда и будет встречать автобус.

Двое суток, и Кемп окажется здесь! Развеялась последняя — слабая — надежда на то, что Кемп в здравом уме и не решится выполнить свою угрозу.

— Что ты собираешься предпринять? — обеспокоенно спросил Марч. — Может, попытаться убедить Сэнди уехать из города?

— Нет, — Джордан сжал подлокотники кресла. — Она заявила, что нельзя, видите ли, позволить Кемпу и дальше убивать. Более того, она решительно против того, чтобы я ей помогал. —

Джордан потер виски. Пальцы его дрожали. — Боже, до чего же мне страшно.

— Ее же охраняют полицейские, — напомнил Марч. — Они профессионалы. Почему ты им не доверяешь?

— Тебе легко говорить. Пойми, ведь я вынужден стоять в стороне и наблюдать, как мою жену используют в качестве приманки!

Марч ответил не сразу:

— Мы оба слишком собственники, чтобы позволять кому-то охранять то, что принадлежит нам. Наверное, это семейная черта. — Он снова помолчал. — Но в данной ситуации я не знаю, что можно сделать.

— Во всяком случае, не сидеть же понуро и выжидать, сложив лапки. — Джордан поднялся и двинулся к входной двери. — Я возвращаюсь к Сэнди и останусь у нее до тех пор, пока не схватят Кемпа.

— Ты же сам сказал, что она против этого.

— Я что-нибудь придумаю.

Марч понимающе посмотрел на брата:

— Будь осторожен, Джордан. Ради Бога! Ты приложил столько усилий, чтобы завоевать ее доверие. И можешь потерять все, что тебе удалось собрать с...

— Думаешь, мне не приходило это в голову! — холодно прервал его Джордан. — Но пусть уж лучше Сэнди расстанется со мной и я потеряю ее, чем она расстанется с жизнью.

— Джордан... — оборвал его Марч. Но что можно добавить к сказанному? Окажись он на месте

Джордана, то скорее всего поступил бы так же. — Дай мне знать, если понадобится моя помощь.

— Оставайся здесь и жди звонков от Марамбаса. Сообщишь мне, если будут какие-то новости насчет Кемпа.

— Я не сойду с этого места до твоего прихода. А ты... — он помялся... — ты едешь к ней?

— Конечно, — Джордан сжал губы. — Где же еще мне быть в такое время?

— Возьми хоть один из этих пакетов, пока они не рассыпались, — Джордан отдал Сэнди бумажную сумку с продуктами и прошел в комнату. — Господи, ну и ливень! Счастье, что пакеты не разорвались прямо на улице, когда я выходил из магазина. Они промокли насквозь.

Сэнди решила тотчас взять себя в руки и никак не показать радость, с которой она распахнула дверь, услышав голос Джордана:

— Что ты тут делаешь? Я же тебе сказала...

— ...держаться от тебя подальше. — Джордан, обернувшись, непринужденно улыбнулся. — Я уйду, когда капкан будет готов. Но, надеюсь, твой бесценный лейтенант Блейз предупредил тебя, что в ближайшие двое суток не имеет смысла ждать Кемпа. А раз так, то с какой стати я должен ужинать один? — Он поставил две другие сумки возле кухонного стола. — Что мне может помешать? Конечно, я мог бы отвезти тебя в ресторан, но сейчас это все равно что пуститься вплавь по океану.

4 Зак. № 1108 Джоансен

Стащив с себя пуловер, он бросил его на спинку стула. Рубашка тоже оказалась насквозь мокрой, и сейчас она плотно его облегала, будто вторая кожа. Сэнди видела темное пятно волос у него на груди, которое просвечивало сквозь мокрую ткань, и внезапно в памяти всплыло воспоминание о том, как эти волосы касались ее сосков и что она при этом чувствовала.

Сэнди стоило огромных усилий заставить себя перевести взгляд на его лицо:

— Не думаю, что это самая лучшая мысль, какая приходила тебе в голову.

— Но тебе в любом случае надо есть-пить, — не слушая жену, продолжил Джордан. Правда, оставался еще один вариант: отправить за гамбургерами кого-нибудь из полицейских, которые разъезжают на неприметных машинах вокруг дома. Вскинув голову, он посмотрел на нее и улыбнулся.

Его темные волосы намокли и стали слегка курчавиться, отчего сам он стал похож на озорного пирата, мельком подумала Сэнди, и ее пронзило острое чувство нежности.

— Но неужели ты предпочтешь гамбургеры этим бифштексам... Черт, куда же они запропастились?

С видом победителя он вытащил наконец пакет, в котором лежали два сочных куска мяса:

— Я ведь говорил тебе, что это мое фирменное блюдо! Никто не сумеет так, как я, поджарить на костре мясо — с травами, с кореньями. Берегись! После этого ты ни на какое блюдо и смотреть не захочешь.

— Разве ты умеешь готовить? — заинтригованная его словами, Сэнди закрыла дверь и прошла на кухню. — Ни разу не слышала от тебя об этом. То, что касается меня, — ты изучил все до последней мелочи, в то время как я практически ничего не знаю о том, как ты жил и где. — Она села за стол, жадно глядя на него. — Догадываюсь, что тебе много времени приходилось проводить вне дома? Но почему вдруг костер? Ты что, бродяжничал?

Джордан опустил глаза:

— Да, притом очень долго. Мы не всегда жили в роскошном особняке у залива. — Он включил плиту и содрал с мяса целлофан. — Когда мне было тринадцать, мы жили на ферме, в двухстах милях к северу от Аделаиды. Нашей семье с трудом удавалось сводить концы с концами. И нам с отцом приходилось водить группы туристов. Господи, до чего же мне не нравилось это дело! Больше всего я мечтал тогда о том, как наконец построю свой собственный дом в Бандоре.

Никогда прежде Джордан не рассказывал ей о своем детстве, и Сэнди боялась даже шевельнуться, чтобы не смутить его, лишь бы он продолжал говорить.

— Бандора — это место, где находилась ваша ферма?

Джордан кивнул, принимаясь опять выгружать покупки:

— Отец заявил, что настанет день, когда наше имя будет греметь по всей Австралии, когда мы доведем Бандору до ума. До чего же он любил это место.

— Догадываюсь, что и ты тоже, — пробормотала Сэнди, глядя ему в лицо.

Внезапная горечь прорвалась в его словах:

— Да, очень. Может быть, даже больше, чем отец. Мы все жили и дышали одной Бандорой. — Он скомкал бумажный пакет и метким броском отправил в мусорную корзину. — Никто из нас ни о чем другом и думать не мог.

Восторженное возбуждение охватило Сэнди. За последние несколько минут он открылся ей и позволил заглянуть в свою жизнь глубже, чем за все время супружества. И если она проявит терпение, Джордан того и гляди вручит еще и ключик от души, который даст ей возможность наконец понять Джордана, узнать, какой он есть на самом деле.

— А Марч тоже жил в Бандоре?

— Не в те суровые годы. К тому времени, как отец женился на его матери, многое изменилось. — Джордан посмотрел на нее. — А теперь покажи, где тут гриль?

— Вон там, — она указала на нижнюю дверцу шкафа. — Так Марч твой сводный брат? А почему ты никогда не говорил об этом?

— Разве это так уж важно? Он близок и дорог мне не менее, чем родной брат. Мой отец усыновил его.

Все это было очень важно. Все, что он говорил ей, — было откровением. Словно он распахивал дверцы в свою душу, которая долгое время оставалась тайной за семью печатями:

— А почему ты потом переехал к заливу?

— Давай поговорим об этом позже? — Джордан вдруг по-мальчишески улыбнулся ей, оглянувшись через плечо, поскольку присел, выискивая сковороду-гриль. — Чтобы не опозорить себя, я должен так поджарить мясо, что пальчики оближешь, такого ты никогда не пробовала. — Пошарив взглядом, он покачал головой. — Гриля здесь нет. Ты уверена, что поставила его сюда? А, вот он! — Он потянулся и одним гибким движением достал сковороду.

Влажные брюки туго облегали его бедра, подчеркивая мускулистые ноги. И она внезапно забеспокоилась, не простудится ли он из-за того, что остался в мокрой одежде?

— Ты так волнуешься из-за куска жареного мяса и совсем не думаешь о том, что можешь схватить воспаление легких? — Сэнди решительно поставила на стол пакет, который он, входя, вручил ей, и поднялась. — Я сама поджарю мясо. А ты иди в ванную, вытрись как следует, высуши волосы феном, посмотри, что есть в доме сухое, чтобы переодеться. И нужно еще зажечь огонь в камине.

— Не так уж сильно я промок. Подожду, когда...

— Иди, иди! — решительно подтолкнула его Сэнди и взялась за мясо. — Сию минуту!

Едва заметная улыбка заиграла в уголках его губ.

— Слушаюсь, — ответил Джордан и направился в ванную. — К сожалению, из-за моей мягкости и уступчивости ты так никогда и не узнаешь, какое уникальное блюдо могла бы попробовать. Но это расплата за твое стремление всегда и во всем командовать. — Он обернулся и подмигнул ей. — Надеюсь, ты догадываешься, что я все заранее рассчитал?

— Заранее? — растерянно переспросила Сэнди.

Джордан задумчиво кивнул:

— Мне пришлось нанять летчика, тот рассыпал порошок, сгустил облака, чем вызвал в нужном месте страшный ливень, чтобы у тебя уже не было выбора. На самом деле я понятия не имею, как жарить мясо. — Он открыл дверь ванной. — Не считая мяса кенгуру, с которым все же научился немного управляться.

И хотя дверь за ним закрылась, улыбка все еще продолжала блуждать на губах Сэнди. Встряхнув головой, она поставила на плиту сковороду и бросила на нее мясо.

Прежде она и не догадывалась, что Джордан может вести себя как мальчишка. А все-таки хорошо, что он остался поужинать. Интересно: она сама приняла решение или поддалась давлению Джордана? Брови ее задумчиво изогнулись. Она явно была озадачена тем, что незаметно для себя оказалась втянутой в какую-то игру. Ей и прежде приходилось переживать такое состояние. Но, кажется, на этот раз все получается иначе. Во-первых, ей кое-что удалось узнать из прошлого Джордана, о чем он прежде умалчивал. А во-вторых, он обращался с ней не так, как несколько месяцев назад. В его поведении проскальзывали дружеские, товарищеские нотки. Никакого расчета, никакой чувственности. Она не сомневалась в истинных мотивах поведения Джордана. Конечно, он пришел, чтобы ей было спокойнее. И ему не хотелось оставлять ее один на один со своими страхами.

Чудесный аромат отвлек ее от размышлений. Она посыпала мясо приправами. Несмотря ни на что, ее не покидало ощущение радости и надежды — впервые с того момента, когда она узнала о том, что Кемп покинул Нью-Йорк.

— Расскажи мне еще что-нибудь о Бандоре, — попросила Сэнди, уютно свернувшись калачиком на кушетке и неотрывно глядя на угасающие язычки пламени в камине. — Ты упомянул, что это место совсем не похоже на виллу на берегу океана.

Джордан покачал головой, поднося стакан к губам:

— Как день и ночь. В Бандоре все давалось с огромным трудом. Земля была сухой и бесплодной. — Он посмотрел на вино, отсвечивающее рубиновыми огоньками. — Знаешь, я бы так же сказал и о людях, живущих в тех краях. — Он вдруг поставил бокал с вином на краешек стола, поднялся и подошел к камину. — Так что, собственно, и говорить-то не о чем. — Взяв кочергу, он поворошил дрова, пока пламя не вспыхнуло с новой силой. — Какие события могут сотрясать провинциальную глубинку?

Но она чувствовала: именно в Бандоре произошло что-то чрезвычайно важное для Джордана. В его движениях появилась скованность, и это подсказало Сэнди, что она наткнулась на нечто очень важное. В нем мало что осталось от того загадочного человека, который восхищал и одновременно пугал ее. Она увидела его слабые стороны, его уязвимость, и это тронуло ее до глубины души.

— Так сколько же тебе было лет, когда ты остался без матери?

Кочерга перестала ворошить поленья.

— Двенадцать. — Он выпрямился, отложил кочергу и только после этого повернулся к ней с улыбкой на лице. — Как насчет еще одного бокала вина?

Ему явно не хотелось продолжать разговор на эту тему, с огорчением отметила Сэнди. Ну что ж, и без того нынешним вечером она продвинулась в своем «расследовании», не стоит копать слишком глубоко.

— Мне, пожалуй, хватит. — Она поставила пустой бокал на столик. — Спасибо, Джордан.

— За что? Ты ведь сама все приготовила.

Сэнди покачала головой:

— За то, что пришел сюда в ту минуту, когда был мне очень нужен. За то, что помог справиться с собой.

— Ты бы и без меня прекрасно справилась, — Джордан подошел к кушетке, сел возле нее на пол, скрестив ноги по-турецки, и, нарочито растягивая слова на австралийский манер, проговорил: — Для такой леди, как вы, — это раз плюнуть.

— Ты уже как-то говорил мне, что я — сильная, но, боюсь, ты ошибался.

«А уж в данную минуту — ошибаешься наверняка», — мысленно добавила Сэнди. С почти болезненной остротой она чувствовала, как уязвима. Чувствовала, что вот-вот ее тело покинет тот сгусток энергии, который составляет ее Я.

— Послушай, — проговорил Джордан негромко, но глаза его светились, выдавая напряжение. — Знаешь, какая мысль пришла мне в голову, когда я увидел тебя в первый раз? Я подумал про лето. Ты напоминала мне лето в Бандоре. Светлое утро, жаркий полдень и ночь... — он провел указательным пальцем по ее щеке. — Невероятно.

Прикосновение было таким легким, что вздрагивать было не от чего, попыталась убедить себя Сэнди. Палец скользнул вниз по щеке и остановился в уголке ее губ.

— Погода в течение дня может меняться, но важно одно: чтобы в душе ты всегда хранила тепло. Когда это сравнение пришло ко мне, тогда я и понял, какая ты на самом деле.

Палец продвинулся вниз, вдоль шеи, к ложбинке у ключицы. Жилка под его пальцами билась сильно и отрывисто. Сэнди с трудом удавалось сдерживать бурное дыхание, от которого вздымалась и опадала грудь.

— Ведь это тепло согревает меня. — Его голова

склонилась к ней, и его губы слились с ее губами. — Нет, твой жар когда-нибудь меня спалит.

Но это его жар заставлял ее пылать ответным огнем, подумала, как во сне, Сэнди. Теперь огонь исходил от каждой частички ее тела, пульсировал в крови, заставлял дрожать каждый мускул, и сама она дрожала от нетерпения:

— Джордан...

— Тс-с, — его ладонь легла на грудь Сэнди. — Мне хочется услышать, как твое сердце бьется в ответ. — Он приложил ухо к ее груди, в то время как рукой ритмично и мягко сжимал грудь, нежно теребя сосок. Сердце ее забилось с таким гулким стуком, что, казалось, вот-вот пробьет грудную клетку.

— Как это чудесно, — прошептал Джордан, — быть рядом с тобой, прикасаться к тебе. Ты излучаешь солнечный свет и жизненное тепло. Ты как сама жизнь. — Он коснулся горячим языком соска. Сэнди вздрогнула, как от удара током. Их тела разделяла только тонкая ткань. — Господи, до чего же мне тяжело.

Ей было не менее тяжело. Ощущение сосущей пустоты в лоне нарастало, усиливалось, заставляя ее трепетать, как былинку. И выносить эту муку не было никаких сил. Слегка отодвинувшись, она стянула через голову кофточку, обнажая грудь. Джордан посмотрел на нее потемневшими глазами, губы его стали цвета спелой вишни.

И эти жаркие пылающие губы прижались к ее груди, язык ритмично играл соском, то втягивая его в горячий рот, то, давая ему передышку, ненадолго отпускал.

Из горла Сэнди вырвался протяжный стон, спина ее выгнулась, пальцы вцепились в его волосы.

— Джордан, я больше... не могу... — она едва не вскрикнула, потому что он осторожно сжал зубами ее сосок — так, чтобы мучительное наслаждение не перешло в боль. — Сейчас...

— Еще нет, — ловкие пальцы Джордана скользнули к «молнии» ее джинсов, а губы перешли к другой груди. — Мне хочется, чтобы тебе было хорошо, как никогда, любовь моя. Нам некуда спешить... — И он начал стягивать с нее джинсы. — Я хочу, чтобы ты получила удовольствие. — Теперь его рука скользнула у нее меж ног и прикоснулась к искомой точке. — Мне невыносима сама мысль о том, что ты можешь испытать хотя бы каплю боли.

Но именно сейчас она испытывала боль, как будто откуда-то издалека подумала Сэнди. Его большой палец нажимал на самую чувствительную точку ее тела, гладил, дразнил ее. Запрокинув голову, Сэнди уперлась в подушку, губы приоткрылись, она ловила воздух.

— Еще немного, дорогая моя, — пробормотал Джордан. — Ну вот, видишь, как хорошо. Ты уже почти готова...

Нет, все равно мучительное ожидание большего не покидало... Джордан знал, что ей необходимо, он всегда знал, что нужно делать.

Ноздри Джордана вздрагивали, щеки горели.

Прерывистое дыхание с шумом вырывалось из его груди.

— Я больше не могу... — Дрожащими пальцами он расстегнул пуговицы на рубашке, не отрывая глаз от ее лица. — Скажи мне, Сэнди, что ты хочешь меня. Мне нужно услышать, как ты сама говоришь это.

«Неужели он этого не видит», — удивленно подумала Сэнди. Она лежала обнаженной, тело ее напряглось как струна, груди набухли и вздрагивали, жадно ожидая прикосновения и ласки.

— Скажи мне, — настойчиво повторил он, срывая с себя и отбрасывая в сторону рубашку. Темный треугольник волос на груди казался таким желанным, ей так захотелось прижаться к мужчине, ощутить, как он ложится сверху, что Сэнди протянула руки и прошептала:

— Я хочу тебя... Я так хочу тебя.

Завитки волос прикоснулись к ее пылающей груди. Она сразу вспомнила это полузабытое ощущение и то, что следовало за ним, — что заставило впиться пальцами в плечи:

— Я соскучилась по тебе, Джордан.

Он привлек ее к себе, горячие ладони сжали ягодицы:

— Господи, Сэнди, ты не представляешь, какой это было мукой для меня, — звук его голоса тонул в ее волосах, в которые он уткнулся лицом. — Мое тело истосковалось по тебе, измучилось, но это только часть общей тоски... — тихо продолжал он. — Мука становилась все сильнее и сильнее, она поглотила меня целиком. — Он расстегнул «молнию» и стащил брюки.

— Давай я помогу тебе.

— Нет, — резко ответил Джордан. — Постарайся не прикасаться ко мне. Тебя так долго со мной не было. Не шевелись. Дай мне посмотреть на тебя, это своего рода утонченная пытка, — добавил он севшим голосом.

Сэнди понимала, что он имеет в виду. Джордан уже успел полностью раздеться. Отсветы пламени подчеркивали рельеф его мускулов, сильное, стройное тело, излучающее жар. Настоящий мужчина, могучий и красивый. Чувственный. Сэнди ощутила, как напряглось ее тело при виде обнаженного Джордана.

Он встал перед ней, раздвинул ее ноги и скользнул меж них:

— Вот теперь ты готова принять меня... Сэнди... — голова его склонилась к ее груди. — Какое счастье...

Его голос действовал на нее не менее возбуждающе, чем ласки. Тело проникло в тело, они стали единым целым. Переживание этого чувства было таким мощным, таким всепоглощающим, что захватывало целиком, вызывая только желание остановить мгновение.

Какое наслаждение! Настолько упоительное ощущение, что Сэнди не в силах была даже пальцем шевельнуть. Но ей и не надо было двигаться. Джордан это делал за них обоих, проникая в нее с первобытной страстью.

Она не в силах была сдержать животный стон, который вырвался из груди, когда одна волна наслаждения захлестнула другую. И как она ни старалась сдержаться, стоны продолжали рваться из груди.

Джордан посмотрел на нее, и на его губах появилась улыбка удовлетворения.

— Ты не представляешь, как часто в последние месяцы я просыпался среди ночи — мне казалось, что я слышу твой такой родной голос, — прошептал он. И снова слегка приподнялся, чтобы удержать свое тело на весу и не слишком давить на нее. — А потом никак не мог заснуть снова, потому что испытывал желание столь сильное, что казалось, будто меня сжимали клещами.

Джордан вошел еще глубже, и она чуть вскрикнула.

Он сразу нахмурился:

— Тебе больно?

— Нет, — она начала выгибаться навстречу ему. — Еще!

Он закрыл ей рот поцелуем, его язык проник ей в рот, повторяя движение его тела. Жар нарастал. Снова послышался протяжный стон, но Сэнди не могла бы сказать со всей определенностью, кому он принадлежал, ей или Джордану. Это не имело никакого значения. Они были единым целым.

Но вот дыхание Джордана стало еще более прерывистым, резким. Как и его движения. А ожидание в ней все нарастало. Еще. Еще немного.

Лицо Джордана исказила гримаса, потому что

он продолжал контролировать себя, дожидаясь, когда она достигнет пика. Но в то же время было видно, что он не сумеет долго оставаться в таком состоянии. Слишком могучим и мощным было напряжение. И это вызывало в ней ответный взрыв чувств, вознесший ее ввысь.

— Сэнди... — с облегчением выдохнул Джордан. — Я так боялся... — и он нежно поцеловал ее. — Мне уже начинало казаться, что я не смогу сдержаться...

Как странно. Она никогда не слышала в голосе Джордана и тени сомнения, особенно в том, что касалось их близости, где он выказывал потрясающее знание каждой мелочи. Но теперь перед ней был новый Джордан, более открытый и более уязвимый... мягкий и нежный, — подумала она словно сквозь дрему.

— Как чудесно, — пробормотала она.

— Да, — он снова поцеловал ее и перекатился на бок, не выпуская Сэнди из объятий. — Как никогда прежде, потому что все чувства были так обострены. — Он встал и помог ей подняться. — Пойдем сначала примем душ, а потом мне хочется посмотреть, как ты будешь открывать пакеты с подарками, пренебрежительно тобой не замеченные. — Джордан кивнул еще на один бумажный пакет с покупками, которые он оставил на полке и о котором Сэнди начисто забыла. — Где же ваша вежливость, мадам Бандор?

— Подарки? Но мы с тобой договорились...

— Тс-с, — Джордан обвил ее талию, подталкивая к ванной. — Это нечто особенное. Так что оставь сомнения. Обещаю, ты будешь рада им, любовь моя.

— Но я... — Сэнди замолчала, не в силах спорить дальше. Она была настолько полна им в эту минуту, что ей не хотелось портить этого ощущения. После душа, когда они распакуют его необычные подарки, она придумает, как поступить. А сейчас лучше сохранить чудесное состояние эйфории, в котором они оба находились. Не стоит спорить из-за пустяков. — Жаль, что у меня нет ванны. Мне придется обвиться вокруг тебя вьюнком, ведь в душе двоим не поместиться.

— Я подумал об этом, когда сушил голову, — кивнул Джордан с озорным видом. — Он подхватил ее так, чтобы она могла обвить ногами его поясницу. — Зато в моем распоряжении будут твои груди, — засмеялся он.

У нее снова перехватило дыхание:

— Хитрец!

Джордан открыл стеклянную кабину душа.

— Надо попробовать, подходит ли нам такая поза.

Глава 5

Джордан наскоро вытерся и закутал Сэнди полотенцем, проведя по волосам:

— Разотрись как следует. Я сейчас.

— Ты куда? — удивилась Сэнди.

— Сейчас принесу твой купальный халат. Должна же ты хоть слегка приодеться в соответствии со случаем.

Она почувствовала, что снова невольно улыбается, растирая грудь и живот пушистым полотенцем. Какой-то розыгрыш с его стороны. Поскольку прежде при всяком удобном случае Джордан с наслаждением старался как можно скорее раздеть ее, а не одеть. «С наслаждением». Самое подходящее для ее нынешнего состояния слово. Наслаждение, радость, восторг, бодрость — все эти чувства переполняли ее, вскипали, как только что налитое в бокал шампанское.

— Мне так хотелось, чтобы этот халат не затерялся. И от всей души обрадовался, когда наткнулся на него в шкафу. — Перекинув через руку, Джордан нес ее халат. — Я не забыл, как он идет тебе.

— А я про него совсем забыла, — растерянно ответила Сэнди, глядя на шелковый халат, который он распахнул перед ней.

Джордан привез его из очередной поездки в Сингапур через несколько месяцев после их свадьбы. Тонкий шелк переливался тончайшими оттенками желтого цвета. Изысканная экзотическая красота.

— Ни разу не надевала его в последнее время.

— Последние полтора года? — спросил он, скрытый халатом, как занавесом. Потом улыбнулся с некоторым усилием и продолжил: — Не надо отвечать. Сегодня мне не хочется думать о том, что было. А теперь идем смотреть подарки.

Смеющуюся, слабо протестующую, он подвел Сэнди к пестрому индийскому коврику у камина. Но ему показалось этого мало, и он, бросив взгляд на кушетку, стащил с нее покрывало и расстелил у ее ног:

— Садись, — а сам направился к полке.

Она села на колени, опираясь на пятки:

— Джордан, ну до чего ты упрям. Почему ты не хочешь меня выслушать? Я не хочу...

— Ты обязана принять это, иначе разобьешь мое сердце на мелкие кусочки, — он вернулся с бумажным пакетом в руках. Встав рядом с ней на колени, он вытащил карнавальную корону из фольги, украшенную блестками, разноцветными стеклышками, и водрузил ее на голову Сэнди.

— Королеве... Ее величеству Майской королеве, — торжественно проговорил он.

Сэнди не выдержала и расхохоталась:

— Это совсем другое дело. Это мне очень нравится. Напоминает детские праздники.

— Ничего подобного! Это корона королевы, — повторил Джордан серьезно и снова полез в сумку. — Держи свой скипетр.

Он вручил ей пластиковую желтую чесалку для спины с четырьмя изогнутыми зубьями и громадным металлическим кольцом на конце длинной рукоятки. Тут Сэнди прыснула.

— Джордан, ты с ума сошел!

Он сделал вид, что страшно оскорбился:

— Неужели тебе не понравилось? А я был уверен, что все это достойно королевы.

— Ну конечно, понравилось. Это же символы королевской власти, не хватает лишь державы. — Глаза ее сверкнули, когда она взяла в руки скипетр и властно взмахнула им. — Если бы вы были одеты соответствующим образом, я бы посвятила вас в рыцари.

— Я не смел надеяться, — смущенно проговорил Джордан, — что мне окажут такую милость. Пока еще. Потому что не совершил ни единого подвига в вашу честь. Но если вы снизойдете и наденете мои дары в день поединка, то я выиграю турнир. Вот тогда и попрошу вас посвятить меня в свои рыцари.

— Турнир?

Джордан с важным видом кивнул:

— Ну конечно. Рыцари всегда устраивают поединки в честь своей королевы. — Доверительно улыбнувшись, он продолжил: — И я готов сразиться не на жизнь, а на смерть... Если вы, Ваше Величество, мне позволите.

Огонь в камине создавал неповторимую игру света и тени на его лице и темных волосах. Сэнди вновь ощутила всю силу его мужского обаяния, волны тепла, которые исходили от него, так что ноги сразу ослабели. Ей с трудом удалось проглотить комок, застрявший в горле:

— Но я понятия не имею о том, как проводятся рыцарские турниры.

— Нам обоим предстоит это узнать. Согласны ли вы надеть знаки отличия?

— Но мне казалось, что это рыцари должны носить знаки отличия?

— Не обязательно, — он снова обратился к своей сумке. — Ведь мы имеем право устанавливать свои собственные правила.

— Как ты обычно и делаешь, — едва слышно проговорила она. Ей так хотелось дотронуться до него, ощутить его руки на своем теле. Сила желания нисколько не удивила Сэнди. Когда он был рядом, ее всегда била дрожь нетерпения. Многое изменилось между ними, но ее реакция стала еще ярче. — А зачем вводить новые правила? — Она, не отрываясь, смотрела на прозрачную, словно кружевную, розетку. — Цветы?

— Это не просто цветы. Они особенные, — ответил Джордан, разворачивая обертку. — Маргаритки. Они более всего подходят для ее величества Майской королевы.

Разноцветные маргаритки были яркими, веселыми и душистыми. Она вынула один цветок из букета.

— Что ж, такой знак отличия я приму с удовольствием, — она попыталась было приколоть его к волосам, но он остановил ее.

— Нет, не здесь. Это мешает короне.

Сэнди почувствовала, как что-то замирает в низу живота, и ей стало трудно дышать:

— Но тогда где же?

Какое-то мгновение он молчал, глядя ей в лицо, а потом медленно улыбнулся.

— Джор... — ее сердце снова гулко забилось.

Одним движением он распахнул ее халат, раскинув в стороны его полы:

— Неужто мы не сможем найти, где расположить эти королевские цветы? — Слегка откинув голову, он осмотрел обнаженное тело. — Интересно, как они будут смотреться здесь?.. Наверное, лучше всего... — не закончив предложения, он мягко уложил ее на пол, на расстеленное покрывало, и положил одну из маргариток на левый сосок:

— Ну как? Что скажешь? На мой взгляд — неотразимо. Здесь будет царить май... — он рассыпал часть букета по ее телу. — Потрясающе красиво...

Ее грудь и живот, покрытые разноцветными маргаритками, вздрагивали при каждом вдохе. На щеках вспыхнул румянец. Огонь растекся по телу.

— Прелестная Сэнди! — пробормотал Джордан.

— Когда же начнется турнир?

— Скоро. — Джордан медленно наклонил голову, и она ощутила соском его дыхание. — Вот закончу несколько разбойничьих нападений... — и он нежно сжал губами сосок.

Из горла Сэнди снова вырвался непроизвольный низкий не то стон, не то крик, и она попыталась прижаться к нему. Подняв голову, Джордан улыбнулся, взял ее руки в свои и заставил ее снова лечь, вытянув вдоль тела руки.

— Нет, нет, просто лежи. Я хочу полюбоваться своей королевой.

— Полюбоваться? — возмутилась Сэнди: она вся горела. Всякий раз, как его губы и язык прикасались к груди, по ее телу проходила дрожь. Но терпеть эту муку, лежа неподвижно?..

Нет, это было невозможно выдержать. Грудь Джордана вздымалась так тяжело, словно он бежал марафон. Щеки пылали от возбуждения. Он тихо повторял и повторял ее имя, словно заклинание, словно молитву.

И вдруг скользнул у нее меж ног.

Губы Сэнди приоткрылись в беззвучном крике, а пальцы впились в его плечи. Он негромко засмеялся:

— Майская королева любит украшать майское дерево. Скажи, оно тебе нравится?

Ее сотрясала дрожь, настолько сильным было состояние необычайной приподнятости: словно она оказалась на весенней цветущей лужайке...

— Да, очень!

— В таком случае — турнир начинается.

Все происходило как во время бури — неистово, яростно. Она и представить себе не могла такого. Жар, замирание сердца, снова жар сменяли друг друга, каждый раз поднимая ее все выше и выше... А когда она достигла самой вершины, — они оба поняли, что выиграли этот турнир.

Сэнди была не в силах шевельнуться. Каждая ее клеточка таяла. Рядом, вздрагивая всем телом, лежал Джордан с гулко бьющимся сердцем. Время от времени он успокаивающе проводил ладонью по ее спине с трогательной нежностью, столь не похожей на ту первобытную страстность, которую он себе только что позволил.

— Сэнди?

Ей не хватило сил на то, чтобы ответить ему.

— Идем в постель, любовь моя, — он помог ей приподняться, а потом встать на ноги. И маргаритки начали осыпаться с нее на пол.

— О-оп! — он подхватил ее на руки и понес в спальню. — Состязания отнимают так много сил, не правда ли?

— Я бы и сама дошла, — запротестовала было Сэнди, но голос ее звучал слабо и неуверенно.

— Побереги силы, — усмехнулся Джордан. — Ты несколько утратила форму. Отвыкла. А тебе надо приготовиться к следующему выступлению.

— Это, случаем, не критика в мой адрес?

Нескрываемая нежность прозвучала в его голосе, когда он возразил:

— Что ты! Я до смерти рад, что ты вела такую целомудренную жизнь. Иначе мне пришлось бы надевать латы и бросаться вперед: как я мог допустить, чтобы перед тобой красовался другой мужчина. По счастью, ты вела весьма уединенный образ жизни после того, как от меня уехала. Это не столько похвала или комплимент, сколько... — вдруг он как-то сразу посерьезнел. — У меня за это время не было ни одной женщины, Сэнди. Я хочу, чтобы ты это знала.

Она посмотрела на него с недоверием и недоумением. Сэнди прекрасно знала, каким страстным, каким пылким и чувственным был Джордан. Тем не менее она понимала, что он говорит чистую правду.

— Да... вижу... — все слова почему-то вылетели из головы, и она никак не могла собраться с мыслями, придумать, что еще можно сказать. Ее переполняла радость. — Теперь ясно, почему ты действовал с таким энтузиазмом.

Джордан уложил ее на кровать:

— Вот уж в чем я совсем не уверен.

— А королевские цветы? Ты не разбросал их, как обещал.

Джордан лег рядом и головой облокотился на локоть, чтобы удобнее было смотреть на нее. Его губы изогнулись в поддразнивающей улыбке:

— Я приберег две штучки напоследок. Поскольку знал заранее, куда следует их положить.

— Да ну? И куда же?

Он начал медленно склоняться над ней, пока она кожей не ощутила горячего дыхания:

— Сейчас увидишь.

Сэнди шевельнулась, пытаясь выпутаться из

густого облака сна. Что-то было не так. Не то чтобы не так, а просто... иначе. Она открыла глаза и, вглядываясь в темноту, позвала:

— Джордан?

— Я здесь, — он быстро придвинулся к ней и приподнялся на локте, чтобы взглянуть на нее. — Я все время был здесь, рядом с тобой.

В полумраке невозможно было разглядеть его лица, но тем ощутимее было тепло, исходящее от него.

— Ты не мог заснуть?

— Даже и не пытался, — с невероятной нежностью он погладил ее волосы у виска. — Хотел как можно больше насладиться этими минутами. Прошло так много времени с тех пор, как мы в последний раз были близки. Вот и хотелось продлить наслаждение.

В его голосе прозвучали едва уловимые нотки печали. И эти нотки эхом отозвались в ее сердце, заставив Сэнди окончательно проснуться:

— Что-то не так. Что...

С мягкой нежностью его губы закрыли ее рот, не давая договорить, а потом он снова поднял голову:

— Разве что-то может быть «не так», если мы с тобой обрели самое главное? Раз мы вместе, значит, все так хорошо, что лучше не бывает. — И он, снова поцеловав ее, с мягкой настойчивостью переспросил: — Ты согласна? И теперь ты позволишь мне остаться рядом с тобой?

Тщательно скрываемое отчаяние, прорвавшееся в его словах, вновь вызвало неясную тревогу:

— О чем ты говоришь? Не понимаю, что ты имеешь...

Джордан снова поцеловал ее, и на этот раз с меньшей нежностью, но с большим жаром, более чувственно и призывно.

— Тс-с, не имеет значения, — пробормотал он. Его язык пощекотал ей уголки губ, заставил ее раскрыть губы, а руки начали ласкать ее тело. — Не беспокойся ни о чем. Не думай ни о чем, кроме...

— Но, Джордан, скажи же наконец... — заговорила Сэнди, но забыла, о чем хотела спросить, погрузившись снова в состояние, когда не нужны слова, когда все мысли уходят и остаются только ощущения.

Телефон зазвонил, пробудив Сэнди ото сна.

— Я возьму трубку, — быстро проговорил Джордан и поднялся. — Поспи еще.

— Не глупи, — сказала Сэнди, опережая его. — Телефон стоит у моего изголовья. — И, протянув руку, поднесла трубку к уху. — Алло?

— Сэнди? — это был голос Марча. — Прости, что разбудил тебя, но мне необходимо поговорить с Джорданом. Ты не могла бы подозвать его?

— Марч? — она села на постели и встряхнула головой, чтобы окончательно проснуться. — А как ты узнал...

— Слушаю, Марч? — Джордан взял из ее рук телефонную трубку и проговорил: — Ну что там на этот раз?

«На этот раз?» Сэнди медленно приподняла шнур и проскользнула под ним, чтобы встать с постели. Да, что-то идет совсем не так, как дóлжно, и это имеет отношение не только к тому сообщению, которое Марч предназначал для брата. Что-то ужасное, страшное, неотвратимое, совсем рядом... Сэнди накинула шелковое желтое кимоно и слегка вздрогнула от прикосновения прохладной ткани к телу. Странно. Откуда этот холод? Словно ледяные иголки пронзают ее, подбираются к сердцу, отчего начинает ныть душа и слабеют ноги.

— Ты уверен? — отрывисто переспросил Джордан. — Ничего не перепутал?

«Боже! Как она могла допустить подобную оплошность», — с недоумением думала Сэнди. Совершить такую глупость! Оказаться такой наивной и доверчивой? Она включила настольную лампу, которая стояла возле телефона, и Джордан замигал, ослепленный светом. Глядя, прищурившись, на Сэнди, он заговорил, взвешивая каждое слово:

— Скажи Марамбасу: его надо найти во что бы то ни стало. — Взгляд его не отрывался от Сэнди. — Даже если придется прочесать каждую остановку на этом маршруте. Позже поговорим, Марч. — Он положил трубку на рычаг и сел, выпрямившись, глядя на жену. — Что?

— Уходи, — проговорила Сэнди дрожащим голосом. — Одевайся и уходи. И не возвращайся. Теперь уже ни под каким предлогом.

Тень боли промелькнула у него на лице и исчезла:

— А ты не перебарщиваешь?

— Я? — сосущий холодок в сердце испарился от вспышки обуявшего ее гнева. — Неужто я так похожа на круглую идиотку? Марч *знал*, что ты здесь. Ручаюсь, что знал. Он нисколько не колебался, когда попросил тебя к телефону, понимая, что ты лежишь рядом со мной и тебе достаточно протянуть руку. Так откуда он знал? — Она сжала кулаки. — Только в том случае, если ты его предупредил, будучи уверенным, что останешься у меня на всю ночь. Ты заранее настроился на то, что соблазнишь меня. И шел именно с этим настроением.

Он побледнел:

— Да. Именно с таким настроением я и шел сюда, Сэнди. Не буду тебя обманывать.

Она скрестила руки на груди, пытаясь унять дрожь:

— Ты решил таким образом переубедить меня, заставить принять другое решение? Ты понимал, что я еще не готова, но все равно... — она нервно засмеялась. — Черт возьми! Ты играл со мной, как кошка с мышкой, не дав мне опомниться, осознать, что происходит. Ты прикидывался таким честным, искренним, открытым. Веселился, как мальчишка... ты даже соизволил немного рассказать про Бандору, и я заглотила наживку, как рыбешка. Ты ведь знал, что я буду слушать, раскрыв рот? Потому что мне страшно хочется узнать побольше о тебе и обо всем, что имеет к тебе отношение.

— Конечно, я понимал, что тебе захочется послушать что-то обо мне, — Джордан встал с постели и направился в ванную. Немного погодя он вернулся с одеждой, которую сорвал с себя возле камина, и начал одеваться. — Я пустил в ход все уловки, лишь бы остаться с тобой на ночь. — Застегивая рубашку, он посмотрел ей прямо в глаза. — Я и впредь буду использовать любое доступное в данную минуту оружие только для того, чтобы остаться рядом с тобой, пока не схватят Кемпа. Потому что, как уже говорил, не могу допустить, чтобы тебе грозила опасность.

— А я говорила, что не желаю, чтобы мною вертели как тряпичной куклой. Очевидно, я совершила ошибку, — Сэнди сухо засмеялась. — Господи, до чего же я глупа. Казалось бы, могла уже научиться. Так нет. Но ты замечательный учитель, Джордан. Вернее, был. Кажется, на этот раз я кое-что начала понимать, как говорится, вижу свет в конце туннеля. Правильно ты заметил вчера: нельзя быть слишком доверчивой.

— Надо ли напоминать тебе о том, в каких чрезвычайных обстоятельствах мы оказались? Что у меня не было другого способа оградить тебя от опасности. — Он испытующе посмотрел на нее. — Похоже, ты не в состоянии это понять. — Улыбка его была полна горечи. — Впрочем, я и не надеялся на лучший исход дела. — Застегнув ремень, он надел ботинки. — И когда шел сюда, боялся, что потеряю все.

Губы Сэнди сжались:

— Не зря, по крайней мере. Если ты решился

использовать излюбленные методы сейчас, зная, что тем самым можешь окончательно разрушить наши отношения, значит, ты и в другой раз пустишь их в ход, лишь бы добиться своего.

— Ты действительно так считаешь? — Джордан недоверчиво покачал головой. — Не может быть, чтобы ты так думала. По-моему, каждый из нас получил то, чего жаждал.

На какой-то момент гнев и возмущение отступили — настолько отчетливыми были горечь и боль, которые он переживал. Но очередная волна гнева снова захлестнула Сэнди, ослепляя ее, не давая возможности правильно оценить происходящее. Она не должна вслушиваться в то, что говорит Джордан, вникать в то, что он переживает. Он попытался манипулировать ею, лепить ее, как Пигмалион Галатею.

— А почему я должна тебе верить?

— Ты ничего не должна. Я и не жду этого. С моей стороны было бы глупо надеяться, что ты согласишься на очередной мой заход. Тем более что ты обо всем меня предупредила.

— Да, предупредила.

— Так что теперь мне уже нечего терять, — Джордан вдруг улыбнулся непонятной улыбкой. — И я имею право делать то, что считаю нужным. Теперь мне не придется ходить перед тобой на цыпочках и бояться, что ты меня в чем-то будешь подозревать.

— Я и думать о тебе не собираюсь.

Господи! Если бы это было правдой. Она еще

долго будет истекать кровью. Дольше, чем в первый раз. Поэтому-то и надо прибегнуть к единственно верному средству: прижечь рану.

Джордан побледнел еще сильнее, но продолжал улыбаться:

— Отлично. Тем самым ты развязываешь мне руки и значительно упрощаешь дело. — Он развернулся на каблуках. — До свидания, Сэнди. Закрой за мной дверь.

Выйдя следом за ним из спальни, она молча смотрела, как он идет через холл. Камин уже догорал. Пылающие угли бросали мрачноватый отсвет на лицо Джордана, придавая ему несколько демонический вид. Отворив дверь, он обернулся:

— На тот случай, если тебя интересует этот вопрос. Кемп вышел из автобуса, не доехав до конечной станции, где-то на полпути между Нью-Йорком и Сент-Луисом. Как он будет добираться дальше, никто не знает. То ли самолетом, то ли поездом, то ли другим автобусом. Во всяком случае, твои любимые полицейские не сумели угадать ход его мыслей и не в состоянии ответить, где он находится сейчас. Они упустили его. — Он смотрел прямо на Сэнди. — Кемп может оказаться здесь и через два дня и через два часа. Я приказал людям Марамбаса охранять лестницу и подходы к дому. Но все равно: не открывай дверь никому, не убедившись, кто за ней. Ни одному человеку.

— Не буду, — прошептала она. — А теперь уходи, Джордан.

— Ухожу, ухожу. — Он еще раз окинул ее взглядом от ореола светлых волос вокруг ее головы до длинных ног, которые просматривались сквозь легчайший шелк халата. — Но не для того, чтобы оставить тебя на произвол судьбы. И если уж выбирать, то я скорее готов расстаться с тобой навсегда, нежели дать погибнуть от руки маньяка. Этот турнир я обязан выиграть.

— Не вмешивайся в мои дела. Сражение затеял не ты. И тебя больше не касается все, что со мной происходит. Понял? Я не хочу, чтобы ты совал нос...

Но Джордан уже не слышал ее. Дверь за ним захлопнулась.

Гудение лифта заставило Сэнди подойти к двери и запереть ее. Прижавшись горящей щекой к прохладному отполированному дереву, она застыла в неподвижности. Боже, как тяжело. Даже дышать трудно. Вздох переходил в рыдание. Но она не будет плакать. Со временем ей станет легче. Боль уйдет вглубь. Просто надо вспомнить, каким образом ей это удавалось до того, как снова появился Джордан. Жить, ни о чем не думая: минуту за минутой, час за часом. Надо повторять про себя это магическое заклинание. Беда только в том, что прежде она не знала того Джордана, который открылся ей сейчас: нежный, веселый, трепетный.

Оторвавшись от двери, она медленно, с трудом передвигая ноги, двинулась в комнату. Джордан нарушил обещание, он обманул ее. Значит, тот Джордан, которого она узнала теперь, такой же обманщик, что и Джордан прежний? Как же вообще узнать, где искренность, а где притворство?

Кемп. Насчет Кемпа Джордан не лгал. Но страха она не испытывала. Она лишь была в странном оцепенении. В эту минуту ее меньше всего волновало самое главное — собственная безопасность. Лишь бы поскорее прошла эта проклятая боль, эта обида. И тогда она сможет думать о чем-то другом, кроме Джордана.

5 Зак. № 1108 Джоансен

Глава 6

— Собирайся, — с порога скомандовала Пенни. Ты немедленно должна переехать отсюда в другое место.

Сэнди затворила дверь и щелкнула замком:

— В данную минуту я не могу этого сделать.

— Нет, можешь. Более того — обязана! — Пенни повернулась лицом к Сэнди, ее карие глаза сверкали от гнева. — Что за идиотскую игру ты затеяла? Я едва поверила своим ушам, когда сегодня утром Джордан пришел в редакцию и обо всем рассказал.

— Джордан обо всем тебе рассказал? Какое он имел право? — Сэнди сжала губы. — Впрочем, это уже не имеет значения. Это не касается никого, кроме меня самой.

— Ошибаешься, голубушка, — жестко ответила Пенни. — Это касается и меня, и Мака, и «Уорлд рипорт». В каком виде ты нас выставишь, если падешь жертвой своей глупой игры? Только не надо говорить, что редакция никак не связана с твоей затеей. Кто поверит, что это не мы убедили тебя выступить в роли подсадной утки, чтобы заполучить уникальный материал? — Она покачала головой. — В чем только не обвиняют средства массовой информации. Не хватало еще этого!

— Я напишу письмо, что вы не несете ответственности за мои поступки.

— Считаешь, что клочок бумаги может избавить меня от угрызений совести, если тебе перережут горло? Пойми: я тоже отвечаю за то, что с тобой может произойти, черт тебя побери. — Пенни отвернулась в сторону. — Я не собираюсь никого обвинять, но и на себя не хочу взваливать груз ответственности. Мы сию же минуту уедем из Сан-Франциско, спрячем тебя в безопасном месте, пока полицейские не отыщут Кемпа и не возьмут его под наблюдение.

— Твое решение мне понятно, — Сэнди изо всех сил старалась придать голосу нужную твердость, но до чего же это было трудно сделать. — Ты мой самый близкий друг и, вполне естественно, из-за меня беспокоишься. Но я...

— Забудь о дружбе, — Пенни повернулась лицом к ней. — Сейчас речь идет о другом. Ты — сотрудник «Уорлд рипорт», и твоя затея может бросить тень на всю редакцию. Позволить тебе это я никак не могу, Сэнди. — Помолчав, она добавила чуть более спокойным тоном: — Тебе ведь нравится твоя работа? Не будешь же ты ставить все на карту?

— Ты хочешь сказать, что можешь меня уволить? — удивленно переспросила Сэнди.

Пенни помедлила.

— Черт, скорее всего нет, но Мак вряд ли проявит подобную мягкотелость. Он был вне себя от ярости, когда узнал, на каких условиях ты согласилась сотрудничать с полицией. Просто рвал и метал. И весьма недвусмысленно выразился на этот счет. «Разруби этот узел», — приказал он мне. Что я и собираюсь сделать. «Разрубить узел».

Сэнди задумчиво свела брови:

— Пойми, Пенни, это очень важно для меня. Я убеждена, что поступаю правильно. Самое страшное, что только можно представить, — это безнаказанно гуляющий по улицам убийца.

— Ничего иного я не ожидала от тебя, поэтому решила подстраховаться, — мрачно парировала Пенни. — Тебя, идеалистку, не переспоришь. Но лейтенант Блейз — человек достаточно трезвый. Он сразу понял, что к чему, когда я ему все рассказала. А кроме того, департамент полиции не желает оказаться под обстрелом такого издания, как «Уорлд рипорт».

— Ты им пригрозила?

— Не просто пригрозила. Я пообещала, что не оставлю от них камня на камне, если они будут продолжать эти игры в кошки-мышки, которые добром не кончатся, — безапелляционно ответила Пенни. — И теперь они, ручаюсь, мечтают только об одном: как бы поскорее перевезти тебя в более безопасное место. Вскоре ты в этом убедишься. Меня нисколько не удивит, если они пришлют полицейского, чтобы тот сопроводил нас в аэропорт и для пущей безопасности проследил, как мы сядем в самолет.

— Ты сразу бьешь в яблочко, — медленно выговорила Сэнди.

Как ни странно, она вдруг почувствовала непонятное облегчение. Теперь уже ничего поделать нельзя. Ничего от нее не зависит, и план, задуманный лейтенантом Блейзом, меняется не по ее вине. И не надо ждать, когда к ней ворвется Кемп... Когда к ней ворвется смерть в его обличии.

— Когда надо, никуда не денешься, приходится бить точно в цель, — Пенни встретилась с ней взглядом. — Есть еще какие-нибудь возражения?

Сэнди покачала головой.

— Разве против тебя устоишь? — заметно повеселев, ответила она. — Похоже, что у меня нет выбора, тем более что я буду идти в сопровождении полицейских. И где ты собираешься меня прятать?

— На крошечном островке, недалеко от Санта-Барбары. Этот остров — моя собственность. — Пенни слегка поморщилась. — Холм, величиной с наперсток, не больше. Дикий, необжитой. Но на нем есть домик, построенный лет шестьдесят тому назад писателем, который очень любил уединенные места. В Санта-Барбаре мы наймем вертолет, он доставит нас на остров. Ты останешься там, а я вернусь назад и буду следить за тем, как развиваются события. С островом нет никакой связи. Как только засекут и схватят Кемпа, я тотчас за тобой прилечу.

— Никогда не знала, что ты владеешь островом.

— Бывает, что я хочу побыть одна, наедине с собой. Идея острова, клочка земли, который будет принадлежать исключительно мне одной, меня привлекала с детства. — Пенни пожала плечами. — Только мне! Чтобы не делить его ни с кем, даже с друзьями. Чтобы это была моя, только моя заповедная земля. Мое убежище.

— Почему же ты решила им поделиться? — негромко спросила Сэнди. Интересно, о каких еще черточках характера Пенни она не знает? Ведь у нее и сомнений не было, что жизнь подруги — открытая книга. Сейчас она бы уже не стала это утверждать. Оказывается, подругу интересует не только карьера. Пенни хранит свои мечты, прячет свои тайны, и у нее есть прошлое, которое для нее много значит.

— Потому что теперь и тебе требуется убежище. Нет ничего лучше, чем отсидеться там в такие минуты, когда надо спрятаться от кого-то или зализать раны.

И в эту минуту Сэнди вспомнила про свою свежую рану, которая все это время ныла, не переставая. Неужели то, что ей необходима помощь, так заметно? Она с трудом выдавила из себя улыбку:

— И как называется это убежище?

— Просто остров. У меня не было ни малейшего желания придумывать ему какое-нибудь название. Это не в моем духе. — Пенни двинулась в спальню. — А теперь давай складывать вещички. Советую не забыть про свитера и джинсы. Когда ветер задувает с моря, там бывает довольно прохладно.

Сверху островок показался еще меньше, чем описывала его Пенни, и еще более диким. Нагромождение скал, не считая маленькой бухточки с подветренной стороны. И небольшой пирс в этой бухте выглядел как указательный палец, возле которого бился белый от пены прибой.

— Не вижу никакого домика, — заметила Сэнди, вглядываясь в иллюминатор медленно снижающегося вертолета.

Пенни кивнула:

— Он там, за холмом, среди сосен. Отсюда не видно. Думаю, он тебе понравится. Четыре моих отпуска ушли на то, чтобы привести его в порядок и довести до ума. Сама понимаешь, возить мебель с материка сюда не так-то просто. — Она поморщилась. — Но самое худшее — это договариваться с лодочниками или вертолетчиками. А однажды меня доконала сотрудница фирмы по изготовлению окон, — у нее разыгралась морская болезнь, когда мы добирались до острова.

— Могу себе представить, — пробормотала Сэнди, глядя на неукротимо бьющиеся о скалы разъяренные волны. — Никогда прежде не видела такой сильный прибой.

— Не сомневаюсь, — кивнула Пенни. — Здесь очень коварное подводное течение. Поэтому от воды держись подальше, хорошо?

— Хорошо.

Вертолет опустился на каменистую площадку рядом с пирсом, и Сэнди с любопытством огляделась.

— Да, теперь я смотрю на тебя под другим углом зрения.

— Я бесконечно люблю этот остров, — просто ответила Пенни. — И нигде не отдыхаю душой так, как здесь. — Повернувшись к пилоту, она попросила. — Подожди здесь, Ральф. Я вернусь сразу же — как только помогу донести продукты до дома.

— Давайте я сам отнесу, — предложил пилот.

— Нет, спасибо, — быстро поблагодарила его Пенни. — Сумка совсем нетяжелая, так что мы справимся сами. Подожди меня здесь.

— А мне так хотелось, чтобы ты осталась хотя бы на пару деньков, — слегка огорчилась Сэнди и, подхватив свой рюкзак, открыла тяжелую дверь и спрыгнула на землю. Холодный острый порыв ветра взметнул ее волосы, и Сэнди поежилась. — Боюсь, мне будет немного не по себе здесь в полном одиночестве.

— В доме есть радио, — Пенни тоже спрыгнула и подошла к багажному отделению, где лежала сумка.с покупками. — И масса книг. Эти несколько дней помогут тебе полностью расслабиться и забыть обо всем на свете. А заодно пройдешь своеобразный тест на выживание.

— Вот это — вряд ли, — проговорила Сэнди, сгибаясь под тяжестью своей сумки и шагая следом за Пенни по едва заметной тропинке. — Здесь слишком пустынно. Я без людей не могу.

— Я знаю, что тебе нужны люди, — Пенни, оглянувшись, посмотрела на нее не без сочувствия. — Ты всегда предпочитала беседу наблюдению. — И добавила серьезно: — Впрочем, не думаю, что здесь ты будешь одна.

— Значит, ты не ошибалась, — ответила на предыдущую фразу Сэнди. — Меньше всего на свете меня манило уединение или одиночество. У меня нет времени на то, что... — она вдруг замолчала и зашагала быстрее. — Так когда же мы придем?

— Осталось еще немного, — Пенни секунду помедлила, любуясь алыми лучами солнца, которые пробивались сквозь ветви сосен. — Вон за той горкой, — теперь она смотрела прямо перед собой. — Надеюсь, ты все же переменила свое отношение к Джордану.

Сэнди сразу нахмурилась:

— Извини, но я не хочу говорить на эту тему.

— Мне бы тоже не хотелось, но все же придется, — негромко продолжила Пенни. — Поскольку сама я полностью переменила свое мнение о нем. Я считаю, ему можно верить.

Сэнди смотрела на подругу, широко раскрыв глаза:

— Тогда ты — просто дурочка. Господи, Пенни, вот уж никогда не думала, что и ты попадешь под его чары. Интересно, что он тебе такого наговорил?

— Ничего особенного, — все так же спокойно продолжила подруга. — Вернее, почти ничего нового. Но я поверила каждому сказанному им слову. Он очень страдает, Сэнди.

— Вот и хорошо. Что заслужил, то и получил, — Сэнди с трудом сглотнула застрявший в горле комок. — Он обманул меня. Просто-напросто обхитрил и соблазнил.

— Соблазнил? — задумчиво повторила Пенни. — Господи, из каких сундуков с нафталином ты это выкопала? Прямо как библейский пророк, который уверял, что Сатана соблазнил Еву в райском саду. — Она усмехнулась и произнесла речитативом, как бы цитируя: «Этот змей посмел искусить сию чистую деву!» Выходит, тебе видятся ваши отношения с Джорданом именно в таком свете?

— Нет, конечно, не передергивай! — Сэнди с трудом перевела дыхание. — Впрочем, что толку сейчас это обсуждать? Ты была права, а я совершила ошибку. Вулкан взорвался, все залило горячей лавой и засыпало пеплом. Мне остается только собрать осколки своей жизни и попытаться склеить нечто более или менее цельное. Так что сейчас не самое подходящее время оправдывать его. Адвокаты ему не нужны.

— Я никого не собираюсь оправдывать. И тем более выступать в роли адвоката. Джордан сам способен принять наиболее верное решение. — Пенни помолчала. — Как и я. Просто мне бы хотелось объяснить тебе, почему... — она замолчала, подыскивая наиболее подходящее слово.

— Почему ты помогла ему разрушить план, задуманный лейтенантом Блейзом?

— Нет, об этом мы с ним почти не говорили, — Пенни снова помедлила. — Меня беспокоит то, что я бросаю тебя. — Остановившись на вершине холма, она подождала, когда Сэнди догонит ее, и вновь повторила: — Ему я верю.

— Уже слыхали. И сошлись на том, что у нас с тобой разные представления на этот счет.

— Он дал мне слово, — Пенни оглядела небольшую долину внизу. Но прежде чем Сэнди успела проследить за ней взглядом, Пенни быстро поставила на землю сумку с продуктами. — У меня не было особого выбора...

— О чем ты говоришь? Ты не бредишь?

Пенни указала подбородком на тропинку, которая вела вниз:

— И я выбрала вот это.

— Нет, — прошептала Сэнди, — ты не могла так поступить.

Перепрыгивая через камни, к ним шел Джордан. Лучи заходящего солнца отливали в его темных волосах. И вновь она почувствовала — скорее всего из-за его походки, манеры держаться, — что от него никуда не деться, не скрыться.

Сэнди отвернулась от Джордана, чтобы увидеть лицо подруги, но та уже быстрым шагом уходила от нее прочь.

— Пенни! — воскликнула Сэнди.

Та остановилась, обернулась и отрезала:

— Тебе нужен кто-то рядом, кто мог бы помочь. А Джордан сумеет сделать то, что нужно.

— Боже, Пенни, каким образом ему удалось убедить тебя пойти на такое?

— Он сказал, что готов ради тебя умереть, — просто отозвалась Пенни. — И, по-моему, это не просто слова. — И она пустилась чуть ли не бегом по тропинке в ту сторону, где стоял вертолет.

Ошеломленная и оглушенная, Сэнди застыла на вершине холма, глядя ей вслед. Верная и заботливая подруга и в самом деле решила оставить ее наедине с Джорданом.

— Пенни, подожди! — Бросив рюкзак, она тоже устремилась вниз. — Ты же не посмеешь оставить меня здесь.

Но Пенни, успевшая значительно ее опередить, уже запрыгнула в кабину, захлопнула дверцу и что-то скомандовала пилоту. Машина тотчас поднялась в воздух, разметая в стороны мелкие камешки и песок.

— Пенни, черт тебя побери, немедленно возвращайся! — Сэнди вдруг почувствовала, как жалко прозвучали ее слова, сколько в них растерянности и страха.

Вертолет развернулся, и Сэнди увидела, что Пенни, послав ей воздушный поцелуй, помахала на прощание рукой.

Небольшая фигурка застыла на тропинке, провожая подругу гневным взглядом.

А вертолет все уменьшался и уменьшался в размерах.

— Она не вернется. Поэтому сейчас самое разумное — пойти в дом. Здесь, у берега, пронизывающий ветер.

Голос Джордана был негромким, спокойным, доброжелательным, но она все равно вздрогнула, как от звука выстрела, и, повернувшись к нему, раздельно спросила:

— Каким образом тебе удалось все это подстроить?

— Ты хочешь спросить, каким образом мне удалось доказать твоей подруге, что я предельно откровенен и честен? — Улыбка его была полна горечи. — Я тебе как-то говорил, что Пенни умеет признавать ошибки и отказываться от заблуждений. К тому же больше всего на свете ей хочется уберечь тебя от опасности, и поэтому она доверяется тому, кто способен помочь ей в этом. Только и всего. Поверь, я не старался обвести ее вокруг пальца. Не пытался выглядеть лучше, чем есть.

— А тебе и стараться не надо. У тебя все получается само собой. Это твоя вторая натура.

Джордан сжал губы:

— Нисколько не сомневался, что ты мне не поверишь.

— Рада, что и ты понимаешь это, — Сэнди сжала пальцы так, что ее ногти впились в ладони.

Джордан прямо встретил ее взгляд:

— А чего другого ты ждала? У меня не было никаких иллюзий насчет того, что ты подумаешь обо мне, и о том, что я готов пойти на все.

— В таком случае свяжись с Пенни и попроси, чтобы она вернулась и забрала меня. Я не останусь здесь.

Он покачал головой:

— Здесь нет связи с материком.

Пенни говорила об этом, вспомнила Сэнди.

— Безумие какое-то! Я не собираюсь оставаться здесь наедине с тобой, Джордан!

— А мы не останемся один на один. Завтра Марч наймет катер и прибудет сюда вместе с запасом продуктов.

— Марч? Неужели он тоже участвует в этой безумной затее?

— Может быть, Марч похож на меня намного больше, чем тебе это кажется. Он и сам понимает, что к чему. — Сунув руки в карманы грубой куртки, Джордан замолчал. — Или ты считаешь, что и его я обвел вокруг пальца? Не пытайся представить меня эдаким исчадием ада.

И Пенни говорила ей то же, — вспомнила Сэнди слова подруги насчет Евы и змея-искусителя.

— Это крайности. Такого рода сравнения возникают сами собой, когда кто-то использует доверие другого. Когда зазвонил телефон, и ты поднял трубку, я сразу поняла, что между нами все кончено.

— Знаю. Вот почему я отправился прямиком к твоей лучшей подруге — Пенни. Тебя необходимо было выдернуть из мышеловки, и поскольку я сам, в одиночку, уже не мог этого сделать, то решил просить помощи у любого. — Он горько усмехнулся. — Что послужит лишним доказательством твоих худших подозрений относительно меня. Но сейчас твоя оценка не имеет никакого значения. Самое главное: ты находишься в безопасности. И я не собираюсь ничего менять. — Он повернулся. — А сейчас я иду в дом, пора готовить ужин. Приходи, когда почувствуешь, что немного отошла.

Быстрым ровным шагом он добрался до вершины холма. И Сэнди, чувствуя, как в груди бушует ураган, смотрела ему вслед.

— Не думай, что тебе все так легко сойдет с рук и что все закончилось! — крикнула она ему вдогонку, преодолевая шум ветра и волн. — Ты еще, наверное, плохо меня знаешь, если думаешь, что подобное сойдет с рук! Тебе больше не удастся вертеть мною, как захочется.

Задержавшись на подходе к вершине, Джордан обернулся и посмотрел на нее. И во взгляде его читалась только усталость:

— Господи Боже, неужели ты считаешь, что Пенни решилась оставить нас наедине, не заручившись предварительно моим честным словом, что я не буду посягать на тебя? Могу дать и тебе такую же клятву, если ты, конечно, готова мне поверить.

— Я больше никогда не поверю тебе.

Черты его лица сразу словно окаменели.

— Это, в сущности, не имеет значения. — Помолчав, он добавил: — Нет, черт побери! Конечно же, это имеет значение. Но я это переживу. Я переживу все, что угодно, лишь бы ты осталась цела. И ты не уедешь с этого острова, пока Кемпа не выловят и тебе ничто не будет угрожать. А пока ты будешь здесь, я буду ходить за тобой, как тень.

— Черта с два!

Джордан кивнул:

— Тут я любому черту дам сто очков вперед. — Он отвернулся и продолжил подъем вверх. Сильные ноги легко несли его вперед. На какой-то миг стройная фигура вырисовалась четким силуэтом на фоне алого неба, а потом он исчез из виду.

Ощущая себя, как никогда, одинокой, Сэнди осталась на берегу. Дул холодный и пронизывающий ветер. А волны с яростью бились о скалы. Она повернулась к морю. В ее душе клокотала не менее дикая и неукротимая ярость, чем эти волны. Хорошо, что Пенни нет рядом, подумала про себя Сэнди, иначе неизвестно, что она бы ей наговорила. Не исключено, что налетела бы на подругу с кулаками. Как только это пришло Пенни в голову? И она, и Джордан обращаются с ней, как с куклой. Как они смеют?

Но она не безвольная марионетка. И непременно постарается придумать что-нибудь. Ее ошибка заключалась только в одном: она доверяла им обоим, а они не заслуживают доверия. Джордан уверял, что теперь, когда ему уже нечего терять, руки его свободны. Но она не ощущала себя такой же свободной, как он. Опустошенность, холод и одиночество охватили ее снова. Придется научиться быть такой же жесткой, как они — Пенни и Джордан. Она постоит здесь еще, пока бушующее море, столь отвечающее ее настроению, не придаст ей силы: и тогда пойдет в дом. Пусть Джордан ждет.

Дом, крытый красной черепицей, был еще довольно далеко, но до нее уже доносился запах жареного лука, перца и пряностей. А когда она вошла на кухню, этот аромат заполнил все пространство. Джордан оторвал взгляд от дымящейся сковородки, стоявшей на плите, и посмотрел на нее:

— Я отнес твой рюкзак в спальню нашей хозяйки, — проговорил он как можно более деловитым тоном. — Она не больше, чем две других, но при ней есть свой душ. Ужин будет готов через пятнадцать минут.

— Думаешь, я смирилась с вашим решением? Ни черта подобного.

— О чем нетрудно догадаться по твоему виду.

— Но и торчать снаружи всю ночь не собираюсь.

— Весьма благоразумно.

— И надеюсь отсюда выбраться.

Джордан помешал ложкой овощную смесь:

— Когда это будет безопасно для тебя.

— Незачем со мной обращаться, как с идиоткой, которая не способна отвечать за свои поступки. Вы считаете, что я податлива, как воск, и из меня можно...

— Ты не податлива, — он продолжал смотреть на сковороду, — а доверчива. Я тебе уже как-то говорил об этом. И даже в тот момент, когда ты была уверена, что я предал тебя, ты все равно мне верила. И ты всегда будешь верить людям, Сэнди.

— Нет, — отрезала она. — Урок не прошел даром. И теперь я буду такой же циничной и жесткой, как вы, — ты и Пенни.

— Не сможешь, — он посмотрел на нее грустно и серьезно. — Ты пытаешься убедить в этом саму себя. Ты хотела бы изменить свою натуру. Но из этого ничего не выйдет. Ты мягкая, любящая и одновременно очень сильная. Настолько сильная, что не позволишь таким людям, как я, тебя изменить.

— Не уверена, что мне и дальше хочется оставаться любящей и мягкой.

— И все равно ты останешься такой, какая есть. У меня нет никаких сомнений на этот счет, — Джордан передвинул сковородку на соседнюю горелку. — Я сделал жаркое из мяса и овощей. Если хочешь, поставлю тарелки на поднос и принесу ужин тебе наверх, поскольку прекрасно понимаю, что тебе не хочется меня видеть.

— Не стоит утруждаться. Не настолько я слаба, чтобы не смогла выдержать твое присутствие, — отрезала Сэнди. — Сейчас приму душ, переоденусь и спущусь вниз.

— Но ты же догадываешься, почему я предложил тебе поужинать одной?

Сэнди резко повернулась, держась одной рукой за перила, взгляд ее был полон возмущения.

И Джордан с лукавой улыбкой, которая вдруг заиграла в уголках губ, закончил:

— Да не будь ты такой воинственной. Речь идет совсем о другом. О луке. Я ведь без ума от любого блюда, где есть много лука, и готов съесть сколько угодно. А в этом мало приятного для тех, кто сидит за столом.

Глава 7

— Никогда прежде не видела тебя таким, — Сэнди отодвинула тарелку и окинула Джордана, сидящего по другую сторону стола, изучающим взглядом. — Что это? Очередное представление?

Джордан отрицательно качнул головой:

— Да нет. Занавес опущен. Представление окончено. — Он поднялся. — Ты уже поела? Сейчас приготовлю кофе.

Сэнди смотрела на Джордана, стоявшего в другом конце кухни, задумчиво нахмурив брови. В нем, несомненно, произошла какая-то перемена. Спокойствие, всегда присущее ему, оставалось неизменным, так же, как и ощущение силы, которая от него исходила. Что же изменилось? Вот что, догадалась Сэнди: исчезло внутреннее напряжение, которое прежде было в каждом его движении, в каждом жесте:

— Ты стал каким-то... раскрепощенным.

Он подошел к столу с кофейником в руке.

— В самом деле? — налив ей дымящегося кофе в чашку, Джордан продолжил: — Впрочем, в последнее время ты видела меня в состоянии безысходного отчаяния. С той минуты, как мы встретились у Дэвлина, оно не оставляло меня ни на секунду.

— Безысходность и отчаяние? — повторила она следом за Джорданом. — Слов, более неподходящих для тебя, трудно подобрать.

— А еще труднее жить с этим. — Налив кофе себе в чашку, он снова поставил кофейник на стол и откинулся на спинку стула, вытянув перед собой ноги. — Тебе не доводилось переживать минуты безысходного отчаяния, так ведь?

Его слова заставили Сэнди ненадолго задуматься:

— Нет, похоже, что нет.

Конечно, у нее были моменты, когда она чувствовала себя несчастной, покинутой, но острого ощущения безысходности все же не доводилось переживать.

— Никогда бы не подумала, что ты хоть на короткий миг ощущал такое. Мне казалось, что ты настолько хладнокровен и так хорошо владеешь своими эмоциями, что не допустишь этого. Ты не только владеешь собой... — Губы ее сжались. — Но умеешь управлять тем, что происходит вокруг. Всем и вся.

Джордан поднес к губам чашку с кофе:

— Для меня, безусловно, очень важно знать, что я могу владеть собой. Только благодаря этому мне удалось сохранить свой мир, не дать ему расколоться на тысячи осколков. Я не мог позволить себе подобную роскошь.

— Ты говоришь так, словно дело касается исключительно прошлого. Но ты ведь и сейчас пытаешься держать меня под своим колпаком. То, что вы обманом привезли меня на этот остров и не хотите выпустить... Как это называется?

— Попытка ухватиться за соломинку и не дать себе сойти с ума, — он снова поднес чашку к губам. — А ты как это назовешь?

— Самонадеянность и наглость. — Она поднялась из-за стола. — Я больше не хочу кофе. И мне пора идти спать. Завтра, когда приедет Марч, я отсюда уеду. Если он сам не захочет отвезти меня, то, уверена, на его катере будет радиопередатчик, и он не посмеет мне отказать воспользоваться им. Но я думаю, что он все же не такой диктатор. И не будет...

— Если он попытается пойти у тебя на поводу, то я тотчас вышвырну его отсюда. Не думаю, что ты захочешь стать свидетельницей еще одного отвратительного поступка и поставить его в неловкое положение.

— Считаешь, что это очень забавно, да? А я вот так не думаю.

— Забавно? Что же тут забавного? Я не привык играть роль злодея. — Джордан медленно поднялся из-за стола. — Но ситуация представляется мне в особом свете. Ты ведь всегда хотела увидеть, как я сметаю последние преграды. Как я позволяю себе выйти из берегов. И поскольку сейчас все уже не имеет никакого значения, — ты увидишь, каким я могу быть. Так что в этом есть и доля юмора.

— Никогда не испытывала симпатии к черному юмору.

— Догадываюсь. Это не в твоем духе. Слишком черно и грубо. И я тоже не в твоем духе: слишком темен и груб. И всегда знал об этом. — Поставив чашку на блюдце, он едва заметно улыбнулся. — А вот ты — нет. Мне кажется, темная сторона моей души тебя даже странным образом заинтриговала. Тебе вдруг захотелось осветить все закоулки. Ты воспринимала это как вызов своей ясной натуре.

— Нет, — возразила Сэнди, потрясенная его словами. — Ничего подобного! Я полюбила... я увлеклась тобой.

— Да ну! А если подумать как следует? Вспомни, как все произошло? Все люди, с которыми тебе приходилось сталкиваться в жизни, любили тебя. Ты мне сама сказала, что до самой смерти родителей сохраняла с ними замечательные отношения. И у тебя всегда было полно добрых друзей. Эмоционально ты всегда была раскованной... — он помолчал. И когда заговорил снова, слова его звучали жестче. — Свободной и раскованной. А потом в твоей жизни появился я. Полная противоположность всем, кто до того возникал на твоем пути. Я был другой. И ты почувствовала, что от меня нельзя ждать таких же чистеньких отношений, к которым привыкла. Буря чувств, охватившая меня, захлестнула и тебя тоже. Поток потащил тебя за собой. А еще ты невольно мной восхищалась. Потому что внутренне настроилась пережить иной опыт — и ты получила, что ждала. Тебе хотелось померится с кем-то силами, и ты нашла такого человека. Так что, когда начинаешь обвинять меня в том, что я сделал тебя своей жертвой, — вспомни эти слова.

Неужели в его словах есть хоть доля правды? — неуверенно подумала Сэнди. Да, конечно, ей всегда нравилось угадывать, что находится под внешним покровом, добираться до самой сути, и, конечно, Джордан возбуждал ее любопытство своей загадочностью и недоступностью. И, не отдавая себе в том отчета, она приняла брошенный вызов. Что, в сущности, не менее безжалостно, чем собственнические инстинкты, в которых она обвиняла Джордана.

— Ты хочешь сказать, что я тобой воспользовалась?

— Не буду утверждать, что ты сделала это вполне осознанно.

Сэнди невольно прикусила нижнюю губу:

— Ошибаешься! Я никогда не пыталась использовать кого-то в своих целях.

Джордан молча смотрел на нее.

— Терпеть не могу тех, кто использует других людей. Я не такая.

— Перестань дергаться, Сэнди, — утешая ее, проговорил Джордан. — Неужели ты считаешь, что я возмущался тем, что ты используешь меня таким образом? Я был счастлив, что могу пригодиться тебе хоть в таком качестве, раз ты во мне нуждалась. Игра стоила свеч.

Сэнди покачала головой, отступая от него:

— Но я никогда... — ей с трудом удалось проглотить комок в горле. — Джордан, я ведь никогда не использую людей.

— Мы все используем друг друга. Плохо одно: если, используя другого, ты проявляешь эгоизм, не позволяя другому использовать себя. А ты всегда возвращала сторицей.

Но она не осознавала, что при этом и сама черпала, не задумываясь ни о чем. А Джордан прикидывался собственником, чтобы она получила желаемое, — так получается? Как хорошо он изучил ее, как ловко отыскал то, что она прятала от самой себя, — и теперь показал, что скрывалось за вуалью.

— Почему же тогда ты не сказал об этом раньше? Почему решил взвалить всю вину на себя одного?

— Потому что действительно один виноват во всем, — просто ответил он. — Разве можно счесть тебя виновной в чем-то, если мотивы, которые вели тебя, не были столь возвышенными, как тебе казалось? Все твои обвинения в мой адрес совершенно справедливы. И то, что я разгадал твои побудительные мотивы и сознательно воспользовался ими, только усугубляет мою вину.

Возможно. Но отчего-то Сэнди уже не чувствовала себя совершенно правой. Наверное, и впрямь разгадка тайны под названием «Джордан Бандор» настолько увлекла ее, что она не заметила, что сама была эгоисткой.

— Все это не стоит выеденного яйца, — заботливо проговорил Джордан. — Тем более что скорлупа уже выброшена в мусорное ведро. Иди спать и попытайся хоть немного выспаться. — Он криво усмехнулся: — Ведь прошлой ночью я не дал тебе и глаз сомкнуть.

Щеки Сэнди вспыхнули при одном только упоминании о том, что было между ними накануне, и ей мгновенно стало жарко, когда перед ее мысленным взором пронеслись картины вчерашней ночи: огоньки пламени, отсвечивающие на обнаженном теле Джордана, блеск его глаз, прядь волос, упавшая на ее лицо, когда он склонялся над ней. И блаженство столь мощное, что, казалось, оно граничит с болью. Как только волна жара прокатилась по телу, груди ее под свитером сразу налились, заныли, требуя ласки. Глаза Сэнди непроизвольно скользнули по мужественной — притягательной — фигуре Джордана, но, поймав себя на этом, она отвернулась. Нет, нельзя снова попасться на том же. Кто знает, может, тот новый Джордан, который вдруг явился ей, — очередной обман, очередной трюк? Сэнди повернулась к нему спиной:

— Сегодня я высплюсь. Спокойной ночи, Джордан.

— Надеюсь, — он начал собирать тарелки со стола. — Во всяком случае, постарайся.

— Я иду сию минуту и, как только лягу, тотчас

засну, — решительно проговорила она и быстро вышла из кухни.

Увы, ей не удалось выполнить данного обещания. Заснуть Сэнди смогла только на рассвете, когда сумятица чувств, поднятая словами Джордана, наконец улеглась. Но сон ее был беспокойным и тревожным.

— Прости, но я не смогу тебе помочь, — мягко сказал Марч. — Во всяком случае, в данную минуту.

— Не верю своим ушам, — Сэнди переводила взгляд с Джордана на Марча и обратно. — Выходит, вы заодно? Тебе же известно, что по закону никто не имеет права так со мной обращаться.

— В наших действиях нет ничего противозаконного, — спокойно ответил вместо брата Джордан. — Ты приехала сюда по своей воле и сама согласилась задержаться на какое-то время. А то, что ты вдруг изменила решение, — за это мы ответственности не несем. И мы не обязаны ломать голову, каким образом тебе побыстрее добраться до материка.

Сэнди снова повернулась к Марчу:

— Но я не хочу оставаться здесь ни минутой больше... — и замолчала. Марч смотрел на нее с улыбкой, но при этом оставался таким же непреклонным, как и Джордан. Гнев и возмущение вспыхнули в ней с новой силой. — А я надеялась, что ты протянешь мне руку помощи.

Марч пожал плечами:

— Это мой брат. И он уверен в своей правоте. Джордан знает, что лучше, а что хуже для тебя, своей жены.

— Боже! Еще один шовинист! — она стиснула кулаки. — Я сама в состоянии решить это.

Ни тот, ни другой не сказали в ответ ни слова.

Сэнди почувствовала, что гнев прямо-таки распирает ее.

— Черт бы вас побрал! — процедила она сквозь зубы. — Черт бы вас побрал обоих! — Развернувшись, она вылетела из комнаты и, не помня себя, понеслась вверх по склону холма. Только когда пронзительный ветер хлестнул ей в лицо, она вдруг осознала, что бежит по скользкой каменистой тропе к морю и что туман обступает ее со всех сторон.

— Сэнди! — услышала она за спиной голос Джордана, но не стала оборачиваться. — Подожди, Сэнди. Остановись сейчас же! Ты все равно не сможешь завести мотор, пока я... — он замолчал, запнувшись о какой-то камень.

Катер! О нем Сэнди не думала в ту минуту, когда выскочила из домика. Ей просто необходимо было убежать куда-нибудь подальше, пока она не набросилась на них с кулаками. Но если она успеет добежать до катера Марча... Даже если в зажигании и не осталось ключа, она сумеет сделать запрос по радио. Эта мысль настолько воодушевила ее, что вниз с холма она уже летела как на крыльях. Несмотря на легкий туман, она видела белое пятнышко возле пирса, и в сердце ее ярким огнем вспыхнула надежда.

— Сэнди, прошу тебя...

Поскользнувшись в очередной раз, Сэнди с трудом удержала равновесие. Благодаря этому Джордану удалось сократить расстояние между ними. Она слышала его тяжелое дыхание за собой.

Но берег был рядом. Сэнди бежала с такой скоростью, что уже не могла остановиться. А мокрые камни оказались очень скользкими. В какой-то момент нога в кожаном ботинке соскользнула с камня так резко, что Сэнди отчаянно взмахнула руками. И не сумела удержать равновесие.

Острая боль полыхнула в виске. После яркой вспышки света все погрузилось во мрак. И этот мрак, как тягучий туман, поглотил ее.

— Сэнди! — в лице склонившегося над ней Джордана было столько же страдания, как и в его голосе. — Боже, Сэнди! Этого не может быть. Скажи мне, что у тебя все в порядке!

Как она может сказать, что у нее все в порядке.

— Голова...

Лицо Джордана начало расплываться и таять в красной мгле. Впрочем, ведь он обладает каким-то магическим даром, благодаря которому может очаровать, увлечь за собой. И не поддаться искушению невозможно. Искушение... Опять это слово из Библии. Пенни что-то говорила насчет него...

— Только не молчи. Разговаривай со мной, — напряженным голосом скомандовал Джордан, поднимая ее на руки. — Где у тебя болит? В каком месте?

— Голова... — ответила она, закрывая глаза. — Мне хочется спать.

— Не засыпай, слышишь? Тебе нельзя спать.

Воля, которая слышалась в его голосе, все еще удерживала ее от щупалец мглы, которые снова подбирались к ней. Ничего страшного, что она полностью ему подчинится. Сейчас у нее не осталось ни капельки сил.

— Говори что-нибудь. Что угодно. Вспоминай стихи или песни... Все, что придет на память.

Сколько тревоги в его голосе... Как он волнуется за нее. Но какого черта она будет вспоминать какие-то дурацкие стишки. Зачем это нужно?

— Мне ничего не приходит в голову. Ни одной строчки...

— Тогда повторяй Декларацию прав человека — все, что тебе в детстве вбивали в голову. Все эти ваши американские штучки. Ты должна это помнить. Ну же, открой глаза и говори со мной.

Сэнди медленно-медленно открыла глаза. Его лицо было так близко. Она чувствовала его запах. Ее обволакивало тепло, которое он излучал. Почему она не осознавала раньше, что Джордан и все, что связано с ним, уже давно принадлежало ей. Что они — одно целое? Почему она так упорно его избегала? Ведь эти узы близости не разорвать ничем. Но что же это было, что заставило ее сражаться с ним, куда-то бежать, Сэнди так и не удалось вспомнить. Перед глазами мелькали какие-то смутные видения, фрагменты, но целую картинку никак не удавалось сложить. Любое усилие давалось слишком тяжело. Быть может, завтра получится...

— Нет, не засыпай. Скажи еще что-нибудь...

Оставаться с ним никак не получается. И что она может ему сказать? Какая еще Декларация прав человека? Единственное, что она в состоянии повторить, так это ироническую фразу, сказанную Пенни во время их разговора. Может быть, ему этого будет достаточно:

— ...«И зачем ты искушаешь ее?»...

Джордан вздрогнул:

— Любовь моя, я никогда не...

О чем он там говорит? А ведь его так задели и обидели ее слова, в то время, как она пыталась... Мгла снова окутала ее густым туманом, и Сэнди вяло попыталась вырваться из нее. Джордан не хотел, чтобы она сдавалась. Она нужна ему.

Он так сжал ее плечи, словно мог удержать ее рядом с собой:

— Держись, Сэнди. Пожалуйста...

Но она уже ничего не слышала.

* * *

Когда глаза Сэнди открылись, она увидела склонившегося над ней Марча, который радостно улыбнулся, приветствуя ее:

— Ну вот, наконец-то. Давно пора было присоединиться к нам. Еще немного, и мне пришлось бы ухаживать за вторым больным. Устраивать здесь госпиталь. Потому что Джордан был уверен, что ты в коме.

Сэнди поднесла руку к пульсирующему виску. Она куда-то бежала. Куда? И камни были такие скользкие.

— Я упала?

— Да, готов поспорить, что ты крепко приложилась головой о камень. — Он сел в кресло, которое стояло рядом с кроватью. — Ты находилась без сознания несколько часов. — Тут он потер руки. — Но не волнуйся. Врач сказал, что у тебя всего лишь легкое сотрясение. Полежи в постели денек-два, а потом снова можешь скакать, как козочка по горам.

— Врач? — Она приподнялась, и боль клещами схватила ее голову. — Какой врач?

— Джордан попросил меня вызвать сюда врача, чтобы тот тебя осмотрел. Мистер Мольсен ушел только что. Джордан отправился проводить его к вертолету. — Марч поморщился. — По-моему, он не поверил врачу, когда тот сказал, что ты вот-вот придешь в себя, и решил вытянуть из него хоть что-нибудь еще. Как ты себя чувствуешь?

— Как после страшного похмелья.

— Откуда тебе знать, что такое страшное похмелье? — Марч лукаво усмехнулся. — Я никогда не видел тебя даже навеселе.

— В юности, как и все остальные, я по неопытности пару раз перебрала. Помню, как однажды, когда еще училась в колледже, я проснулась, и у меня так болела голова и все тело, что даже простыня казалась мне тяжелой, как стальной лист... — она замолчала, потому что от виска волнами разошелся еще один приступ боли. Откинувшись на подушку, она закрыла глаза. — После чего я оценила великий смысл умеренности во всем.

— Да, но при этом упускаешь столько забавного. Лично я предпочитаю наслаждаться до конца тем, что приходит в данную минуту.

На лоб Сэнди легло что-то приятно холодное. С материнской заботливостью Марч поправил мокрое полотенце, и Сэнди вздохнула, испытывая облегчение.

— Получше?

Сэнди не решилась качнуть головой, чтобы не вызвать очередную вспышку боли.

— Да.

— Врач оставил болеутоляющее средство на всякий случай и лекарство, которое ты выпьешь ближе к вечеру. — Марч провел мокрым полотенцем по ее лицу. — Ты поправишься, малыш. Только не беспокойся ни о чем. В один момент мы поставим тебя на ноги.

Некоторое время в комнате стояла умиротворенная тишина, которую нарушил едва слышный звук взмывающего вверх вертолета.

— Ну вот, доктор уже полетел назад. Скоро появится Джордан.

Джордан. Сэнди почувствовала вдруг, как все ее тело напряглось. Марч перестал поглаживать ее и слегка придавил плечи — на всякий случай, чтобы она не попыталась встать.

— Успокойся. Ты чего? Джордану еще хуже, чем тебе.

— Сомневаюсь, — сухо заметила Сэнди. — Вряд ли у него при каждом слове взрываются такие фейерверки.

— Тогда и мне лучше помолчать... — Марч запнулся. — Только прошу тебя, Сэнди, не обвиняй его в том, что случилось. Уверяю тебя: он и так казнит себя.

— А почему я должна обвинять Джордана в том, что упала? — устало переспросила Сэнди. — Это могло произойти в любой момент, не обязательно тогда, когда я бежала от него. Счет, который я ему могу предъявить, и без того достаточно велик. Незачем размениваться по мелочам. — Она отвернулась. — И вообще. Мне не хочется говорить о Джордане. У меня от этого голова начинает болеть больше, чем от сотрясения. Мне хочется спать.

— Прекрасная мысль, — поддержал ее Марч. — Недаром старая пословица говорит: утро вечера мудренее. И самые верные решения приходят сами собой.

— Хватит болтать...

В комнате было совершенно темно. Сэнди вновь открыла глаза и с трудом различила сидящую в кресле фигуру.

— Марч? — сонным голосом спросила она.

— Нет, — Джордан наклонился к ней. — Как ты? Что-нибудь нужно?

— Пить. В горле пересохло. — Она приподня-

6 Зак. № 1108 Джоансен

лась и села, чувствуя, к своему большому облегчению, что мучительная головная боль перешла в тупую пульсацию где-то в затылке. — Даже глотать трудно.

— Постарайся меньше шевелиться, — попросил Джордан и включил настольную лампу, которая стояла на тумбочке. После чего налил полстакана воды из термоса, стоявшего рядом. — Болеутоляющей таблетки не нужно?

— Нет, наверное. — Она взяла стакан с водой и жадно выпила до дна. — Я стараюсь не принимать лекарств без особой надобности, только в случае крайней... — она подняла глаза, увидела его лицо и обомлела. — Ты знаешь, по-моему, это тебе надо срочно выпить что-нибудь. Ты выглядишь просто ужасно.

Так, наверное, выглядит земля после опустошительного пожарища... Черной и безжизненной. Жалость к нему, сострадание и любовь с такой силой охватили ее, что Сэнди быстро опустила веки, чтобы Джордан не заметил такое явное проявление слабости с ее стороны.

— Почему ты не ложишься? Мне не требуется твоя помощь.

Неуловимая и непонятная улыбка слегка раздвинула уголки его губ, когда он поставил пустой стакан на столик.

— Я знаю. Но мне необходимо сидеть здесь. Это нужно мне самому. Обещаю тебе, что постараюсь тебя не беспокоить. Просто буду сидеть здесь и смотреть на тебя, хорошо? Ты не возражаешь?

Сэнди нахмурилась:

— Нет, возражаю. Со мной все в порядке, и дежурить у постели, не смыкая глаз, нет никакой необходимости. Иди спать.

Джордан постоял, глядя на нее, а потом, к большому ее удивлению, повернулся и пошел прочь.

— Ну хорошо. Я ухожу, если ты так хочешь. Ты не виновата в том, что тебе невыносимо мое присутствие. — Он выключил свет. — Позови, если что-нибудь понадобится.

Сэнди видела, как он пошел к двери, замер на секунду — одинокий темный силуэт на светлом фоне. Как это непохоже на Джордана — так покорно согласиться и уйти. Почему-то ей стало не по себе.

— Джордан.

— Да?

— Марч мне сказал, что ты себя поедом ешь из-за случившегося, — запнувшись, проговорила она. — А мне бы хотелось, чтобы ты знал: я все поняла, что ты для меня всегда хотел только самого лучшего.

— Ты очень снисходительна, — пробормотал Джордан. — И тем не менее вся вина полностью лежит на мне.

Сэнди очень хотелось, чтобы у него стало легче на душе. Куда вдруг улетучились весь ее гнев и раздражение?

Джордан открыл дверь, и на какое-то мгновение его силуэт стал виден еще более отчетливо. Он стоял, как всегда, прямо, но тем не менее было

6*

такое впечатление, словно на плечи ему легла непосильная тяжесть. И тут дверь за ним закрылась.

Господи, сколько же боли в каждом его движении! Несмотря на то что Джордана уже не было в комнате, Сэнди все еще чувствовала это так, как порыв ветра от резко закрытого окна или двери. Сэнди ощущала его боль точно так же, как ощущала бы свою. Словно они были единым целым, с одним сердцем на двоих, одной кровеносной системой.

Какое-то занозой засевшее в голове воспоминание всплыло в памяти. Воспоминание о чем-то надежном, крепком, теплом, ощущении покоя и уверенности.

А кроме того, еще чего-то большего. От чего нельзя было отмахнуться.

Сэнди откинулась на подушку. Но не заснула. Мысль, пронзившая ее, как мощный электрический разряд, была настолько яркой, понимание настолько отчетливым и ясным, что ей необходимо было какое-то время, чтобы дать эмоциям улечься, прежде чем найти нужные слова для выражения своего чувства.

А потом... Потом принять решение.

Марч сразу поднялся с кушетки и подался вперед, как только услышал шаги брата. Он испытующе посмотрел на Джордана:

— Она проснулась?

Джордан кивнул:

— Похоже, что ей стало чуть лучше. — Он горько усмехнулся. — По крайней мере настолько, насколько это возможно после такого падения.

— Это была случайность, — мягко напомнил Марч, — а ты говоришь так, словно стукнул ее по голове дубиной.

— Да, но результат тот же. Более того, она вообще могла погибнуть. Теперь все пойдет по-другому. Надеюсь, что сумею избавить ее от опасности.

— Что ты мелешь? Ведь это совершенно другое, — Марч невольно шагнул навстречу брату, — выбрось из головы прошлое. Если на ком-то и лежит вина за случившееся, то только на отце. Ты совершенно ни при чем.

— Нет. Я тоже виноват. Так же, как и в том, что произошло сейчас.

— Джордан, черт тебя побери! Ты не можешь... — Марч замолчал, оборвав себя на полуслове. Он не один раз пытался переубедить брата в этом вопросе, но всякий раз вынужден был отступить. А после того, как Сэнди получила сотрясение мозга, Джордан, конечно, вообще упрется, как бык. И будет стоять на своем. — Ладно, настанет день, когда ты поймешь, что ошибаешься. Надеюсь, мне удастся это тебе доказать.

Джордан покачал головой:

— Спасибо, Марч. Я очень ценю твои добрые чувства, но... — Джордан сошел с последней ступеньки лестницы и направился к входной двери. — Пойду погуляю.

С нескрываемым удивлением Марч переспросил:

— Посреди ночи?

— Надо же мне занять себя хоть чем-то, — Джордан распахнул дверь. — Все равно чем. Пока постарайся не засыпать — на тот случай, если Сэнди что-нибудь понадобится, хорошо? — и кротко улыбнулся. — Боюсь, как бы ей не стало хуже, если я останусь дежурить у постели. Она весьма недвусмысленно выразилась насчет того, что не желает видеть меня рядом. И за это ее не осудит ни один человек в мире.

— Пригляжу за ней, не волнуйся. Только будь осторожнее. Не хватало нам еще одного несчастного случая.

— Невелика потеря, — обернувшись, ответил Джордан и горько усмехнулся. — Впрочем, моя роль — разрушать. А не выступать в роли жертвы или потерпевшего.

— Опять несешь чушь!

— Разве? Тогда снова просмотри запись.

Глава 8

— Привет! Судя по всему, тебе стало значительно лучше, — радостно улыбнулся Марч, глядя на Сэнди, которая, осторожно ступая, спускалась вниз по лестнице. — Отлично! Головная боль прошла?

Она слегка кивнула:

— Да, мне лучше. А где Джордан?

Тень удивления промелькнула на лице Марча:

— Даже не знаю, что тебе ответить. Ты спрашиваешь это потому, что не хотела бы его видеть, или напротив?

— Напротив. Хотела бы увидеть его, — решительно ответила она. — Прямо сейчас. Где он?

— На берегу. Ему удалось связаться с Пенни Лассистер в Сан-Франциско. — Марч нахмурился. — Знаешь, он и без того казнит себя, так что если ты собираешься посыпать солью свежую рану, то, может, лучше отложишь разговор на потом, когда...

— А из-за чего он казнит себя? — перебила его Сэнди. — В таких случаях обычно обвиняют других те, кто пострадал из-за своей неосторожности.

— Джордана не стоит мерить общей меркой. Он человек не простой...

— О том же самом и он говорил мне. Джордан считает, что именно загадочность его натуры и привлекла меня.

— Подозреваю, так оно и есть?

Сэнди улыбнулась:

— Возможно, так было когда-то. В самом начале.

— Но не сейчас?

— Нет, — просто ответила она. — Сейчас нет.

Внимательно оглядев ее, Марч не увидел ни лихорадочного румянца, ни блеска в глазах.

— Похоже, что ты больше не сердишься на него? Сон пошел на пользу, и ты сменила гнев на...

— У меня было время кое о чем подумать, — она повернулась к двери. — И я пришла к кое-какому выводу.

— Сэнди!

Повернувшись к нему и увидев его встревоженное лицо, Сэнди как будто даже удивилась:

— В чем дело?

— Ты собираешься пойти, чтобы решить ваши дела с Джорданом?

— Да. Но почему ты при этом делаешь такие несчастные глаза? Разве ты не хотел того же самого?

— Хотел, — он помедлил. — Но не поздновато ли?

Холодок страха окатил ее:

— Ты на что намекаешь?

— Дело в том, что есть очень важная вещь, связанная с Джорданом, о которой ты не знаешь. И твое падение сработало как пусковой механизм, запустив очень болезненную для него цепную реакцию.

— Я не знала таких важных вещей только по одной причине — никто не хотел мне о них рассказать, — огорченно отозвалась Сэнди. — Все, что связано с Джорданом, было окутано мраком неизвестности. И сколько я ни пыталась пробиться, всякий раз натыкалась на стену. А вместо того чтобы ходить вокруг да около, взял бы и рассказал все, как есть.

— Не имею права. Меня не было в Бандоре, когда произошло несчастье.

— Господи Боже мой. Ведь я его жена, Марч!

Но Марч упрямо покачал головой:

— Он доверился мне. Я дал Джордану обещание молчать и не нарушу слова. Лучше, если ты сама его обо всем расспросишь.

— Ты такой же упрямец, как и Джордан, — Сэнди подошла к двери и распахнула ее. — Что ж, пойду прямо к нему. Надеюсь, что он ответит.

— Бог в помощь, — пробормотал Марч, когда дверь за ней закрылась.

— Джордан, — Сэнди облизнула пересохшие губы. Господи, до чего же она волновалась. Когда она открыла глаза, сердце ее было полно счастья и радости. И вот теперь слова Марча вспугнули это ощущение. Сделав шаг по направлению к берегу, она снова позвала: — Джордан, это я!

Он вышел из кабины катера и остановился, глядя на нее:

— Зачем ты встала? И вдобавок ко всему не надела куртку. Не хватало еще подхватить воспаление легких. — Сбежав по трапу, он на ходу сбросил свою куртку и, подойдя к жене, сунул ее правую руку в рукав. — Если тебе так загорелось увидеть меня, могла бы отправить Марча, — Джордан взялся за левую руку и тоже сунул ее в рукав, после чего натянул куртку ей на плечи и принялся застегивать. — Или ты снова надеешься пробраться на катер? Предупреждаю заранее: я не пущу тебя туда. И не позволю тебе уехать. Придется...

— Будь добр, помолчи немного, — сердито перебила его Сэнди. — Во-первых, мне не нужна твоя дурацкая куртка. В свитере, что на мне, можно смело ехать в Антарктиду. Он греет, как печка. — Ей и в самом деле было жарко. Джордан стоял так близко, что она чувствовала терпкий запах его лосьона для бритья. Верхняя пуговица джинсовой рубашки расстегнулась, и она увидела темные завитки волос на груди. Ей так захотелось до них дотронуться, погладить, но Сэнди усилием воли заставила себя отвести взгляд, пытаясь вспомнить, о чем же она только что говорила? — Марч сказал — врач пообещал вам, что через сутки я приду в себя. Так оно и оказалось. Мне больше незачем валяться в постели.

Джордан открыл было рот, чтобы что-то сказать, но она приложила палец к губам, заставляя его замолчать.

— И я шла вовсе не затем, чтобы прорываться к рулю катера. Чтобы мы с тобой не тратили зря время, хочешь, я сразу скажу, зачем пришла?

Джордан молчал. Сэнди поймала себя на том, что палец, который она приложила к его губам, дрожит. Плоть ее откликнулась на это легчайшее прикосновение так, как если бы он ее поцеловал. Отдернув руку, она неуверенно засмеялась:

— Тебе удалось связаться с Пенни?

— Это тебе сказал Марч? — Он смотрел куда-то в сторону. — Еще нет, но на телефонной станции мне пообещали, что постараются связаться как можно быстрее. Не волнуйся. Либо я, либо Марч постоянно выходим с ними на связь по радио. Так что тебе не стоит подавать сигналы бедствия.

— А разве я говорила, что пришла затем, чтобы взывать о помощи к кому-то? Вполне достаточно того, что ты свяжешься с Пенни. Думаю, она сумеет доказать, на чьей стороне была правда. — Сунув руки в карманы, Сэнди закончила: — Ну так как? Собираешься ты дослушать: зачем я пришла?

— Весь внимание. — Джордан стоял, не глядя на нее. — Выкладывай, что ты собиралась сказать, и ступай поскорее домой, где все же теплее.

— Говорю тебе... — она замолчала, внезапно догадавшись, каких слов он ждет. Отчего стоял, застыв, будто в ожидании страшного удара, который неминуемо должен был обрушиться на него. И ее пронзила нежность... — Что я не собираюсь уезжать с острова, Джордан.

У него слегка расслабились плечи.

— Что ты еще задумала?

— В самом деле. Посмотри на меня, пожалуйста.

Он повернулся. Взгляд его скользнул по лицу Сэнди:

— Это не игрушки, Сэнди. Как только ты будешь в безопасности, я не стану ни на секунду задерживать тебя здесь, поэтому прошу, не надо...

— Тс-с, — она взяла его лицо в свои ладони. — Даже если ты будешь выгонять меня, у тебя ничего не получится. Я остаюсь, неужели я так неясно выразилась?

— Да, — его лицо будто окаменело. — Боюсь, что я тебя не совсем понимаю.

— Тогда постараюсь объяснить доходчивее. — Сэнди с трудом перевела дыхание. Не следовало бы ей прикасаться к нему. Волна жара снова окатила ее, словно она стояла рядом с доменной печью. До чего же ей хотелось забыть про все слова и просто кинуться к нему в объятия. Если, конечно, он еще по-прежнему готов прижать ее к себе. Господи, а если нет? Его лицо оставалось застывшим. И еще Марч добавил масла в огонь, намекнув на какое-то происшествие, случившееся давно. — Мне хочется, чтобы мы с тобой попробовали начать все сначала. У меня было время как следует подумать, и я... — она замолчала. До чего трудно. Намного труднее, чем ей представлялось.

Джордан наконец шевельнулся, словно статуя, начавшая оживать. Слова Сэнди явно произвели на него ошеломляющее действие.

— И почему же?

— Мне кажется, что из нас могла бы получиться хорошая супружеская пара.

Он криво усмехнулся:

— От кого-то я недавно слышал те же самые слова?

— Видишь ли, до последнего момента я не понимала очень многих вещей, — прошептала Сэнди. — В том, что касалось нас двоих. Мне еще многое предстоит понять, но, кажется, я уже вышла на более или менее освещенную дорогу — вижу свет в конце тоннеля.

Джордан отступил на шаг, и ее руки соскользнули с его лица.

— Нет, — ответил он с усилием. — Ты не понимаешь, что говоришь. Тебя вдруг начала грызть совесть, поскольку ты уже перестала видеть в себе мученицу, и теперь вдруг стукнуло в голову, что на самом деле мученик это я, что меня следует пожалеть и дать шанс начать все сначала.

— Почему это вдруг ты стал мучеником? Ничего подобного, — терпеливо попыталась внушить ему Сэнди. — Просто в какой-то момент я поняла, что ты упрямый болван. И пойми, Джордан, для того, чтобы я решилась согласиться снова жить вместе только из сострадания... Мне даже трудно представить, каким должен быть комплекс вины, чтобы я могла пойти на такой шаг.

— Здесь не только комплекс вины. Физически тебя все еще тянет ко мне, поэтому горькую пилюлю оказалось не так трудно подсластить.

Конечно, она могла бы и сама догадаться, что Джордан сразу поймет, что с ней творится.

— Да, нам обоим будет легче подсластить пилюлю, правда? — Джордан продолжал хранить молчание. И Сэнди вдруг почувствовала, как к сердцу подкрадывается страх. — Или я слишком самоуверена? Может, ты вовсе не испытываешь ко мне влечения?

Щека его предательски дернулась.

— Неужели не видно? — хрипло проговорил он. — Меня тянет к тебе. Все время. Это как смертельная лихорадка.

— И я больна той же болезнью. И меня изнуряет тот же, что и тебя, жар, — негромко призналась Сэнди, шагнув к нему. — Но между нами есть нечто большее, чем просто физическое влечение. Однажды ты попытался объяснить мне это, но, охваченные страстью, мы не смогли договорить до конца. И я сама не смогла тогда разглядеть, что кроется за нашей потребностью близости.

— А теперь ты считаешь, что знаешь?

Она придвинулась еще на полшага:

— Не думаю... что я знаю. Но прошлой ночью я отчетливо поняла: совершенно неважно, какие сложности придется пережить, если мы будем рядом. Гораздо страшнее мне оказаться одной, без тебя. — Вымученная улыбка появилась на ее губах. — Как странно, что мне надо было как следует стукнуться головой, чтобы все стало на свои места и чтобы я поняла, что происходит.

Он побледнел:

— Ну и шуточки у тебя. А ведь ты могла погибнуть по моей вине.

— Глупости, — нахмурилась Сэнди. — При чем здесь ты? Я сама поскользнулась на камне.

Джордан отвернулся:

— Иди в дом. — Он дошел до причала и поднялся на катер. — Марч накормил тебя завтраком?

— Завтраком? — Она даже вздрогнула, как от удара. — Если мне захочется есть, я способна сама приготовить еду. Мне было необходимо поговорить с тобой. Какого черта ты уходишь?

— Мы уже поговорили, — коротко ответил Джордан. — И вряд ли к сказанному можно добавить что-то еще.

— Нет уж, Джордан! — голос ее дрожал. — Нельзя уходить, не сказав ничего в ответ. И я жду.

Он замер, но так и не повернулся в ее сторону.

— Я уже ответил.

Какая боль! Сердце будто стянули узлом. Сэнди не представляла, что может быть так больно.

— Нет?

— Нет.

Ей с трудом удалось сглотнуть комок в горле:

— Почему?

— Говорю тебе, что я больше не имею права рисковать... — Джордан замолчал. — Ступай домой и попроси, чтобы Марч тебя накормил, — и скрылся в каюте.

Но ведь Джордан не сказал, что больше не любит ее. Он говорил также о том, что испытывает к ней влечение, — Сэнди ухватилась за спасительную мысль, как за соломинку. Единственное, что он сказал, так это, что больше не имеет права рисковать. Рисковать чем? — думала она и даже непроизвольно шагнула вперед, но одернула себя. Бесполезно сейчас идти к Джордану и пытаться переубедить его. Она должна осмыслить его слова, понять, что скрывается за ними, и выбрать способ пробить его защиту от нее. Она должна найти такое средство, пока их отношения окончательно не зашли в тупик.

Повернувшись, она пошла вдоль берега до тропинки, которая вела к вершине холма.

Дверь с таким грохотом распахнулась и ударилась о стену, что Марч от неожиданности выронил журнал и с удивлением посмотрел на застывшую на пороге Сэнди. Потом, сложив губы трубочкой, слегка присвистнул, видя ее смятение, и коротко спросил:

— Что-то случилось?

— Да, черт возьми, случилось! — она захлопнула дверь — с таким же ожесточением, с каким и распахнула ее, после чего прошла к креслу и рухнула в него. — А чего еще можно было ждать от упрямых и тупых мужчин? Но я уже сыта по горло. Хватит! И если ты не расскажешь то, что мне просто необходимо знать, я тебя задушу, — учти! И это еще будет легкая смерть!

— Напугала! — вскинув брови, проговорил Марч, наклонился, поднял упавший журнал и положил его на столик, стоявший рядом с креслом. — Похоже, что Джордан оказался чрезвычайно несговорчивым.

— Он такой же тупой осел, как и ты. И даже не захотел со мной разговаривать. — Слезы вдруг навернулись у нее на глаза, и ей стоило огромного труда не разрыдаться. — Марч, мне очень тяжело. Может быть, я и заслужила это, но мне так больно...

— Нет, не обвиняй себя, — проговорил Марч мягко. — Ни ты, ни он не заслужили тех мучений, которые оба переживаете.

— Тебе придется рассказать мне обо всем, — сказала Сэнди. — Что произошло в Бандоре?

— Но я дал ему обещание, что никогда... — он замолчал, когда увидел выражение, появившееся на ее лице. — Не надо так на меня смотреть. У меня ощущение, что я обидел коалу. Ну ладно, — вдруг сдался Марч. — В конце концов, я всегда смогу сослаться на то, что ты вытянула из меня признание под пытками. Ведь ты пригрозила, что задушишь меня?

Сэнди встрепенулась и подалась вперед:

— Пойми, Марч, мне необходимо понять, что терзает его.

— Мне тоже так кажется, — негромко заметил он. — Так с чего начать?

— Ты обмолвился, что его что-то пугает... Чего он боится?

— Смерти, — просто ответил Марч. — Нет, не своей. Мне кажется, он боится, что ты можешь погибнуть по его вине.

Сэнди смотрела на него, потрясенная до глубины души:

— Но это безумие. Он что? Сумасшедший? Пока мы жили вместе, Джордан разве что ватой меня не оборачивал. Именно это и вынудило меня уйти из дома. Я и шагу не могла сделать... — она замолчала, озаренная пониманием. — Вот, значит, почему он так надо мной трясся?

Марч кивнул:

— Устроил мягкую теплую норку, где ничто не могло угрожать тебе. Чтобы ты, не дай Бог, не отошла туда, где он не в состоянии уберечь тебя от опасности. Шлейф его прошлых переживаний.

— Связанных с Бандорой?

Помедлив, Марч снова кивнул. Он постарался преодолеть внутреннее сопротивление и окончательно решился выложить все до конца:

— Да, с Бандорой. Что ты знаешь про нее?

— Не много. Просто Джордан сказал, что он и отец очень любили это место.

— Ферма принадлежала отцу, и он передал Джордану такую же любовь к ней, какую испытывал сам. — Взгляд его уперся в полоски ковра под ногами. — Необжитой район... дикая природа, куда почти никто не заглядывал. Ни единой души на много километров вокруг. Такое место можно либо полюбить навсегда, либо возненавидеть до глубины души. Так вот Джордан и его отец привязались всей душой. А мать Джордана Бандору не выносила. — Он пожал плечами. — Вряд ли найдется человек, который осудил бы ее за это. Городская девушка, родом из Аделаиды, оказалась в совершенно чужих местах. И вынуждена была проводить много времени в полном одиночестве, пока отец Джордана занимался организацией туристских маршрутов. Тогда Джордан был маленьким, и отец казался ему настоящим героем, а Бандора — самым чудесным местом на свете. Нельзя сказать, что он не любил мать. Он воспринимал ее как данность.

Сэнди передернула плечами:

— Как, должно быть, нелегко приходилось ей. Даже словом перемолвиться не с кем. Какой же одинокой, наверное, она себя чувствовала?

— Да, одинокой и несчастной, — Марч помолчал. — Страшно несчастной. Но это вина не Джордана, а отца.

— Конечно, не его. Ведь он был еще ребенком.

— А вот Джордан считает иначе. И ему кажется, что он, несмотря на то что был мальчиком, обязан был понять, насколько одинокой чувствует себя мать. Заметить, как ей тоскливо, и придумать что-то. И как-то признался мне, что если бы дал себе труд приглядеться к ней, к тому, как она вдруг задумывается, как сидит, глядя перед собой, — то непременно догадался бы, какие чувства ее одолевают. И понял бы, что надо сделать, как помочь. Как спасти.

Сэнди сжала подлокотник кресла:

— Спасти?

Марч посмотрел ей прямо в глаза:

— За три дня до того, как Джордан с отцом

должны были вернуться, она села в джип и уехала в неизвестном направлении. Поисковая партия наткнулась на нее мертвую в джипе семь дней спустя. Она не взяла с собой ни капли воды и умерла от обезвоживания.

— Боже! — прошептала Сэнди. — Так это трагическая случайность?

Марч отрицательно покачал головой:

— Нет. Она оставила прощальную записку.

В то время Джордану только-только исполнилось двенадцать лет, — вдруг осознала Сэнди, и тут же представила, что должен был переживать подросток: отчаяние, чувство вины, которые не могли не оставить след в его характере на всю оставшуюся жизнь.

— Какой кошмар!

Марч кивнул:

— Джордан был просто вне себя от отчаяния, когда тело матери все же удалось найти. Смерть от обезвоживания — не из легких.

— И отец взял его с собой? — переспросила Сэнди почти с ужасом.

— Он не мог оставаться дома, когда вся округа отправилась на поиски его матери. — Марч сжал губы. — Когда Джордан увидел умершую мать, он убежал и целую неделю пропадал неизвестно где. Никто не знает, где он был все это время и что делал. Но именно тогда он повредил левый глаз и врач не смог спасти его — в противном случае мог пострадать правый глаз.

— И все это пришлось пережить мальчику! —

воскликнула Сэнди, и слезы снова навернулись ей на глаза. — Какое право взрослые имели брать его с собой? Ведь это его мать, ему нельзя было ее видеть в таком состоянии! Неужели никому не пришло в голову остановить их?

— Ничто не могло заставить отца Джордана переменить принятое решение. Это был несгибаемый человек, — покачал головой Марч. — И у него было свое представление о воспитании сына. Ему казалось, что тот должен пройти через это. И, конечно, ему и в голову не приходило, что мальчик воспримет смерть матери иначе, чем он сам — смерть жены.

— А как воспринял смерть жены отец Джордана?

— Нашел наиболее подходящее объяснение: что у жены случился нервный срыв. Что она вообще была человеком неуравновешенным. И через год женился на моей матери. — Марч снова сжал губы. — При этом у матери оказалось достаточно денег, чтобы превратить Бандору в туристическую базу. Так сбылась его мечта.

— Восхитительно!

— Но любовь Джордана погасла, как костер под дождем. Оставаться в Бандоре он не мог. Нас обоих отправили учиться в Мельбурн. После смерти отца мать вернулась в Марасеф, а Джордан продал Бандору. Тогда мы купили наш первый отель в Сиднее. Так возникла фирма «Бандора». А четыре года спустя Джордан купил отель у залива. — Марч откинулся на спинку кресла. — Вот и все. Это поможет тебе, малышка?

— Да, — в ее глазах все еще блестели слезы. —

Но насколько мне было бы легче, если бы кто-нибудь рассказал мне об этом, когда мы в первый раз встретились с Джорданом. Скольких ошибок мне бы удалось избежать. — И чувство собственника, в котором она обвиняла Джордана, его боязнь оставить ее без присмотра, стремление обеспечить полную безопасность — все теперь предстало в ином свете. Она поднялась. — Что же, лучше поздно, чем никогда. Спасибо, Марч.

Он поднялся, щелкнул каблуками и склонил голову:

— Был рад тебе помочь. Но помни: ты вытянула этот рассказ из меня только после страшных угроз.

— Помню, помню. Ты бы мог оказать мне еще одну услугу?

На лице его промелькнуло недоумение:

— Пойди к пирсу и попроси Джордана прийти сюда, в дом. Мне хочется как можно скорее поговорить с ним. — Она скривила губы. — Джордан ясно показал, что не хочет продолжать разговор.

— Ему нелегко было принять такое решение.

— И он напрасно его выбрал, — проговорила Сэнди, поворачиваясь к лестнице, что вела наверх. — Я сделаю, что угодно, лишь бы все прояснилось как можно быстрее. Но если он и дальше будет упрямиться, то ему несдобровать!

Марч сначала не понял и застыл на месте, потом понимающая улыбка заиграла на его губах:

— Готов поспорить на что угодно, что ты своего добьешься. — И, весело насвистывая, направился к входной двери.

Дверь распахнулась почти сразу же вслед за торопливым стуком, и Джордан шагнул в ее комнату:

— Марч сказал, что ты почувствовала себя хуже. Я же говорил, черт возьми, что ты слишком рано поднялась с постели. Может, вызвать врача?

— Нет, я чувствую себя прекрасно, — Сэнди повернулась от окна лицом к нему. — Просто мне захотелось увидеть тебя.

Он остановился прямо посреди комнаты:

— Похоже, Марч сумел обвести меня вокруг пальца. И, надо сказать, ему удалось испугать меня до чертиков!

— Он не виноват. Это я попросила его. И велела без тебя не возвращаться. — Она улыбнулась. — Небольшое волнение из-за моего здоровья не идет ни в какое сравнение с тем, что тебе придется пережить, когда начнется серьезное сражение.

Джордан нахмурился:

— Что-то я не могу взять в толк, о чем ты говоришь?

— Сейчас поймешь, — серьезно продолжила Сэнди. — Итак. Давай с самого начала: Джордан Бандор, согласен ли ты предпринять еще одну попытку сохранить наши супружеские узы?

На его щеках заиграли желваки. Губы сжались:

— Не могу.

— И тем не менее тебе придется признаться в том, что можешь и должен совершить такой шаг. — Улыбка осветила ее лицо. — Правда, мне странно, что ты вдруг отступился от своего. Скажи — ответ на твой вопрос значит для меня больше всего на свете — ты меня любишь?

Джордан хранил молчание. Но лицо его исказила мука.

— Да?

— Да, — с трудом выдавил он из себя. — Да, я люблю тебя.

— Хорошо. — Только теперь Сэнди смогла перевести дух. — Тогда все становится намного проще.

— Ничего подобного. Не забывай, что по моей вине ты чуть не погибла, — хрипло выговорил Джордан. — И ты не оказалась бы в опасности, если бы мое несносное поведение не вынудило тебя бежать. Снова рисковать тобой — нет уж, это выше моих сил!

— Как ты все усложняешь и запутываешь! — Любящая улыбка появилась на ее лице. — Никогда не думала, что в каких-то вопросах ты, оказывается, совершенно не в состоянии мыслить здраво. Наступило время немного проветрить твои мозги и разорвать паутину, которую ты сплел и в которой сам запутался.

Джордан по-прежнему стоял в напряженной позе.

— Джордан, — негромко проговорила Сэнди. — Не надо путать меня со своей матерью.

Он застыл.

— У Марча слишком длинный язык...

— Ты должен был сам рассказать мне обо всем.

Он не смотрел на нее.

— А что я должен был рассказать тебе? Что я убил свою мать?

— Ты здесь ни при чем. Она покончила жизнь самоубийством.

— Нет, — ответил Джордан, словно не слышал, что она говорила. — Я должен был понять, каково ей. Должен был увидеть...

— Ты не мог отвечать за случившееся. Это не твоя вина, — перебила его Сэнди. — Взрослый человек обязан сам отвечать за свои поступки. У нее была возможность оставить мужа и завести новую семью. Такую, о которой она мечтала.

— Как попыталась ты? — горько проговорил Джордан. — А я рванул за тобой и чуть не погубил при этом...

— Джордан! — Она смотрела на него с нежностью и отчаянием, которые боролись в ней. — Я счастлива, что ты бросился следом за мной. И мне было бы невыносимо жить, если бы ты этого не сделал.

Он двинулся к двери:

— Сердце у тебя всегда было мягким. Но жалость толкает тебя на путь, где ты забываешь о собственной безопасности.

Теперь в голосе Сэнди звучало только отчаяние:

— А у тебя какое сердце? Не слишком ли ты безжалостен? Ведь я люблю тебя.

Его пальцы сжали дверную ручку:

— Прежде ты говорила иначе.

— И была не права.

— Нет, именно тогда была права, — Джордан

дернул дверь на себя. — Ты не можешь любить меня.

— Я не позволю тебе убежать, — заявила Сэнди. — Ты хотел, чтобы я приехала на этот остров. И вот я остаюсь здесь. — Она помолчала. — С тобой, Джордан. И если ты уедешь, я тоже поеду с тобой. Теперь будет так. Мы будем... вместе.

— Ты даже не понимаешь, чего сейчас требуешь от меня.

— Увидишь. Как-то ты обмолвился насчет того, что я очень сильная личность. Но ты еще не видел, какой я могу быть.

— Сэнди... — мотнув головой, Джордан вышел.

Легкая улыбка блуждала на губах Сэнди, когда она повернулась и пошла в ванную.

Это было только начало.

Глава 9

Глядя на свое отражение в зеркале шкафа, Сэнди скорчила рожицу. Когда она начала собирать вещи по команде Пенни, то старалась брать только то, что действительно может пригодиться. И этот грубый свитер — прямой, как мешок, — конечно, оказался весьма кстати. Теплый и удобный. Но он не украшал ее. С другой стороны, изумрудный цвет очень шел к ее волосам, подчеркивая цвет глаз. Отпор, который Джордан дал ей утром, доказывал, насколько надо быть во всем предусмотрительной. Отвернувшись от зеркала, она шагнула к двери.

Холл и гостиная были пусты, когда Сэнди спускалась по лестнице. Но она не дошла до последней ступеньки, когда в дом вошел Джордан. Настороженно глядя на нее, он помедлил, а потом, собираясь повернуть в сторону кухни, сказал:

— Пойду приготовлю ужин.

— Ужин уже готов. Я потушила мясо, пока вы там возились с Марчем. — И она прошла следом за ним в гостиную. — А куда, кстати, он подевался?

— Не работает рация, и он отправился на катере в Санта-Барбару, узнать, что случилось, — Джордан отворил дверь, пропуская ее первой в кухню. — Нам так и не удалось связаться с Пенни. Он вернется либо поздно ночью, либо завтра утром.

— Интересно, что же случилось? — проговорила Сэнди, раскладывая мясо в керамические тарелки.

— Мы так и не поняли. Но связаться с Пенни не удалось. Она должна была быть на месте и ответить нам. Ведь мы четко договорились, что она останется дома поработать и никуда не уйдет. — Джордан помолчал. — Она верный и хороший друг.

— Да. Хотя теперь, после поездки сюда, я, кажется, начала понимать ее немножко лучше, чем прежде. — Положив еду в тарелки, Сэнди повернулась. — Ей следовало бы... — она вдруг запнулась, встретив взгляд Джордана. И тут же все, что приготовилась сказать, вылетело из головы. Он хотел близости с ней. И это читалось и в том, как были изогнуты его губы, и по вспыхнувшему в глазах желанию. Пальцы ее начали дрожать, и Сэнди изо всех сил вцепилась в тарелки, чтобы не уронить их. Заставив себя улыбнуться, она прошла к небольшому овальному столику красного дерева. — Поскольку я готовила на троих, тебе придется приналечь. Надеюсь, ты здорово проголодался.

— Да нет, не очень, — Джордан опустился на стул и расстелил на коленях салфетку. — Незачем было тебе браться за это дело. Я бы пришел и все приготовил сам.

— Почему? — Она поставила перед ним полную тарелку. — Если бы я по-прежнему продолжала ощущать себя пленницей, то, конечно, не ударила бы палец о палец. Но все ведь изменилось. — Она обошла столик и поставила свою тарелку на противоположном конце. И озорно улыбнулась. — Теперь — ты мой пленник. И я приложу все силы, что скрасить твое заточение.

— Хм-м, интересно... — не глядя на нее, он взялся за вилку. — Кстати, поломка радио и поездка Марча, — это не твоих ли рук дело?

— Не-а, — она начала есть. — Но я воспринимаю это как знак свыше. Значит, справедливость восторжествовала.

— Ты заговорила как средневековый рыцарь.

— А почему бы и нет? Мне всегда казалось несправедливым, что женщинам не дозволялось становиться рыцарями. И если тебе предстоит битва с драконом, то почему я не могу тебе помочь? — Глядя на него, она проговорила: — Хотя, если ты предпочитаешь, чтобы я была не оруженосцем, а Королевой Мая, я согласна.

Джордан не отрывал взгляда от стола:

— Зато я не согласен.

— Знаю. И это будет первая голова дракона, — она выпрямилась. — Но и остальные головы изрыгают из пасти огонь ничуть не менее жаркий, чем этот. Они кого угодно могут испугать.

— Зато тебя, похоже, они не испугали.

— Потому что цель, к которой мне нужно дойти, — очень важна. — Она помолчала. — Для меня — это ты.

— Еще два дня назад я не был таковым.

— Был, был, — она подняла руку, не давая ему продолжить. — Наверное, тебе хочется понять, с чего это вдруг я так переменилась? Думаешь, мне легко? У меня уже вошло в привычку возмущаться твоим диктатом. И когда я осознала, что люблю тебя, то поняла: мне надо попытаться умерить свое возмущение, чтобы мы могли вместе решить, как лучше всего построить наши отношения. Не думала, что мне придется бороться еще и с тобой. — Она поднялась из-за стола. — Но если придется, то я поборюсь. Положи вилку. Ты все равно не ешь, а только делаешь вид.

— Что?

Она обошла стол, вынула вилку и нож из его рук и, скрестив, положила их на тарелку:

— Судя по всему, ты не собираешься воздавать должное горячему. Придется сразу перейти к десерту. — Она села к нему на колени и обвила шею руками. — Расслабься. Не будь таким напряженным, — и положила голову ему на грудь. — Ты застыл, как ледяная глыба.

— Что же в этом удивительного, — голос его утонул в ее волосах. — Будь добра, слезь с моих колен.

— Нет, — она слышала, как гулко начало биться его сердце, и еще крепче его обняла. — Мне здесь нравится. Обними меня.

— Нет.

— Хорошо, не буду настаивать. Конечно, было бы намного приятнее, если бы ты тоже прижал меня к себе. Но и так сойдет. — Она расстегнула пуговицы у ворота его рубашки и приложила губы к груди — в том месте, к которому ей так нестерпимо хотелось прикоснуться сегодня утром. По телу Джордана прошла дрожь. — Согласись, что это довольно приятно?

— Почти так же приятно, как если бы к тебе прижали раскаленную сковородку.

Она негромко рассмеялась:

— Прежде ты никогда не сравнивал меня с чугунной сковородкой. И оставался доволен, когда мы оказывались в постели. — Сэнди потерлась щекой о его грудь. — Во всяком случае, ты уверял меня в этом.

— Сэнди... — казалось, еще немного — и у него сорвется голос. — Мне не вынести этой пытки.

— Замечательно. Ну, как я тебя соблазняю?

Он молчал. Грудь вздымалась и опадала, словно он бежал в гору. Господи, до чего же упрямый!

— Нет? Но надеюсь, у меня все же что-то получится, если я буду и дальше продолжать в том же духе. — И она коснулась кончиком языка сосков на его груди.

Сердце его словно остановилось, чтобы через мгновение забиться еще сильнее. Джордан сделал невольное движение, как будто собирался обнять ее, но сдержался, и руки его снова повисли вдоль тела.

Сэнди вздохнула, медленно выпрямилась и застегнула на нем рубашку.

— Похоже, что мне и в самом деле не удастся тебя соблазнить. Придется временно отступить. Не могу же я действовать против твоего желания. И навязывать тебе свою волю, как это делала раньше.

— Ты мне ничего не навязывала, я уже говорил.

— А мне кажется, что навязывала. Тебе стоит пересмотреть свои взгляды относительно того, кто, кого и как может использовать. — Она снова прижалась к нему. — Лучше вместо этого научимся просто отдавать. И мне хочется так много дать тебе, Джордан. Любви, доверия, детей... — и в этот момент она почувствовала, как его неподвижное, словно одеревеневшее тело оживает, становится теплее. — Тебе не кажется странным, что мы ни разу с тобой не говорили о детях? Хотелось бы тебе иметь сына?

— Может быть, — он так осторожно и нежно, с такой заботливостью обнял ее за плечи, словно малейшее неосторожное движение могло причинить ей вред. — Почему-то я об этом не задумывался. На первом месте у меня всегда была ты. Наверное, мне даже больше хочется иметь дочь. Похожую на тебя.

— Это, конечно, тешит мое женское самолюбие, но в то же время и удивляет. Я считала, что большинство мужчин мечтает о сыне, наследнике — своем продолжении и отражении.

— Наверное, потому, что большинству мужчин нравится свое собственное отражение в зеркале. В отличие от меня. Мне доставит радость видеть твое отражение. — Его ладонь с несвойственной ему неуклюжестью коснулась завитка ее волос.

У нее снова перехватило дыхание от нежности к Джордану:

— Думаю, что нам для равновесия нужны два наших отражения. Твое и мое. А теперь следующий вопрос: когда? В следующем году?

— Когда сама захочешь, мне все равно, — с отсутствующим видом проговорил Джордан, продолжая играть прядками ее волос. — Когда бы ты ни... — Он замолчал, словно спохватился, и снова мука исказила черты его лица. — Не могу, Сэнди. Это невозможно... — Подняв ее, Джордан встал со стула и поставил жену на пол. — Я хочу уйти.

— Остров совсем крошечный. И я пойду за тобой. Ты сжег за собой все мосты, когда отправил Марча на катере, — она попыталась улыбнуться. — Так что тебе от меня не ускользнуть.

— Марч вернется завтра утром.

— Но он встал на мою сторону. И готова поспорить на что угодно: постарается сделать все возможное, чтобы мы почти не замечали его присутствия.

— Сэнди, — со страдальческим выражением лица ответил Джордан. — Перестань, умоляю тебя, не рви меня на части.

— Тогда сдавайся, — прошептала она. — Пожалуйста. Мы и без того наломали дров. Не надо громоздить ошибку на ошибке. Хватит.

— Это ты делаешь ошибку, а не я, — сдавленным голосом возразил Джордан. — Потому что не понимаешь, что тебе на пользу, а что нет.

— Вот это мы с тобой и выясним, — она помолчала. Одно я знаю точно: мы не сможем принять правильное решение, если будем убегать друг от друга. Мало тебе моего печального опыта?

— Ну как ты не понимаешь? Ты едва не погибла из-за меня! Хоть я и не хотел, но все равно так получилось, — он резко развернулся и вышел из кухни. И через секунду Сэнди услышала, как дверь за ним захлопнулась.

С трудом переведя дыхание, она начала убирать со стола. «Разведка боем», можно сказать, прошла не так уж плохо. Джордан не отличается гибкостью и не может сразу уступить. Ему ведь приходится сражаться не только с ней, но и с самим собой. И вряд ли он выдержит долгую осаду. А что, если он устоит? Выступать в роли роковой соблазнительницы ей еще не приходилось. И Сэнди с трудом представляла себе, как долго она сумеет играть новую для нее роль.

Поставив тарелки в раковину, она замерла. А что тут, в конце концов, трудного? — попыталась убедить она саму себя. До тех пор, пока Джордан еще любит ее, она все выдержит. Глядя, как дрожат пальцы рук, Сэнди встряхнула головой, отгоняя сомнения, — лучшей поддержки, чем любовь Джордана, не придумаешь. Так чего же ей бояться? Что ее страшит?

Уютно подобрав под себя ноги, Сэнди сидела на диване и читала последний роман Даниэлы Стил, когда несколько часов спустя дверь распахнулась и вошел Джордан. Она непринужденно ему улыбнулась:

— Такое впечатление, что тебя занесло в дом ветром. Холодно на улице?

Джордан настороженно смотрел на нее:

— Немного.

— Но ты гулял довольно долго. Пойди прими горячий душ.

— Непременно, — он помедлил. — Я иду спать.

Сэнди с невинным видом подняла голову от книги:

— Как хорошо! И я иду с тобой.

— Нет, ночевать мы будем каждый в своей комнате, — заметил Джордан ожесточенно.

Она с серьезным видом кивнула, а Джордан стал подниматься вверх по лестнице.

— Сегодня, — негромко добавила Сэнди.

Он остановился, но не повернулся:

— Не понял?

— Временное отступление. Тактический ход, — пояснила она. — Мне кажется, что я должна дать тебе передышку. Чтобы ты мог набраться сил. Так что не беспокойся и не жди нападения. На сегодня оно отменяется.

— Замечательно, — безжизненным тоном проговорил Джордан, продолжая подниматься.

— Но передышка только до завтрашнего утра, — Сэнди перелистнула страничку. — Так что — спокойной ночи.

Она по-прежнему сидела, глядя в книгу, словно не слышала, как он негромко выругался сквозь стиснутые зубы. А секунду спустя дверь за ним захлопнулась.

Сэнди усмехнулась. Хорошо, что у Пенни такой крепкий дом, с такими прочными дверями и косяками. Этим стенам пришлось немало выдержать с тех пор, как в «убежище» появились гости.

— Боюсь, что новости тебе не понравятся, — заговорил Марч, едва ступив на причал, обращаясь к поджидавшему его Джордану. — Чертовски не понравятся.

— Ты не смог исправить рацию?

— Рация в полном порядке. И мы связались с квартирой Пенни. Просто Пенни не отвечает.

Джордан сразу насторожился:

— Ты уверен?

Марч кивнул:

— Мы с Жанин — инспектором телефонной компании — звонили всю ночь, не отрывая от стула зада. — Едва заметная улыбка заиграла в уголках его губ. — Кстати, до чего ж у нее красивый зад. Как жаль, что времени было так мало, и я не...

— Тут что-то не так, — перебил его Джордан, не дав договорить Марчу о том, чем закончились бы его ухаживания. — Пенни сама назначила нам время, и она не из тех людей, которые могли бы упорхнуть куда-нибудь, никого об этом не предупредив.

— И я пришел к такому же выводу. Поэтому попросил Жанин связаться с управляющим домом. Чтобы он поднялся на ее этаж и посмотрел, не оставила ли она какой записки. Но на звонок никто не ответил.

— Черт!

— Я сказал то же самое. Разумеется, после этого я позвонил в «Уорлд рипорт». Они ответили: Пенни сказала им о том, что будет работать у себя дома. Их последний разговор состоялся вчера, в час дня. После этого они ее нигде не могли найти.

— Где же ее черти носят?

— Что толку гадать? — успокаивая его, ответил Марч. — Со временем все выяснится. Я попросил Марию лично проверить все, и...

— Что еще за Мария?

— Мария Гарсия — первоклассный детектив, которая работает в полицейском управлении Санта-Барбары. Неужели я не упомянул о том, что встречался с ней?

— Нет, — сухо ответил Джордан. — Должно быть, мысли у тебя были заняты совсем другим. — Его не удивило, что брат столько успел сделать за это время. Добродушная улыбка и вальяжные манеры могли обмануть кого угодно, но только не его. Джордан знал, что брат обладает очень острым умом. — И что Мария намеревается предпринять?

— Связалась с полицейским управлением Сан-Франциско и попросила их открыть квартиру Пенни, чтобы найти хоть какой-то намек на то, куда она могла уйти. Мария передаст мне по радио, как только получит сообщение из полиции. Ты доволен?

Джордан покачал головой:

— Дай тебе волю, так ты навербуешь тьму сторонников со всего мира.

— Зачем же мне весь мир? — возразил таким же полушутливым тоном Марч. — Я отдаю предпочтение только прекрасной его половине. И меньше всего хочу командовать. — Легкая улыбка промелькнула у него на губах. — Представь себе армию, состоящую из одних женщин. С ними будет столько хлопот, что для управления всем миром не хватит времени.

Джордан усмехнулся в ответ и почувствовал, как напряжение немного разрядилось. Его брат всегда действовал на него умиротворяюще, с самого детства, когда они были еще подростками. Ясность и спокойствие, исходившие от Марча, передавались и ему.

— Что ж, будем ждать. Мария предупредила, когда приблизительно выйдет на связь?

— Нет. Ты хочешь, чтобы я остался в каюте и дождался с ней связи?

Джордан, помедлив, качнул головой:

— Нет, на катере останусь я. А ты ступай в дом и составь компанию Сэнди. Постарайся не тревожить ее раньше времени. Она начнет волноваться из-за Пенни.

— Сомневаюсь, что ей так уж хочется проводить время со мной. Джордан, тебе пора расстаться со своим комплексом вины. И тебе хотелось сделать это с первой минуты, как ты встретил Сэнди. Так сделай же наконец.

Джордан прошел по пирсу к сходням.

— Если Сэнди будет держаться подальше от меня, она будет в большей безопасности.

— Но ведь она так не думает?

— Нет, зато я так считаю.

Не пытаясь настаивать на своем, Марч спустился по сходням к пирсу:

— Когда мне прийти, чтобы тебя сменить?

— Не надо приходить. Здесь есть одеяла и матрас. Высплюсь, если захочется, в каюте.

— Но зачем? — удивился Марч. — Какая в этом необходимость?

Джордан обернулся и посмотрел на брата:

— Что-то мне вся эта история не по душе. Здесь только одна площадка для вертолета и один причал для катера. Поэтому с них нельзя спускать глаз двадцать четыре часа в сутки.

— Но почему нельзя дежурить по очереди? Я приду к заходу солнца и сменю тебя...

— Нет. Я все должен сделать сам, — он попытался смягчить резкие нотки, прозвучавшие в голосе. — А ты побудь рядом с Сэнди.

— Но захочет ли Сэнди быть со мной? — спросил Марч, глядя на брата.

Джордан ничего не ответил. Марч пожал плечами и зашагал по тропе, ведущей на вершину холма.

Ветер был холодным и резким. Катер плясал на волнах, и палуба качалась под ногами Сэнди, когда она двинулась к каюте. Она дрожала от холода. После обеда температура понизилась.

— Это ты? — услышала она голос Джордана.

Сноп света, направленный прямо в глаза, заставил ее зажмуриться:

— Ты не мог бы отвести фонарь в сторону? Так и ослепнуть недолго.

Джордан пробормотал что-то неразборчивое и выключил фонарь:

— Ступай в дом. Здесь холодно.

— Марч сказал, что у тебя тут есть одеяла, — миролюбиво заметила Сэнди, шагая к каюте. — И если прижаться друг к другу, то сразу станет теплее. Вот увидишь. Ты съел ужин, который я прислала с Марчем?

— Да. — Джордан нахмурился. — Сэнди, это чистое безумие!

— Согласна с тобой целиком и полностью. Но что мне еще остается делать? Если Магомет отказывается идти к горе, то гора идет к Магомету... — она передернула плечами. — Надеюсь, у тебя еще осталось немного горячего кофе в термосе. Он нам пригодится позже.

— Позже? Тебе незачем тут оставаться. И почему, кстати, ты не надела куртку?

— Боялась, что она помешает выполнить то, что я задумала, — Сэнди улыбнулась, остановившись напротив него. — Я же предупреждала: тебе не удастся от меня улизнуть, — и, стянув с себя свитер, бросила его на палубу. — Начинается второй акт соблазнения.

Она стояла обнаженной до пояса, и ее налитые груди освещала луна.

Джордану стоило только посмотреть на нее, как он почувствовал себя так, будто в паху взорвалась граната:

— Господи, Сэнди, немедленно надень свитер. Ты окоченеешь.

— Ты прав, я уже вся покрылась мурашками.

Взгляд Джордана никак не мог оторваться от ее восхительно-красивой формы груди.

— Но если ты обнимешь меня, я, быть может, немного согреюсь. — Она шагнула к нему еще ближе и взяла обе его ладони в свои руки. Руки его были холодные и жесткие. Приложить эти ледышки к своему и без того оледеневшему на ветру телу? Сэнди чуть не вздрогнула. Тем не менее решительно подняла и приложила его ладони к груди. — Согрей меня.

Словно загипнотизированный, Джордан слегка сжал и погладил ее грудь... И холод мгновенно отступил. Жар, который начал расплываться по телу, был как расплавленный воск. Губы ее приоткрылись, чтобы вдохнуть побольше воздуха.

— Вот так, — пробормотала она. — Помоги мне...

— Черт! — Джордан отдернул руки, словно обжегся. — Твое безумие начинает заражать и меня.. Еще минута, и я бы повалил тебя на мокрую ледяную палубу.

Наклонившись, он схватил свитер, а потом потянул Сэнди за собой в каюту. Впрочем, это место меньше всего напоминало каюту. Здесь едва можно было поместиться только одному. Зато они были по крайней мере недосягаемы для пронизывающего ветра и холодных брызг. Джордан расправил свитер на одеяле, что лежало рядом, и накинул его на обнаженные плечи Сэнди, а потом, склонившись над сумкой, вынул оттуда термос.

— Садись, тебе надо выпить хотя бы глоток кофе.

— Предпочитаю глоток любви.

Джордан замер, но рука его дрогнула, когда он наливал ей кофе в небольшой пластиковый стаканчик. Протянув его жене, Джордан сердито бросил:

— Выпей.

— Джордан... — Сэнди сделала глоток. Кофе был крепкий и горячий. — Как жаль, что из меня не получается роковая соблазнительница. Будь у меня хоть на гран больше способностей, мы бы сейчас с тобой катались по палубе...

— Соблазнительница из тебя получилась хоть куда! — сухо возразил он ей. — Меня спасло только то, что так похолодало.

— Это ты пытаешься утешить меня, — она отпила еще глоток кофе. — По-моему, мы прежде не пробовали заниматься любовью на катере.

— И вряд ли когда-нибудь попробуем.

Сэнди присела на надувной матрас, скрестив ноги и накинув на индейский манер одеяло на одно плечо:

— Неужто тебе не нравится эта идея? А мне кажется, что ритм прибоя — весьма эротичен. Вот бы попробовать соединить одни колебания с другими... — она улыбнулась. — По-моему, все же стоит попробовать.

— Сэнди, прекрати! — еще более сердитым тоном оборвал ее Джордан и сел напротив. — Допивай кофе и уходи.

— Не могу. Мне ведь следует тебя искушать, ты не забыл?

— Искушать? — вдруг вскинулся Джордан. — А, кстати, что ты там говорила насчет искушения... Когда упала?

— Разве я такое говорила? Что-то не могу припомнить. Наверное, я была не в себе и плела Бог знает что.

— Ты спросила: почему я искушал тебя. И я почувствовал себя так, словно ты выстрелила мне прямо в сердце.

Сэнди пережила почти то же самое, так как и у нее сжалось сердце от жалости к нему:

— Я совершенно ничего не соображала тогда. И за те свои слова не отвечаю.

— Нет, ты была права. Я действительно искушал тебя.

Сэнди вдруг гибко скользнула на пол и встала перед ним на колени:

— Да перестань же себя казнить. Понятия не имею, что я тогда несла и в связи с чем. Надеюсь, ты и сам видишь разницу между любовью, соблазнением и искушением. — Она нежно провела указательным пальцем по его щеке. — Ты всегда будешь меня искушать, Джордан. Всегда. Даже когда мне удастся высветить все темные закоулки твоей души и когда я буду знать тебя всего, как свои пять пальцев, — ты все равно будешь притягивать меня к себе, зачаровывать. Неужели ты думаешь, что, если бы я не поняла этого до конца, я бы решилась сбросить свою старую кожу? — Она поморщилась. — Мое эго не позволило бы это. Я же эгоистка

Джордан покачал головой:

— В тебе совсем нет эгоизма.

Но Сэнди, засмеявшись, закрыла ему рот ладонью:

— Наверное, мне тоже имеет смысл оставить некоторые темные пятна в своей душе для большей загадочности. Но если хочешь знать: я умею быть эгоисткой. А еще — страшной ревнивицей. — Она отвела руку от его губ. — И не надейся, что я буду смотреть сквозь пальцы на твои шашни с другими женщинами.

— Для меня другие женщины перестали существовать, — севшим от волнения голосом прохрипел Джордан. — Словно их у меня никогда и не было. С ними был только секс. А с тобой... — он замолчал и еще плотнее закутал ее одеялом. — Допивай побыстрее кофе и беги домой, там теплее.

— Пока ты будешь здесь, я не тронусь с места. — Закинув голову, она сделала последний глоток и поставила стаканчик в сумку. — Подумай над моим предложением. Представь, как нам будет тепло в моей постели.

Джордан покачал головой.

— Значит, в твоей?

Он опять отрицательно качнул головой.

Сэнди вздохнула:

— Хорошо. Тогда нам остается только палуба. Какой же ты несговорчивый, Джордан. — Вытянувшись на матрасе, она попыталась устроиться поудобнее. — Подойди же и согрей меня.

— Возвращайся в дом.

Приподнявшись на локте, Сэнди посмотрела ему в глаза:

— Нет, так не пойдет. — В голосе ее прозвучали стальные нотки. — Больше никогда в жизни мы не ляжем спать порознь. Твоя постель — будет моей постелью.

— Тебе придется одной спать на больничной койке, если будешь продолжать в том же духе. Простудишься, подхватишь воспаление легких — тем дело и кончится, — устало ответил Джордан. Но Сэнди не шевельнулась, и ему ничего не оставалось, как, бормоча сквозь зубы проклятия, двинуться к ней и лечь рядом. Накрывшись сначала одним, затем вторым одеялом, Джордан надеялся, что сможет удержать хотя бы частичку своего тепла. — Сэнди, ты не права. Ты совершаешь глупость.

В ответ она только теснее прижалась к нему:

— Нет, я тысячу раз права. Чувствуешь, как... нам хорошо? И я почти рада, что ты не позволил мне соблазнить тебя.

Джордан напрягся, как деревянная колонна:

— Да?

— Угу... Так даже уютнее. Не могу вспомнить, лежали ли мы когда-нибудь вот так: просто прижавшись друг к другу, и при этом не занимались любовью? Наверное, мне вообще не стоит пытаться тебя соблазнять. Просто сначала я решила применить то же оружие, которым пользовался ты. Вот и схватилась за него. Неудивительно, что тебя это возмутило.

— Возмутило — не то слово.

— Неважно. В любом случае я ошиблась в выборе оружия. А теперь мы просто полежим, обнявшись, и будем разговаривать. — Она помолчала, выжидая. — Почему же ты не говоришь со мной?

— У меня ни единой мысли в голове не осталось. Я не знаю, о чем говорить. — Удивительно, как ему вообще удалось сложить слова в предложение, подумал про себя Джордан, когда ее грудь прижимается к его груди. Наверное, и в самом деле надо попытаться отвлечься, вспомнить что-то, чтобы только забыть о ее мягком гибком теле. — Попытайся заснуть.

— Хм-м, это было бы чудесно, — она приникла к нему с доверчивостью ребенка и устроилась поудобнее у него на плече. А потом зевнула. — Здесь волны убаюкивают, как в колыбели. Удивительное ощущение покоя, правда?

— Правда... — Лично он ничего подобного не испытывал. Ему казалось, будто его терзают дикие звери. И вдруг на него нахлынула волна нежности. Такая высокая, что перекрыла все другие эмоции. Вздохнув, он прижал ее к себе теснее. — Но только ты все равно напрасно стараешься, Сэнди. Я не передумаю.

— Нет, не напрасно. — Она снова зевнула. — Тем более что все это доставляет мне массу удовольствия. А тебе?

В том чувстве, которое его охватило, присутствовала капелька горечи, но все равно оно было очень необычным и глубоким, при всем желании он не мог это отрицать. Потом, когда Сэнди не будет рядом, он сможет мыслить более разумно. Но сегодня... Сегодня не стоит пытаться делать вид, что ее нет рядом. Уж лучше полностью отдаться этой нежности и едва уловимой боли.

— Да, — выдохнул Джордан. — Мне тоже очень хорошо. — Он погладил ее по волосам. — Действительно, ты старалась не напрасно. Мне нравится.

— Как ты считаешь, удалось мне тебя искусить? — промурлыкала Сэнди.

Искусительница, соблазнительница, пытка и радость, мука и счастье — и все это дарит она. Его губы прикоснулись к ее виску. Джордан чувствовал, что Сэнди уже засыпает.

— Да, и самым необычным образом.

— Вот и хорошо, — едва слышно проговорила она.

Сэнди погрузилась в глубокий сон, а Джордан все еще смотрел в темноту. Какой же легкой и хрупкой она ему казалась. Нежность и желание боролись в нем, как огонь и речная волна. Прежде ему никогда не приходилось держать себя в такой жесткой узде. А узду надо было натягивать изо всех сил, потому что его тянуло к Сэнди сильнее, чем умирающего от жажды — к воде.

К воде... Искаженное лицо матери, ее потрескавшиеся губы снова всплыли в памяти.

Он невольно вздрогнул и еще крепче прижал Сэнди. Сквозь сон она что-то протестующе пробормотала, и Джордан слегка ослабил объятия. Господи, он опять сделал ей больно. И всякий раз он будет причинять ей боль, хочется ему того или нет. Держать ее железной хваткой, стараться уберечь от беды, но беда все равно придет. Никуда от нее не деться.

Сэнди этого не понимает. У них нет будущего. И есть только эта ночь. Последняя ночь.

Глава 10

— Что ты делаешь? — Сэнди приподнялась на локте, глядя на Джордана, который стоял и слушал радио. «Как это замечательно, — подумала она удовлетворенно, — проснувшись, увидеть рядом с собой любимого человека». Только сейчас она поняла, что соскучилась по этому чувству и что ей не хватало этого ощущения все полтора года, что они были врозь.

Джордан выключил радио.

— Пришло сообщение из Санта-Барбары, — спокойно проговорил он. — Ты слышала?

Сэнди отрицательно покачала головой и села, протирая глаза ладонями:

— Я только что проснулась. Что-нибудь серьезное?

— Да, — ответил Джордан. — И очень неприятное. — Он задумчиво посмотрел на нее, прежде чем пришел к какому-то решению. — Нам надо уезжать отсюда. — Он подхватил свитер, лежавший рядом с ней на матрасе, и натянул на Сэнди. — Беги к домику и скажи Марчу, чтобы он как можно быстрее собрал и принес сюда вещи. А к тому времени, как вы вернетесь, я успею завести мотор.

Тревога, которую он пытался скрыть, заставила ее сразу проснуться:

— Что случилось? Позвонила Пенни?

— Нет. — Он помолчал. — Пенни исчезла.

Глаза ее в ужасе округлились:

— Господи, только не это!

— Может быть, с ней ничего не произошло, — быстро заметил Джордан. — Полиция еще не нашла...

Он не закончил предложение, со страхом отметила Сэнди. Речь шла о теле ее подруги.

— Скажи, что там творится? Это не все, так ведь?

— Тебе совершенно не о чем волноваться, — успокоил ее Джордан. — Пока это только предположения.

Джордан снова пытается защитить ее, уберечь, в отчаянии подумала Сэнди и уже более требовательно проговорила:

— Расскажи мне наконец, что случилось.

— Нам никак не удавалось связаться с Пенни. Поэтому мы решили обратиться в полицию, чтобы они взломали дверь и вошли к ней в квартиру. Полиция обнаружила следы поспешного отъезда. — Он помолчал. — И кое-что еще. Корешок билета. До автобусной станции Грейхаунда.

Сэнди почувствовала себя так, словно ледяные пальцы сжали ей сердце:

— Кемп...

Джордан кивнул:

— Такая возможность не исключается. Полицейские считают, что преступник тщательно изучал все, что связано с его жертвой. И не мог не узнать, что Пенни не только твой редактор, но еще и близкая подруга. Взвесив все за и против, он мог напасть на нее и захватить в заложницы, чтобы выведать, где ты находишься.

— Он коварен, как хищник, — Сэнди начала натягивать на себя свитер, пытаясь хоть немного согреться и унять охвативший ее озноб. — И безжалостен, как чудовище. Это не человек. Если бы ты видел этих бедных растерзанных женщин. Господи, Пенни!

— Мне кажется, что полицейские снова что-то напутали, — проговорил Джордан. — Но в любом случае если мы будем оставаться здесь, то не сможем помочь твоей подруге. И не надо забывать, что ты снова в опасности. Главной мишенью остаешься ты. И он может заставить Пенни рассказать, где ты находишься.

— Нет, кого угодно, но только не Пенни. Да она умрет скорее, чем... — Сэнди замолчала, зажав себе рот дрожащей рукой. — Джордан, он убьет ее. Если уже не убил.

— Не стоит думать о худшем, — он помог ей встать. — Сейчас мы только знаем, что это место перестало быть безопасным. Иди в дом и скажи Марчу, что мы немедленно уезжаем.

— Хорошо, — еле слышно ответила она и, выйдя из каюты, двинулась к сходням. Следом за ней вышел на палубу Джордан. А потом он вдруг замер и что-то крикнул. Сэнди обернулась и увидела, что он смотрит в открытое море. Тело его напряглось, как перед схваткой.

— Что случилось? — Проследив за его взглядом, Сэнди увидела небольшое суденышко.

— Ничего, — быстро ответил Джордан. Одним махом он преодолел расстояние, разделявшее их, подхватил ее под руки и быстро провел по сходням к тропе. — Всего лишь рыбак. Беги и предупреди Марча.

Сэнди бросилась по тропинке наверх, подгоняемая тревогой, которая прозвучала в его голосе. Миновав береговую полосу, она обернулась. Джордан все еще стоял, глядя на нее.

— Поторопись, — повторил он. — Беги скорее к Марчу!

Она кивнула и начала подниматься вверх.

«Беги скорее к Марчу!» — эта фраза продолжала вертеться у нее в голове. Несмотря на страх и ужас, которые лишили ее способности адекватно воспринимать ситуацию, что-то в его словах показалось ей подозрительным.

Добравшись до вершины холма, она наконец поняла, что именно засело в памяти, как заноза. Почему Джордан сказал не «за Марчем», а «к Марчу»? Теперь тропа вела вниз и бежать было намного легче. Такое впечатление, что она должна была не привести Марча за собой, а найти у него защиту...

Рыбак!

Сэнди побледнела как полотно, когда эта мысль пронзила ее. Как же она могла проявить такую беспечность? Идиотка! Неужели какому-нибудь рыбаку пришло бы в голову рисковать собой в такую погоду? Только безумец мог отважиться выйти в море. И таким безумцем был Кемп. Ничто его не пугало и не могло остановить.

«Джордан готов отдать за тебя жизнь», — вспомнились ей слова Пенни.

— Нет!

Сэнди остановилась, потом повернулась и снова устремилась вверх по холму. Она задыхалась, в легких покалывало, когда она, поднявшись снова на вершину холма, посмотрела вниз.

Лодка причалила к берегу. Сейчас она была пуста. И Джордана нигде не было видно. Взгляд ее метнулся в одну сторону, потом в другую, пока она не заметила какое-то движение на прибрежной полосе.

Наверное, просто игра света и тени.

Нет! Это были два борющихся человека. Джордан и тот, на которого она с таким ужасом смотрела в зале суда в Нью-Йорке. Всхлипнув, Сэнди бросилась вниз с холма. У Кемпа наверняка есть нож. Что, если он успеет пустить его в ход до того, как она до них добежит?

«Он готов отдать за тебя жизнь», — опять пронеслось у нее в голове.

Но она не хочет, чтобы Джордан погиб. Ей надо остановить Кемпа. Но как же до них далеко. Успеет или нет?

— Кемп! — крикнула она что было сил. — Я здесь, Кемп!

И этот выродок услышал. Он поднял голову и посмотрел вверх.

— Сэнди, не смей! — отчаянно крикнул Джордан.

Кемп застыл с ножом, приставленным к горлу Джордана, а потом оставил противника и бросился навстречу Сэнди.

Она остановилась. Куда бежать? Ее сковали страх и неуверенность.

— Сэнди, беги! — закричал Джордан, успевший вскочить на ноги и бросившийся следом за маньяком.

Зачем? Зачем он это делает? Ведь Кемп может передумать в любую минуту. Она повернулась и метнулась влево, стараясь увести Кемпа как можно дальше от Джордана.

До чего скользкие эти камни. Однажды она уже на них поскользнулась. Что, если это повторится? Кемп постепенно догонял ее. Она уже слышала его тяжелое дыхание...

Слезы хлынули у нее из глаз. Ей совсем не хочется умирать. Неужели это произойдет так же, как с другими женщинами, и он всадит в нее нож? Только бы не упасть!

— Сука! Сука! Сука! — повторял Кемп, как заклинание. — Ты умрешь! Ты и твоя подруга! Сука! Сука!

Нога соскользнула с камня, но ей удалось удержать равновесие. И Сэнди побежала дальше.

Дыхание Кемпа походило на сопение зверя, а выкрики переходили в рычание. И они все приближались.

Его голос раздавался почти за ее спиной. Надо бежать еще быстрее.

— Нет! — теперь это был голос Джордана. — Куда ты, ублюдок! Иди сюда, ко мне!

Джордан требует, чтобы Кемп выбрал его, в ужасе подумала Сэнди. Это значит, что маньяк вот-вот ее настигнет. Как быстро бегает этот человек-зверь. И его нельзя остановить. Его ничто не остановит.

Вопль отчаяния вырвался у нее из горла. Неужели это она так кричала? Нет, не может быть. Тогда кто же? Она слегка скосила глаза и увидела, что Джордан все-таки сумел перехватить Кемпа, и как тот, пытаясь вырваться, потерял равновесие и рухнул в море. Раздался всплеск.

Сэнди замерла на берегу, сдерживая рыдания.

Кемп вынырнул, изо всех сил взмахнул руками, пытаясь удержаться на поверхности воды. Его голубые глаза на белом лице остановились на ней. В них светилась животная ненависть.

— Сука! — выкрикнул он. Волна ударила ему в лицо, и он закашлялся, отплевываясь от холодной соленой воды. А потом снова выкрикнул: — Сука!

Волна, словно щупальце осьминога, обвила его и увлекла за собой. Голова Кемпа скрылась под водой.

Больше он не вынырнул.

Джордан наконец схватил ее за плечи дрожащими руками:

— Сэнди, как ты могла? Зачем? Он чуть не убил тебя!

Прильнув к нему, она уткнулась головой в плечо:

— Кемп умер? Да? Он утонул?..

— Да, да, утонул, — голос Джордана дрожал, как и он сам. — Зачем ты позвала его? Ты могла сама оказаться на его месте, — повторял он, целуя ее виски, щеки, лоб, подбородок...

Высвободившись из его рук, Сэнди обернулась в сторону моря, глядя туда, где скрылась под волной голова Кемпа.

— Неужели он утонул, — прошептала она. — Я рада, что больше он никого не убьет. И все эти несчастные женщины...

Тут в ее памяти всплыли слова Кемпа, и она подумала про свою подругу. Что выкрикивал этот безумец, пока бежал за ней?

— Господи, Пенни, — она там! Бежим к ней.

— Ну и как? — Пенни потрогала разбитую вспухшую губу и лицо в кровоподтеках, глядя в маленькое зеркальце. — На кого я похожа? На Мохаммеда Али? Или на Рея Леонардо? Скорее на Леонардо. За всю боксерскую карьеру никому не удавалось так отделать Али.

— Оставь свои шуточки, — Сэнди забрала зеркальце из рук подруги и положила на кухонный стол. — И без того терзают угрызения совести, что ты пострадала из-за меня. — Она осторожно смазала антисептиком рассеченную губу Пенни. — Я чуть с ума не сошла от мысли, что он может тебя убить. И когда увидела, что ты лежишь связанная в лодке, то мне показалось, что ты никогда не была такой красивой, как в тот момент.

Пенни чуть поморщилась.

— А уж какими вы показались мне — я и передать не могу. После двух суток, проведенных лицом к лицу с этим ублюдком.

— Как же все произошло?

Пенни пожала плечами:

— Он оказался коварнее, чем мы рассчитывали. У него нюх, как у зверя. Кемп, конечно, догадался, что ему дали возможность бежать, но был уверен, что полиции не удастся заманить его в ловушку. Пробравшись в «Уорлд рипорт» под видом одного из работников по обслуживанию техники и покрутившись там, он быстро выяснил, что тебя уже нет в городе. И что именно мне удалось убедить тебя уехать. Тогда он заявился ко мне домой — под видом газовщика, которого прислали якобы из-за утечки.

— Каким образом ему все так легко удалось? К тебе в дом так просто пройти незамеченным?

— У него такое неприметное лицо... — просто ответила Пенни. — Более заурядного человека трудно себе представить. Запомнить его невозможно, как тех, кто помогает тебе поднести багаж или заворачивает покупки в магазине. Он очень умело перевоплощался в того, чью маску надевал. — Она попыталась улыбнуться. — Впрочем, от его заурядности не осталось и следа, когда Кемп принялся меня обрабатывать, чтобы выяснить, где ты. И когда я послала его к чертям собачьим, он, кажется, сильно расстроился. К сожалению, обыскав квартиру, он наткнулся на квитанцию за аренду вертолета.

— Черт побери! Неужели ты не могла сразу сказать ему, где я. Неужели мы бы с ним не справились?

— Как видишь, ему удалось узнать об этом и без моей помощи. И потом, вряд ли я могла этим спасти свою жизнь. Он не был уверен в том, что ты действительно здесь. Именно поэтому оставил меня в живых. Пока я лежала связанной, а он обыскивал квартиру, телефон звонил почти не переставая. И я очень надеялась, что Джордан заподозрит неладное и будет настороже. — Она посмотрела на Сэнди. — Кстати, куда он делся? С того момента, как вы привели меня в дом, я его больше не видела.

— Они с Марчем отправились к катеру, чтобы сообщить полиции по рации о Кемпе. — Отступив на шаг, она посмотрела на Пенни с досадой. — Вот и все, что я пока могла сделать. Самое лучшее — это показаться как можно скорее врачу.

— Ну уж нет, — возразила Пенни и тоже встала. — Я в полном порядке. Мне надо принять душ и вымыть голову, прежде чем я свяжусь с Маком, — ее передернуло. — Кемп такой омерзительный... Не знаю, смогу ли когда-нибудь смыть всю эту грязь.

— Спасибо за все, Пенни, — негромко проговорила Сэнди. — Конечно, эти слова ничего не выражают, но другие пока не могу подобрать. Остается только надеяться на то, что когда-нибудь сумею отплатить тебе за добро.

— Отплатить? За что? Я сама решила вмешаться в это дело, — ответила ей Пенни, обернувшись, — и если бы мне пришлось выбирать, снова бы поступила так же. Зато за эти сорок восемь часов я выяснила кое-что чрезвычайно важное для себя.

— Что именно?

Пенни загадочно улыбнулась:

— Что нет никакого другого святилища или убежища, кроме того, которое находится в нас самих.

Сэнди посмотрела вслед Пенни, потом, не замечая, что делает, закрыла пузырек с антисептиком. Неужели этот кошмар кончился? Неужели смертельная угроза позади? И теперь все в прошлом? Господи, как долго этот ужас преследовал ее!

— Ну что? Как себя чувствует Пенни?

Сэнди повернулась к Марчу, остановившемуся в дверях. Лицо его было сосредоточенным.

— Сказала, что в порядке. Но это не так. Мне кажется, этот ублюдок не так сильно изуродовал ее физически, сколько морально. — Она щелкнула замком аптечки первой помощи. — Пенни справится. Но на это потребуется время.

— И ты останешься, чтобы помочь ей в этом? — негромко спросил Марч.

— Разумеется. Думаю, мне удастся помочь ей, — улыбнулась она. — А почему Джордан не пришел вместе с тобой?

— Готовит катер к отплытию. Он отправил меня сюда, чтобы я сказал...

Сначала Сэнди охватила растерянность:

— Он уезжает? — А потом на смену этому пришел гнев. — Неужели нам мало всех тревог и страхов? Неужели он не мог выбрать более подходящего времени для того, чтобы вытворять такое?

— Сэнди, но я же не сказал...

Но она уже не слышала его:

— Нет, не могу поверить... Нет! Пусть не надеется, что я позволю ему отчалить вот так просто... — не закончив фразы, она бросилась вон из дома.

— Ты не посмеешь уехать! — сжав кулаки, Сэнди шла по причалу. — Ты меня слышишь, Джордан? Да будь я проклята, если позволю тебе бросить меня!

Джордан повернулся к ней:

— Как Пенни?

— Нормально. Мне не хочется оставлять ее одну сейчас. И у меня нет желания рыскать потом по всему белому свету, пытаясь найти тебя. Поэтому ты просто останешься здесь, и все!

Едва заметная улыбка пробежала по его губам:

— Ого, какая ты, оказывается, воинственная. А если я не соглашусь? Ты наденешь на меня наручники?

— Если понадобится — да, — решительно ответила она, но из глаз ее выкатилась предательская слезинка, слезинка гнева и... отчаяния. — Я сделаю все, что в моих силах, лишь бы тебя удержать. До чего же глупо пытаться бросить меня, при том, что ты ведь меня любишь. На самом деле любишь?

— Да, я люблю тебя, — послушно ответил Джордан.

— Нельзя же все время думать о том, что ты можешь нечаянно причинить мне вред!.. — она замолчала, пытаясь придать голосу твердость. — Ладно! Если ты не хочешь остаться со мной, тогда я попрошу, чтобы Пенни и Мак отправили меня в самую горячую точку на земле: туда, где переправляют наркотики, где идет война...

Улыбка тотчас сошла с лица Джордана:

— Черта с два ты туда поедешь!

— А если они меня не отправят, я поеду от того журнала, который согласится меня туда отправить.

— Хочешь покончить жизнь самоубийством? — мрачно переспросил Джордан.

— Нет, это не самоубийство. Я сделаю все, чтобы остаться в живых. Я тебе уже говорила, что не похожа на твою мать, — она шагнула ближе к нему, глаза ее сверкали, как два изумруда. — У меня хватит сил, чтобы выжить одной. Но мне чертовски не хочется этого. Хочется немного пощекотать себе нервы. И единственный способ не дать мне впасть в крайность — оставаться рядом со мной. — Слезы, перед тем застилавшие ей глаза, заструились по щекам. — Пенни пришла к выводу, что единственное несокрушимое убежище находится внутри нас. Но это не так. Если ты кого-то любишь, — то это тоже убежище. И я могу найти покой только рядом с тобой. Только так я могу обрести силы, уверенность... — голос ее сорвался. — Неужели ты думаешь, что я позволю тебе отнять все это у меня?

— Вижу, что не позволишь, — нежность, с какой он смотрел на нее, смягчила резкие черты лица Джордана, преобразила его. Обняв Сэнди, он привлек ее к себе. — Какая ты грозная!

— Только тогда, когда меня выводят из себя упрямые мужчины, которые...

Он приложил палец к ее губам, не дав закончить фразу:

— Хватит обвинений. Кто тебе сказал, что я хочу бросить тебя? Мне показалось, что Пенни надо непременно показаться врачу. Для этого я и заводил катер. Так что победа осталась за тобой.

Сэнди замерла:

— Правда?

— Если, конечно, жизнь с таким человеком, как я, можно назвать победой. Скорее всего ты горько пожалеешь через несколько месяцев или через годик-другой.

— Никогда, — она испытующе посмотрела ему в лицо.

— Это из-за Кемпа? — спросил Джордан. — Ты была на волосок от смерти. Даже когда ты упала и ударилась, — смерть не рыскала так близко. То, чего я так боялся, то, что меня мучило по ночам, все эти кошмары, которые преследовали меня, — все они предстали наяву. И вот тогда я осознал, что, если ты останешься жива, у меня уже не будет сил отпустить тебя. И я всюду пойду за тобой, куда ты, туда и я. И буду рядом с тобой, чтобы вовремя поддержать. — Он помолчал, прежде чем договорил до конца, что далось ему не без труда. — И сделать тебя счастливой, Сэнди.

— Это наше прибежище? — негромко переспросила она.

— Если это то, что ты хочешь. И я постараюсь, но тебе придется нелегко. Наверное, во мне еще очень много от собственника и ревнивца.

— И любящего человека.

— Да, — он кивнул, обнимая ее с невероятной нежностью. — Любящего тебя больше всего на свете. Может быть, только это послужит некоторой компенсацией моих недостатков.

Радость вспыхнула в ней, как лучи солнца в воде.

— В полной мере, — заверила она и нежно поцеловала его в ответ. — Джордан, любовь — это то, ради чего стоит жить. Неужели ты не знал?

Он кивнул. И его улыбка была такой же радостной, как и ее.

— Остается надеяться, что ты будешь думать точно так же и через пятьдесят лет.

— Буду, — прошептала Сэнди, не сводя с него любящих глаз. — И ты даже не заметишь, как пролетит это время.

Звездочка светлая

Роман

8 Зак. № 1108 Джоансен

Глава 1

— Как ты думаешь, с ним все будет в порядке? — прошептала Элизабет. Блестящими от слез глазами она провожала маленький самолет «Лэрджет», разгонявшийся по взлетной полосе. — Джон, как же мне не хотелось с ним расставаться!

Джон нежно обнял ее за талию.

— Я знаю. Мне тоже не хотелось. — Он кашлянул. — Ты могла и не согласиться. Ведь «Кланад» ни на чем не настаивал. Они дали какие-то рекомендации, но ты поступила по-своему. Знаешь, я еще могу позвонить и сказать, что ты передумала.

— Даже не знаю, что и делать. — Элизабет проследила за тем, как самолетик взмыл в небо, а затем отвернулась. — Эндрю всего пять лет. Может, нам стоило подождать еще немного?

— Было бы только хуже, если бы мы оставили все как есть, — мягко возразил Джон. — Мы же хотим, чтобы он освободился от того, что его угнетает, чтобы все у него наладилось, разве не так, любимая?

— Да! — неуверенно улыбнулась Элизабет. —

Но мне хотелось бы находиться рядом, чтобы помочь ему.

— Ты слишком сильно любишь его.

— Как же мне его не любить! Ведь он мой сын! — Элизабет смахнула слезы. — И он такой необычный. Такой нежный, любящий и... — Она растерянно тряхнула головой. — Я, наверное, напоминаю тебе наседку, да? Я знаю, что все будет в порядке. Гуннар присмотрит за ним. — Женщина через силу усмехнулась. — А может, и наоборот, Эндрю присмотрит за Гуннаром. Временами я начинаю сомневаться в том, кто из них ребенок, а кто взрослый. Остается надеяться на то, что за ними обоими присмотрит новая няня. Она производит впечатление здравомыслящей женщины.

— Даже более чем здравомыслящей. — Губы Джона тронула улыбка. — Ты, мне кажется, совершенно права относительно Квинби Свенсен. Она сумеет утихомирить и Эндрю, и Гуннара.

— Чему ты улыбаешься? Тебе известно что-то, о чем не знаю я?

— Только то, что «Кланад», досконально изучив подноготную Квинби Свенсен, сделал относительно нее весьма любопытный прогноз. Она, возможно, окажется... — Он запнулся и сказал: — Впрочем, генетические изыскания тебя ведь не интересуют? Я помню, как ты возмутилась, когда в свое время я сказал тебе, что мы с тобой станем идеальной парой. — Темные глаза Джона блеснули. — А ведь прогноз оказался точным!

Глаза Элизабет расширились.

— А Гуннар об этом знает?

— Конечно. Он же входит в руководство «Кланада» и имеет доступ ко всей информации. Эти выводы его весьма заинтриговали. Не убедили, но заинтересовали — определенно.

— Помоги, Господи, бедной Квинби Свенсен, — вздохнула Элизабет. — Что касается меня, то мне совсем не улыбается перспектива приручать такого необузданного сорвиголову, как Гуннар. Он, возможно, самый очаровательный мужчина во всем полушарии, а то и на всей планете, но я когда-нибудь свихнусь, постоянно беспокоясь о том, что он выкинет в следующий момент.

— А вот Квинби Свенсен нравится, когда ей бросают вызов. Это была одна из причин, по которой именно ее выбрали для того, чтобы присматривать за Эндрю.

Джон взял Элизабет за локоть и повел к стоявшему у взлетной полосы лимузину со скучавшим за рулем шофером.

— Ты, кстати, тоже не выбираешь легкие пути, любовь моя. Об этом говорит хотя бы тот факт, что ты когда-то вышла за меня замуж!

— И с тех пор ни разу об этом не пожалела, — добавила Элизабет. — Ни на одну секунду. — Обернувшись, женщина посмотрела через плечо, но «Лэр-джет» уже растворился в небесной синеве. — Успокой меня, Джон, скажи, что мы поступаем правильно. Он такой маленький, а жизнь до сих пор не очень-то его баловала.

— К сожалению. — Мужчина открыл дверцу

лимузина и помог жене устроиться на заднем сиденье. — Ему вообще будет нелегко в жизни. Слишком уж он похож на тебя. — Глаза Элизабет и Джона встретились. — Но мы в состоянии хотя бы не испортить ему детство. Мы можем попытаться помочь ему обрести себя. Гуннар уже все организовал. Нам же остается только одно — ждать.

— Ждать... — Элизабет знала, что ожидание это станет долгим и мучительным, даже несмотря на то, что рядом с ней будет любящий муж, всегда готовый поддержать ее. — Что ж, пусть и без меня, но Эндрю хоть несколько месяцев проведет в Милл-Коттедж. Мне всегда хотелось, чтоб он увидел дом, в котором прошло мое детство. Когда к ним должна приехать эта Свенсен?

— «Лэр-джет» захватит ее в Зарбондале. Она ухаживала за сыном тамошнего премьер-министра. — Лицо Джона исказилось. — Надо сказать, уволилась она вовремя. Правительство страны вот-вот рухнет, и министры уже разбегаются в разные стороны, спасая свои шкуры. После двух лет, проведенных в Зарбондале, напоминающем кипящий котел, жизнь в Милл-Коттедж покажется ей сущим раем.

— Почему же она не уехала оттуда раньше?

— Она была нужна этому ребенку. — Встретившись с недоуменным взглядом жены, Джон пояснил: — Мальчик был глухой и почти постоянно находился в состоянии ступора.

— И эта женщина сумела ему помочь? — в голосе Элизабет звучали надежда и сомнение.

— Сумела. Сейчас он идет на поправку, причем довольно быстро. — Джон наклонился к жене и легонько поцеловал ее в губы. — Она поможет и Эндрю. У нее сильный характер и доброе сердце. Мы должны довериться ей.

— Мне бы очень этого хотелось.

Она прильнула к плечу мужа. Его крепкое тело излучало тепло, давая ощущение надежности. Она любила этого человека, и если он верит в Квинби Свенсен, она тоже должна в нее поверить. Элизабет знала, что Эндрю дорог Джону не меньше, чем ей, что он всей душой желает малышу добра.

— Надеюсь, она знает, за какое нелегкое дело взялась. Что ты рассказал ей, когда предложил эту работу?

— Не очень много. Я оставил это на усмотрение Гуннара, понадеявшись на его благоразумие.

— Гуннар и благоразумие? — Элизабет с сомнением покачала головой. — Боюсь, ее ожидает настоящий шок.

* * *

Этот мужчина, должно быть, сумасшедший.

Взглядом, наполненным ужасом, Квинби, словно загипнотизированная, смотрела в окно аэропорта. По взлетной полосе бежал высокий мужчина, пригибаясь и уворачиваясь от автоматных очередей, которыми поливали его двое стрелков, засевших на крыше. Неужели он рассчитывает спастись?

Минутой раньше она видела, как вопреки запрету мятежников, захвативших диспетчерскую башню, на взлетном поле приземлился и тут же снова поднялся в воздух белый «Лэр-джет», оставив на бетонной полосе этого безумца, который тут же кинулся к зданию аэропорта. Квинби не сомневалась, что у парня нет ни единого шанса уцелеть под свинцовым ливнем, который обрушили на него автоматчики, и все же каким-то невероятным образом его пока не задела ни одна пуля. Мужчина бежал, делая зигзаги, пригибаясь и уворачиваясь от свистящей вокруг смерти, как матадор от рогов разъяренного быка, укрываясь за багажными электрокарами. Короткими перебежками он все ближе подбирался к зданию, из окна которого она за ним наблюдала.

Когда он ворвался внутрь, дверь грохнула так, что ее ручка врезалась в штукатурку, отбив от стены кусок. Он задыхался, его светлые волосы растрепались, а на джинсах, на колене, красовалось большое масляное пятно. Голубые глаза молодого безумца сияли от возбуждения, и их взгляд тут же принялся шарить по толпе трясущихся от страха пассажиров. Красивое лицо парня было темным от загара, на золотистых волосах играли отблески догорающего солнца, лучи которого падали в широкие окна терминала. Стройный, мускулистый, одетый в джинсы и черную кожаную куртку пилота, он выглядел мужественно и наверняка привлек взгляды всех женщин, находившихся поблизости.

— Квинби Свенсен! — закричал он. — Есть здесь Квинби Свенсен?

Нет, не может быть... В агентстве сказали, что за ней пришлют человека, который доставит ее к месту новой работы, где в течение трех летних месяцев ей предстоит ухаживать за сыном Джона Сэнделла. Но неужели именно этот безрассудный смельчак явился по ее душу?

— Да, — проговорила она, делая шаг вперед. — Квинби Свенсен — это я.

— Гуннар Нильсен, — выкрикнул он свое имя, прокладывая путь через толпу по направлению к ней. — Меня прислали за вами. Я должен доставить вас в Олбани. Хорошо, что вы здесь. Я боялся, что премьер-министр, сматываясь из страны, заберет вас с собой.

Квинби отрицательно мотнула головой:

— Он сбежал прошлой ночью с остатками кабинета министров, но никого из обслуживающего персонала в самолет не взяли.

Гуннар поморщился.

— Выходит, они просто бросили вас здесь, в аэропорту, захваченном мятежниками?

— Вчера вечером аэропорт еще работал. Повстанцы захватили его всего несколько часов назад, — защищая неизвестно кого, ответила она. — Никто не предполагал, что, если я задержусь здесь еще на один день, мне будет грозить реальная опасность.

— Если бы у ваших прежних нанимателей была хоть капля разума, они могли бы сообразить, что вам грозит опасность угодить в плен, а может, и кое-что похуже, — сухо проговорил он. — О вас, видимо, никто не побеспокоился.

— Мои прежние наниматели — хорошие люди, — бесхитростно пояснила Квинби. — Они были напуганы. В считанные дни вся их жизнь пошла прахом. Разве можно в таких обстоятельствах упрекать людей за то, что они испугались? — Помолчав, девушка многозначительно добавила: — Только ненормальные готовы бездумно рисковать своей жизнью. Никогда в жизни не видела ничего столь безрассудного, как ваша пробежка по взлетной полосе. Ведь когда вы сюда подлетали, с диспетчерской башни вам наверняка сообщили, что аэропорт закрыт. Зачем же вы приземлились?

Его синие глаза блеснули.

— Перед вами всего лишь скромный служащий. Я получил распоряжение прилететь сюда и забрать Квинби Свенсен. Мне никто не говорил, что, если аэропорт окажется закрыт, я должен развернуться и улететь обратно, так что пришлось действовать по собственному усмотрению.

Скромный служащий? Квинби казалось, что слово «скромный» вряд ли применимо к Гуннару Нильсену, и обычный служащий никогда не рискнул бы посадить «Лэр-джет», стоящий целое состояние, в аэропорту, который не дает на это разрешения.

— И тем не менее это было очень глупо, — равнодушным тоном откликнулась Квинби. — Вас могли убить. А ради чего?

Изучающий взгляд Гуннара скользнул по ее лицу, и его улыбка растаяла.

— А вы, — спросил он, — всегда делаете что-то лишь при наличии достаточно веских причин?

— Я всегда стараюсь руководствоваться здравым смыслом, — ответила Квинби. — Меня научили быть благоразумной.

Бронзовое от загара лицо молодого человека вновь осветилось лучезарной улыбкой.

— Может, и так, но я думаю, время от времени благоразумие вам все же изменяло, — мягко проговорил он. — Иначе что бы могло заставить вас оказаться в стране, где бушует революция? Женщина с вашими знаниями и квалификацией могла бы подыскать для себя что-нибудь получше и поспокойнее.

У Квинби странно запершило в горле, и, с трудом оторвав взгляд от его лица, она отвернулась.

— Я оказалась в опасности по стечению обстоятельств, а вот вы рисковали по собственной инициативе. Между этими вещами — огромная разница. Почему вы хотя бы не посадили самолет поближе к терминалу, чтобы не бежать так долго под автоматным огнем?

— На борту самолета — Эндрю, мой крестник, — пояснил Гуннар. — Своей жизнью я могу рисковать, но чьей-то другой — никогда. Вот и хотел, чтобы во время взлета «Лэр-джет» находился вне досягаемости огня.

— Тогда понятно.

— Скажите, а двое этих парней, что засели на крыше, единственные снайперы поблизости?

Квинби кивнула.

— Повстанцы захватили диспетчерскую башню, но пока что у них только одна огневая точка — эта. Никому из пассажиров в здании терминала они пока вреда не причинили. Видимо, их единственной целью является блокада аэропорта, чтобы ни один самолет не смог ни взлететь, ни приземлиться.

— Это весь ваш багаж? — осведомился Гуннар, кивком указав на большую дорожную сумку, стоявшую на полу рядом с женщиной.

— Нет, у меня еще два чемодана в камере хранения, а весь остальной багаж я отправила несколько дней назад по адресу, который мне сообщили в агентстве.

— Заберете чемоданы сами или вам помочь?

— Я справлюсь.

— Тогда отправляйтесь в камеру хранения. Встретимся у выхода в зоне вылета через десять минут.

— Вы что, совсем с ума сошли? У меня нет ни малейшего желания выделывать зигзаги на взлетной полосе и бегать с пулями наперегонки.

Он улыбнулся.

— Я бы ни за что не решился ставить даму в подобное положение. Никаких пуль не будет. Я даже одолжу одну из багажных тележек, лишь бы доставить вас к трапу со всеми удобствами.

— Но каким образом вы...

— Через десять минут, — бросил Гуннар и тут же исчез, словно растворившись в толпе.

Квинби растерянно смотрела ему вслед. Каким образом этот ненормальный намеревается устранить двух засевших на крыше солдат? Ведь он даже не вооружен!

И все же во всех действиях Нильсена, в его манерах сквозила какая-то невероятная уверенность в себе, четкость и расчет, присущий профессионалам. А если Квинби не воспользуется этой возможностью, когда еще ей представится шанс вырваться из Зарбондала?

Ах, если бы не эта жуткая усталость! Квинби сейчас была явно не в лучшей форме для того, чтобы принимать важные решения. Пугающие события последних дней, приведшие к тому, что она, забытая и беззащитная, оказалась брошенной на произвол судьбы в этом проклятом аэропорту, довели ее почти до нервного истощения.

В течение нескольких секунд она стояла неподвижно, взвешивая имевшиеся в ее распоряжении шансы на спасение. Увы, они были мизерны.

Да какого, собственно говоря, черта!

И, развернувшись на сто восемьдесят градусов, она решительно направилась к металлическим ячейкам камеры хранения, выстроившимся вдоль дальней стены терминала.

* * *

Непонятно откуда выехала багажная тележка. Из-за руля вдруг выскочил Гуннар Нильсен, забросил чемоданы в кузов и легко подсадил Квинби на сиденье, располагавшееся сзади.

— Ценю в женщинах пунктуальность. — Подмигнув своей спутнице, он быстро обежал тележку и вскочил на водительское сиденье. — Особенно в подобных обстоятельствах. Автоматчики с крыши больше стрелять не будут, но с диспетчерской башни, видимо, уже послали подмогу. Мне хочется улететь из Зарбондала раньше, чем она подоспеет.

Вслед за этим он погнал тележку по полю аэродрома, срезая углы и направляясь к дальней взлетной полосе, где десятью минутами раньше его высадил «Лэр-джет». Проезжая мимо диспетчерской башни, Гуннар шутовски отсалютовал находившимся там вооруженным людям и крикнул:

— Адье, вояки!

Квинби опасливо обернулась и посмотрела на крышу терминала. Там никого не было видно.

— Как вам удалось избавиться от автоматчиков?

Мужчина пожал плечами.

— Неумехи. Впрочем, повстанцы редко бывают профессионально подготовлены. Обычно это одиночки. Они не пользуются поддержкой народа. Именно поэтому революции обречены на неудачу.

Квинби кинула на молодого человека любопытный взгляд.

— Вы, похоже, неплохо знакомы с предметом.

— Я заинтересовался этим несколько лет назад, когда следил за развитием событий во время переворота в Тамровии. Начал читать все, что попадало мне в руки, по истории и динамике революционных процессов. — Гуннар усмехнулся. —

Джон, отец Эндрю, поначалу решил, что я намерен устроить еще одно большевистское восстание. Меня, видите ли, никогда не отличала въедливость книжного червя и пытливость ученого. Моя тяга к знаниям отличается бессистемностью и нежеланием отягощать себя изнурительными занятиями. — Он остановил электрокар и посмотрел на часы. — У нас в запасе еще одна минута.

— Вы полагаете, что пилот настолько пунктуален?

— А как же! — удивленно воззрился на женщину Гуннар. — Марта никогда не опаздывает. Если бы она не являлась пилотом высочайшего класса, ей ни за что не позволили бы летать на самолете «Кланада». На нее можно полностью положиться.

— Что такое «Кланад»? Название корпорации? — непонимающе спросила Квинби. — Но агентство по найму сообщило, что мне предстоит ухаживать за ребенком высокопоставленного служащего компании «Седихан ойл», друга шейха Алекса Бен-Рашида.

— Да, «Кланад» — что-то вроде корпорации, а Джон и Алекс действительно очень хорошие друзья.

— Но шейх не является нанимателем Джона Сэнделла?

— И да и нет, — уклончиво ответил Гуннар Нильсен. — Я точно не знаю. Полагаю, что «Кланад» занимается неким производством, а Алекс отвечает за реализацию продукции.

Квинби вконец запуталась. «Что-то вроде корпорации» — что это может значить? Теперь она понимала даже меньше, чем в самом начале.

— А чем в этой организации занимаетесь вы, мистер Нильсен?

— Гуннар, — поправил он ее, повернувшись к Квинби и одарив ее лучезарной улыбкой. — Можно сказать так: в мои функции входит решение некоторых проблем. По мере их возникновения.

— Таких, например, как убрать автоматчиков на крыше? — без обиняков спросила она. — Что же за организация этот «Кланад»?

— Я уже сказал вам... — Внезапно до мужчины дошел скрытый смысл вопроса, и он осекся. — Ах, так вы подумали, что мы — нечто вроде мафии? — Внезапно он откинул голову назад и расхохотался. — Ни в коем случае. Сейчас мы уважаем закон.

— Сейчас... — повторила она. — Значит, раньше было иначе?

Улыбка угасла на лице Гуннара.

— Нам действительно пришлось урегулировать кое-какие проблемы, прежде чем удалось достичь компромисса с обществом. — Он внимательно посмотрел в лицо женщины. — Скажите, ваше отношение к Эндрю было бы иным, если бы его отец оказался преступником?

«А в самом деле? — подумалось Квинби. — Что бы она чувствовала?» Ей не хотелось иметь ничего общего не только с гангстерами, но и с теми, кто балансирует на грани закона. Но агентство по найму сообщило ей, что мальчик Эндрю столкнулся с весьма специфической проблемой, а дети, как известно, не в ответе за своих родителей.

— Не знаю, — сказала она. — Для начала я бы взглянула на Эндрю.

— Ну, — с улыбкой тряхнул золотистыми волосами Гуннар, — в таком случае вы — конченый человек.

— Прошу прощения? — недоуменно воззрилась на него Квинби.

— Можно считать, что вы уже согласны у нас работать, — довольным тоном пояснил парень. — Судя по всему, под твердой кожурой вашего благоразумия скрывается мягкая, нежная, как зефир, сердцевина. Стоит вам хоть раз увидеть Эндрю, и вы войдете в ступор.

— Нет во мне никакой... мягкой сердцевины. Разумеется, я люблю детей, иначе не посвятила бы свою жизнь тому, чем занимаюсь, но слабой женщиной меня никто не называл.

— Да что же плохого в мягкости? — спросил мужчина, глядя на Квинби с легким удивлением. — Лично мне нравится в людях это качество. Возьмите, к примеру, меня. Когда дело касается детей, я становлюсь мягок, как рыхлый весенний снег.

— А когда дело касается автоматчиков на крыше?

— Не-а. — Он внезапно выпрямился в полный рост и стал размахивать руками при виде самолета, уже приближающегося к посадочной полосе. — А вот и Марта. Я велел ей не садиться, если она не увидит нас на этом месте.

«Лэр-джет» коснулся бетонного поля легко, как перышко. Видимо, Гуннар не преувеличивал, называя эту Марту первоклассным пилотом, восхищенно подумала Квинби, наблюдая, как самолет подкатывает к ним.

— А как бы она поступила, если бы нас здесь не оказалось?

— Отвезла бы Эндрю обратно в Седихан.

— И бросила бы вас одного? — удивленно расширила глаза Квинби.

— Я же объяснил вам, что мы не можем рисковать жизнью Эндрю. — Он взглянул в сторону башни. — Что-то наши друзья, в кавычках, ведут себя подозрительно тихо. Нужно поскорее отсюда убираться.

Дверь самолета открылась, и в люке появилась симпатичная подтянутая женщина. Ей было сильно за пятьдесят, но выглядела она великолепно. Коротко остриженные седеющие волосы причудливо контрастировали с алым обтягивающим комбинезоном. Она спустила лесенку, и Гуннар по одному передал ей чемоданы Квинби.

— Проблемы были? — осведомилась Марта.

— Пустяки. Познакомьтесь, — сказал он и представил женщин друг другу: — Марта Дэнброу — Квинби Свенсен.

— Очень приятно, — пробормотала Квинби. — Боюсь, я не такой отчаянный человек, чтобы называть двух автоматчиков на крыше «пустяками».

— Гуннару не привыкать к стычкам, — спокойно сообщила Марта. — Он в таких делах собаку съел. — Ее рукопожатие было твердым и дружеским. Дружеской была и ее улыбка. — Устраивайтесь поудобнее. — Мотнув головой в сторону зашторенной ниши в хвостовой части самолета, она пояснила: — Эндрю сейчас спит, но его нужно разбудить через... — она кинула быстрый взгляд на Гуннара, — через сорок минут, правильно?

— Через пятьдесят пять минут он проснется сам, — сказал тот. — Я рассчитал время с запасом — на случай всяких непредвиденных обстоятельств.

То, с какой точностью молодой человек определил время пробуждения мальчика, могло означать только одно, и в бирюзовых глазах Квинби блеснул недобрый огонек.

— Вы дали ребенку снотворное, чтобы он спал во время всего перелета?

— Я ничего такого не говорил...

— А как иначе, черт побери, вы можете определить, когда он проснется! — Она сжала кулаки. — Значит, так: теперь за Эндрю отвечаю я, и я не разрешаю давать ребенку таблетки. Только в самых крайних случаях. Я не позволю, чтобы...

— Подождите. — Гуннар поднял ладонь, заставляя ее умолкнуть. — Успокойтесь. Я не давал ему никаких таблеток. Честное слово, Квинби.

— А что же тогда?

— Гипноз, — ответил ее собеседник. — С самого раннего возраста Эндрю прекрасно поддается гипнотическому внушению. В нем намеренно вырабатывали эту восприимчивость. Элизабет и Джон полностью разделяют ваше неприятие таблеток и всегда считали, что в случае какого-либо недомогания для мальчика будет гораздо безопаснее подвергаться гипнозу, нежели воздействию каких-то пилюль.

— Эндрю обожает Гуннара, — подтвердила Марта. — Он чрезвычайно чувствительный ребенок, и когда, подлетев к аэродрому, мы разобрались в том, что творится внизу, то решили прибегнуть к гипнозу. Если бы Эндрю увидел, какой опасности подвергается Гуннар, он бы, вероятно, получил сильнейший стресс.

— Понятно, — сказала Квинби, но лицо ее попрежнему хранило озабоченное выражение. — Хотя, должна признаться, я не слишком хорошо разбираюсь в гипнозе.

— Это совершенно безопасно, — мягким тоном пояснил Гуннар. — Я люблю Эндрю и никогда не сделал бы ничего, что могло бы ему повредить. Вы верите мне, Квинби?

Ей не оставалось ничего другого. Взгляд его глаз был открытым и искренним.

— Я верю вам.

— Вот и хорошо. А теперь сядьте и пристегнитесь, а я попробую уговорить Марту, чтобы она дала мне порулить. — Он льстиво улыбнулся женщине-пилоту. — Ты ведь обещала пустить меня за штурвал, если я буду хорошо себя вести.

— Что-то не припомню, чтобы ты хоть когданибудь вел себя хорошо, — откликнулась Марта, направляясь в носовую часть самолета. — Или хорошим поведением называется то, что ты рискуешь своей головой? Как по-твоему, что скажет комитет, когда узнает о том, что ты здесь сегодня вытворял?

— А что тут особенного? Устроил хорошую взбучку плохим парням, — невинным тоном заявил Гуннар.

Марта оглянулась и смерила его холодным взглядом.

— Не придуривайся, Гуннар. Ты слишком ценен для всех нас и не имеешь права рисковать...

Конец фразы Квинби не расслышала, поскольку разговаривающие вошли в кабину пилотов, и дверь за ними захлопнулась. Несколько мгновений она смотрела прямо перед собой. Ей казалось, что какая-то неведомая сила втянула ее в самый центр бушующего урагана. Господи, в какую историю она вляпалась?

Гуннар Нильсен был самым необычным мужчиной, с которым ей доводилось встречаться. Он обладал буквально завораживающим обаянием. Разве иначе оказалась бы она в этом самолете, даже подозревая, что ее втягивают в деятельность какой-то преступной группы? Однако, если Гуннар и гангстер, он далек от ставшего привычным стереотипа бандита, а Марта Дэнброу выглядит не менее благообразно, чем Ингрид — родная бабушка Квинби.

Самолет начал разбег по взлетной полосе. Квинби поспешила к красному бархатному креслу, на которое ей указала Марта, села и пристегнулась ремнями безопасности. Затем она откинулась на спинку сиденья, закрыла глаза и постаралась расслабиться. Она же возвращается в Соединенные Штаты, в конце концов. Когда настанет время, она сама примет решение, основываясь на доводах здравого смысла.

Гуннар Нильсен вряд ли будет растрачивать свое обаяние, чтобы убедить ее взяться за эту работу. Мужчины, обладающие привлекательной внешностью, привыкли, что вокруг них постоянно вьются женщины, готовые ловить каждую их улыбку, и поэтому редко одаряют вниманием таких, как Квинби Свенсен.

Да, когда придет время, она сама примет решение. Но Гуннар Нильсен тут будет ни при чем.

* * *

— Кофе?

Открыв глаза, Квинби увидела стоящую рядом Марту Дэнброу. В руке она держала чашку, от которой поднимался ароматный пар.

— Да, спасибо.

Квинби взяла чашку и с наслаждением стала пить горячую черную жидкость. Она имела необычный привкус имбиря и корицы. Квинби подняла удивленный взгляд на Марту.

— Очень вкусно, но я никогда не пробовала ничего подобного.

— Гуннар любит такой кофе. Привык к нему в Седихане. Лично я предпочитаю обычный кофе, но, — Марта презрительно скривилась, — большинство обслуживающего персонала в Марасефе — женщины, и все они сходят с ума, стараясь предугадать любое желание Гуннара. — Марта улыбнулась. — Хотя что в этом удивительного? Пора бы мне к этому привыкнуть.

— Значит, вы с ним уже давно работаете?

— Я являюсь его пилотом уже четыре года. Гуннар и сам прекрасно летает, но в «Кланаде» решили, что он слишком любит рисковать, и прикрепили к нему меня. Они считают, что мои седины и почтенный возраст окажут на него умиротворяющее воздействие. — Она тряхнула волосами. — Какая чепуха! Первое, что сделал Гуннар, так это купил мне несколько вот таких ярко-красных комбинезонов для прыжков с парашютом, а после этого заявил, что никто в здравом уме не может воспринимать такую сногсшибательную женщину, как я, в качестве бабушки. Потом Гуннар попытался сосватать меня за нескольких своих друзей чуть старше его самого. — Марта беспомощно развела руками. — В итоге раньше, чем я успела сообразить, что к чему, он окончательно добился своей цели.

— Какой именно? — с деланным безразличием спросила Квинби, вглядываясь в разводы кофейной гущи на дне чашки.

— Я оказалась во власти его обаяния, и теперь он вертит мной как хочет.

Квинби не могла поверить, что такая зрелая, уверенная в себе женщина может оказаться во власти кого-либо и чего-либо.

— Выходит, он неплохо умеет манипулировать людьми? — осведомилась Квинби.

— Гуннар-то? «Манипулировать» — слишком слабо сказано. Он просто меняет все вокруг себя таким образом, чтобы ему было удобно, но, надо признать, никогда не использует людей в своих целях. И каким-то непонятным образом после его вмешательства все меняется в лучшую сторону. — Лицо Марты смягчилось. — Гуннар еще тот фрукт!

Да, подумала Квинби, похоже, он умеет очаровать любого.

— Вы разрешили ему поднять самолет в воздух? — спросила она.

Марта кивнула и выпрямилась в полный рост.

— Он с самого начала знал, что я не смогу ему отказать. Гуннар, как никто другой, умеет читать чужие мысли, будто проникает внутрь собеседника. У него прямо какой-то дар в этом смысле.

Проникает внутрь... Это звучало забавно.

Марта повернулась и напоследок обронила:

— Думаю, мне лучше вернуться в кабину, пока Гуннар не решил отвезти нас на Багамские острова вместо Олбани. Он, знаете ли, вполне на такое способен.

— Не знаю. Мы с ним еще мало знакомы.

Марта бросила на нее быстрый взгляд через плечо.

— И вы ему не доверяете?

Квинби посмотрела ей в глаза.

— А я должна? Вы же сами только что сказали мне, что он — безрассудный и избалованный.

— Первое — правда, но я не говорила вам, что он избалован. Гуннар умеет получать все, что захочет, но не потому, что он требует этого. Это объясняется лишь тем, что он... — Она помолчала, подыскивая подходящее слово? — ...любящий.

— Любящий?

Марта кивнула.

— Я никогда не размышляла об этом. Но, наверное, это вполне естественно — отдавать все человеку, который любит тебя и считает особенной. Так вот, Гуннар считает особенными всех, с кем общается, и, я уверена, на свете существует очень немного людей, которых он не любит.

— Вы нарисовали очень необычный портрет.

— Сами увидите. — Марта положила ладонь на ручку дверцы, ведущей в кабину пилотов. — Тем более что он действительно необычный.

Да здесь все необычно, в растерянности размышляла Квинби. Какая-то загадочная корпорация, которая формирует команды, состоящие из бабушек и головорезов, чтобы остудить пыл последних, ребенок, страдающий от какого-то таинственного недуга, мужчина, перед которым все преклоняются потому, что он, видите ли, «любящий».

Если в ней еще осталась хотя бы капля рассудка, сразу же после того, как «Лэр-джет» приземлится в Олбани, Квинби следует первым же рейсом вылететь в Миннесоту. Сколько времени прошло с тех пор, как она в последний раз навещала своих родителей? Как-то они справляются на своей ферме? Даже подумать страшно! Она скопила достаточно денег, чтобы продержаться несколько месяцев, так что без этой работы можно и обойтись.

Дверь кабины открылась, и на пороге появился Гуннар Нильсен. Обернувшись, он сказал:

— Но в мае в Монте-Карло так красиво! Прилетим мы днем раньше или днем позже — какая разница?

— Мы летим в Олбани, и никаких разговоров! — стальным голосом ответила Марта.

— Ладно, — вздохнул Гуннар. — Я просто подумал, что Квинби будет любопытно хоть раз в жизни сыграть в рулетку. — С этими словами он закрыл дверь и, дружелюбно улыбаясь, направился к креслу Квинби. — Я сделал все, что мог. Марта иногда бывает так же неумолима, как старший сержант, который командовал мной, когда я был в армии. — Мужчина плюхнулся в соседнее кресло, и Квинби ощутила исходящий от него свежий и горьковатый запах одеколона. — Похоже, мы направляемся прямиком в штат Нью-Йорк. А мне так хотелось увидеть вас в изумрудном платье от Диора, перебирающей фишки возле стола с рулеткой! — Его глаза, устремленные на нее, сузились. — А может быть, даже с сигаретой в длинном янтарном мундштуке.

— Я не играю в азартные игры, у меня нет и, судя по всему, никогда не будет платья от Диора, и я не курю, — сухо отчеканила Квинби. — В Монте-Карло как-нибудь обойдутся и без меня. Для своего «портрета в интерьере» вы выбрали не ту женщину.

На его губах заиграла ленивая улыбка.

— А по-моему, наоборот. Мне кажется, я выбрал именно ту женщину, которую надо. Теперь мне остается и вас приучить к этой мысли.

У Квинби снова перехватило горло, и она торопливо отпила кофе.

— Не сомневаюсь, что вы привыкли иметь дело с умопомрачительными женщинами, которые удачно вписываются в обычный для Монте-Карло интерьер, но, уверяю вас, я там буду совершенно не к месту. Я не принадлежу к кругу избранных.

— Мне это известно, — усмехнулся Гуннар. — Именно поэтому вы будете выглядеть там просто потрясающе. Вы бы не стали воспринимать всю эту дребедень всерьез и получили бы массу удовольствия.

Обдумав его слова, Квинби с удивлением поняла, что и впрямь получила бы удовольствие от такого непривычного развлечения.

— Как вы умеете понимать людей!

— В общем-то, да. Случается, конечно, что и я проявляю близорукость, но в отношении вас у меня повышенная чувствительность. — Гуннар неотрывно смотрел на Квинби. — Хорошо, что вы не курите.

— Почему?

— Это заставило бы меня волноваться за ваше здоровье, — бесхитростно ответил он.

Внутри Квинби разлилась теплая, словно солнечный свет, волна безотчетной благодарности. Она с трудом отвела от него глаза.

— Это всего лишь проявление здравого смысла — воздерживаться от курения, которое, как вы только что сами сказали, вредно для здоровья.

— И все же я продолжаю настаивать на том, что вы в своих поступках не всегда руководствуетесь здравым смыслом.

— Я сказала, что вы понимаете людей, но не говорила, что вы способны читать мысли, — возразила Квинби. — Для того, чтобы судить о таких вещах, вы еще недостаточно хорошо меня знаете.

Гуннар снова улыбнулся.

— Я и не утверждаю, что могу читать ваши мысли, но мне кажется, что я вас все-таки знаю, Квинби. — Его улыбка растаяла. — Прежде, чем ваша кандидатура на эту должность была рассмотрена, вашу биографию внимательно изучили.

Ее взгляд метнулся к его лицу.

— Мою биографию? Изучили?

— Ну-ну, не стоит так возмущаться. Вы же сами понимаете: Джон и Элизабет могли доверить своего сына только надежному человеку.

— В Лондоне, в агентстве по найму, на которое я работаю, есть мое исчерпывающее досье. Не понимаю, для чего могли потребоваться какие-то дополнительные... исследования.

— В досье содержится лишь поверхностная информация, — проговорил Гуннар и, глядя в потолок, заговорил по памяти: — Квинби Свенсен, двадцати семи лет, незамужняя, родилась и выросла на ферме в двухстах километрах от города Сент-Пол, штат Миннесота, старший ребенок в семье, имеет четырех братьев и трех сестер. Изучала музыку в университете Миннеаполиса по классу арфы. — Теперь он смотрел прямо в глаза Квинби. — Нам не известно, почему вы решили бросить музыку, когда вас пригласила престижная школа в Лондоне, которая готовит и трудоустраивает по всему миру квалифицированных специалистов по уходу за больными детьми. Вы проучились там полтора года и после окончания работали уже в трех семьях. Вы были няней гиперактивной дочери одной кинозвезды, затем ухаживали за больным астмой ребенком автомобильного магната и, наконец, выхаживали сына-инвалида премьер-министра страны, из которой нам только что так успешно удалось смыться. Все ваши прежние наниматели превозносят вас буквально до небес. Все они предлагали вам очень большие деньги, чтобы только вы согласились у них остаться. — Гуннар помолчал. — Но вы каждый раз отвечали отказом. Самый длительный срок, который вы, мисс Свенсен, пробыли с одним и тем же ребенком, составляет два года. Эта ваша миссис Далкейт из агентства полагает, что вам нравится сложная работа, и как только ребенок уверенно идет на поправку, вы принимаетесь искать новое место. Мы тоже так думали до тех пор, пока не получили отчет от наших людей.

— Правда? — настороженно спросила Квинби. — И что же такое они вам сообщили, после чего вы изменили свое мнение?

— Вы боитесь оставаться надолго в одной и той же семье, — осторожно произнес он. — Вы — человек сильных чувств и начинаете привязываться к этим детям. Вам и без того каждый раз было невероятно тяжело уходить. Останься хоть на день дольше, вы бесповоротно привязались бы к ребенку, который не является вашим.

Квинби была потрясена. Она ощутила себя так, будто ее раздели и выставили на всеобщее обозрение.

— Да, вы составили исчерпывающий психологический портрет.

Гуннар внезапно накрыл ладонью руку девушки, лежавшую на подлокотнике кресла.

— Не пугайтесь, Квинби. Я чувствую, что вы... — Он умолк. — Послушайте, ведь это прекрасно, когда человек способен на такую привязанность! На свете очень мало людей, умеющих любить всем сердцем и душой. Большинство из нас предпочитает заползти в собственную раковину и ничего не отдавать окружающим. А вы — другая. Вы отдаете всю себя и ничего не требуете взамен. Это редкий дар, Квинби.

Ее рука напряглась под его сильными пальцами. Нужно убрать ее. Прикосновение Гуннара вызывало трепет глубоко внутри нее, и она прекрасно понимала, что это означает. Ей не хотелось думать, что этот золотоволосый сорвиголова заставляет ее испытывать возбуждение. Он принадлежал к совершенно иному миру, и между ними не могло быть ничего общего. Она будет полной дурой, если станет делать далеко идущие выводы, основываясь на нескольких загадочных фразах, произнесенных мужчиной, привыкшим, судя по всему, получать от женщин все, что захочет.

Квинби облизнула губы.

— Я вовсе не стыжусь своей сентиментальности. Мне лишь не нравится, когда ее выставляют напоказ всем и каждому.

— Но я — не «все». — Его пальцы сжались. — Я — Гуннар, и рядом со мной вы можете чувствовать себя совершенно спокойно. Я никогда не поступлю с вами так, как это сделал Лакруа.

— Лакруа?! — Глаза Квинби расширились. — Да вы и впрямь провели исчерпывающее «исследование». — Она отдернула руку. — И весьма наглое. Моя личная жизнь никого не касается, черт побери! И не имеет ничего общего с моей профессиональной деятельностью.

Гуннар сконфузился.

— Извините. Случайно вырвалось. Вы совершенно правы: я знаю о вас больше, чем вы обо мне, и это ставит нас в неравное положение. Хотите, расскажу вам о Мари-Энн?

Квинби растерянно уставилась на собеседника.

— А кто это?

— Мари-Энн Мино — мое последнее увлечение. Я уверен, она не стала бы возражать против того, чтобы я вам о ней рассказал. Между нами, впрочем, не было ничего серьезного — не так, как у вас с Раулем Лакруа. — Гуннар нахмурился. — Мне почему-то не нравится думать о том, что между вами было. Никогда не считал себя ревнивым, но...

— Не пойму, о чем вы говорите?!

Молодой человек удивленно глянул на девушку.

— Предлагаю обмен: я рассказываю вам о своем романе, вы мне — о своем. Это справедливо, и нам будет гораздо легче общаться.

— Нам не надо общаться. Мы чужие люди.

— Вот именно, — радостно кивнул удовлетворенный ее понятливостью Гуннар, — чужие. Поэтому мне и захотелось узнать о вас побольше, причем сразу же, с первого взгляда. Я хочу спасти вас и наблюдать, как вы раскрываетесь — лепесток за лепестком.

Этот человек ставил ее в тупик каждой своей фразой.

— Кроме того, чтобы быть до конца честным по отношению к вам, я не стану вас торопить. Я не хочу пользоваться своим преимуществом. — Внезапно он хмыкнул. — Нет, конечно, хочу, но не таким образом.

Квинби смотрела на него с беспомощным возмущением.

— А каким?

— О Господи! А я еще собирался быть скрытным. Нужно было заранее сообразить, что из этого ничего не выйдет. В таком случае мне, наверное, лучше быть с вами предельно откровенным. — На его губах появилась довольная улыбка. — Я намерен играть на вашем чудесном теле, как на струнах арфы, я выучу все до последней мелодии, которые оно в себе таит, а потом научу вас тем, которые скрыты внутри меня. — Он помолчал и добавил: — И если нам улыбнется удача, мы будем вместе исполнять эти мелодии на протяжении следующих пятидесяти лет или около того.

У Квинби перехватило дыхание. Не может быть, чтобы он говорил все это всерьез.

— Как поэтично, — насилу улыбнулась она. — Хорошо, что мы с вами уже выяснили, насколько я рациональна и прагматична, иначе я могла бы принять ваш треп за чистую монету. А скажите-ка, вы подкатываетесь ко всем няням вашего крестника?

— Вы станете его первой няней. — Губы Гуннара вздрагивали от едва сдерживаемой улыбки. — Вы мне не верите?

— Конечно же, нет. Я не принадлежу к числу тех женщин, от которых мужчины теряют голову. — Квинби старалась, чтобы ее голос звучал спокойно и рассудительно. — Я в меру умна и привлекательна, но уж роковой женщиной меня никак не назовешь. Да я и не хочу ею быть. Мне всегда казалось, что в современном мире Далила чувствовала бы себя крайне неуютно. Предпочитаю относиться к категории «середняка».

Середняк? Гуннар окинул взглядом ее блестящие золотистые волосы до плеч, тонкие черты лица и с сожалением подумал: «А ведь эта женщина действительно считает, что обладает вполне заурядной внешностью. Что же за идиот был этот Лакруа, если заставил ее сомневаться в том, что она красива и при этом совсем не похожа на других!» Гуннар испытал прилив азарта и веселой злости. Он и только он покажет ей, что она собой представляет и какой может быть. Как же ему повезло!

Но не теперь. Он и так взял чересчур быстрый темп и напугал ее. Если продолжать в таком же духе, Квинби начнет от него шарахаться.

— Мне всегда нравились высокие блондинки скандинавского типа, — проговорил он с деланной беззаботностью. — Это моя слабость. Вы ведь шведка по происхождению?

— Да. — Квинби решила, что ее собеседник просто развлекается ни к чему не обязывающей болтовней. Эта мысль почему-то уколола ее, но она не обратила на это внимания. — Мои дедушка и бабушка — Олаф и Ингрид — оказались в Миннесоте в 1915 году, еще подростками. Нильсен ведь тоже скандинавская фамилия, верно?

— Да, но я в отличие от вас не могу сказать, что у меня шведские корни. Нильсен — не настоящая моя фамилия. Джону всегда казалось, что я похож на шведа, поэтому, когда мне пришлось выбирать вымышленное имя, я остановился на «Нильсен».

— Вымышленное имя? — изумленно переспросила женщина. — А зачем оно вам понадобилось?

— Ага, подозрительность снова поднимает голову! — весело сказал Гуннар. — Давайте договоримся так: я тоже буду раскрываться перед вами постепенно, а не одним махом.

— А мне не хочется рисковать и соглашаться на новую работу с завязанными глазами.

— И все же вы это сделаете. — Обнаженные в широкой улыбке зубы ослепительно блестели на его загорелом лице. — Потому что у меня есть туз в кармане. Вы еще не видели Эндрю. Один взгляд на него, и вам конец.

— Это вы уже говорили, — нетерпеливо ответила Квинби. — И на мое решение не повлияет...

— Мне уже можно вставать?

Они как по команде повернулись к зашторенной нише в хвостовой части самолета. Этот хрипловатый голос раздался из уст маленького хрупкого мальчика в джинсах и желтой футболке с надписью «ЗВЕЗДНЫЙ ПУТЬ» и белых теннисных туфлях.

Квинби обреченно вздохнула. Если это Эндрю, значит, Гуннар был прав, и она действительно конченый человек.

Глава 2

— Конечно, — сказал Гуннар и протянул мальчику руку. — Мы ждем, когда ты наконец проснешься. Верно, Квинби? Иди сюда, я познакомлю тебя с этой леди.

Эндрю пулей выскочил из ниши и через секунду уже устроился на руках у Гуннара, прижавшись к нему с доверчивостью маленького зверька.

— Я знаю, кто она такая. Как поживаете? — проговорил он, протягивая ей руку с трогательным достоинством. — Я давно вас жду, мисс Свенсен.

Квинби хотелось наклониться и обнять ребенка. Сияющие карие глаза смотрели на нее с любопытством и без всякого страха. Было очевидно, что этот ребенок за всю свою ребячью жизнь видел лишь ласку и любовь. Его шелковая кожа и золотые кудряшки не вязались с хриплым голосом, но весь он был таким солнечным и теплым, что рядом с ним растаял бы и айсберг.

Тщательно подбирая слова, чтобы мальчик не почувствовал в ее голосе жалости, она пожала маленькую ручку и сказала:

— И я давно хотела познакомиться с тобой, Эндрю. Ты хорошо поспал?

По лицу ребенка промелькнула легкая тень и тут же исчезла. Он еще крепче прижался к Гуннару.

— Ну-у-у... Неплохо.

Гуннар обнял мальчика за плечо.

— Опять сны? — спросил он.

Эндрю ответил не сразу, а затем туманно сказал:

— Тени. — Он улыбнулся, и у Квинби перехватило дыхание. В этой улыбке слились одновременно лукавство, радость и очарование. — В следующий раз я пойду с тобой, а то ты развлекаешься, а я должен спать. Что там было?

— Ничего особенного. Я побегал по взлетному полю, помог Квинби с ее чемоданами и вернулся к самолету.

Эндрю скептически покачал головой.

— Ты бы не уложил меня спать, если бы не ожидал неприятностей. В следующий раз бери меня с собой.

Гуннар рассмеялся.

— Когда Квинби опять попадет в беду, я разрешу тебе самому выручить ее, ладно?

Эндрю повернулся к Квинби. В глазах его сквозило недоверие.

— А что, скоро ожидаются новые неприятности?

Квинби не выдержала и тоже рассмеялась.

— Пока на горизонте чисто, но как только тучи сгустятся, я немедленно дам тебе знать.

— Благодарю вас. — Эндрю склонил голову в изысканном старомодном поклоне. — Только не говорите об этом Гуннару. Он пожадничает, а ему и так достаются все приключения.

— Я запомню это, — торжественно пообещала она.

— Можно мне пойти в кабину, к Марте? — просительным тоном обратился Эндрю к Гуннару. — Она учит меня работать с рацией.

— Валяй, — согласно кивнул тот. — Только напомни ей дать тебе стакан апельсинового сока, прежде чем ты приступишь к основам теории.

Эндрю скорчил недовольную рожицу.

— Не люблю апельсиновый сок. Лучше я выпью твой кофе.

— Лишний кофеин тебе ни к чему. К тому же я жадный не только на приключения, но и на кофе.

На лице мальчика отразилось смущение.

— Я же шутил, сам знаешь. Я вовсе не имел в виду, что ты и вправду жадный. Ты не...

Гуннар протянул руку и нежно приложил пальцы к губам Эндрю, призывая его к молчанию.

— Конечно же, я знаю, что ты пошутил. — Неожиданно его взгляд, устремленный на мальчика, стал чрезвычайно сосредоточенным, словно он пытался что-то внушить своему маленькому подопечному. — Ты должен был понять это, Эндрю. Если бы ты дал себе труд подумать, ты бы понял...

Эндрю торопливо соскочил на пол и сказал:

— Я выпью апельсиновый сок. — Затем он улыбнулся Квинби. — Увидимся позже. — И отправился в кабину пилота.

Квинби смотрела на мальчика до тех пор, пока за ним не захлопнулась дверь.

— Изумительный ребенок. По-моему, я в него уже влюбилась.

— Это вполне нормально, — откликнулся Гуннар. — Мы все влюблены в Эндрю.

— Он выглядит старше своих пяти лет. И так прекрасно говорит!

Гуннар тоже посмотрел на дверь, за которой скрылся мальчик.

— Он мог бы выражать свои мысли куда лучше.

— Не согласна. Он и без того производит впечатление очень умного ребенка.

Гуннар перевел на нее взгляд.

— Я этого и не отрицаю. У него необычайно высокий коэффициент умственного развития. Вы лучше сразу уясните это. Эндрю уже изучает теорию Эйнштейна, так что с ним нельзя обращаться, как с обычным ребенком. — Черты Гуннара немного смягчились — Но иногда он так же подурачится, как и любой мальчик его возраста.

— В этом и заключается проблема Эндрю? Одаренные дети нередко испытывают трудности, пытаясь приспособиться к окружающему миру.

— Лишь отчасти, — сказал Гуннар. — На самом деле его проблема гораздо сложнее.

Квинби ожидала продолжения, но его не последовало.

— Как же я могу ему помочь, если вы не рассказываете, в чем суть дела? — спросила она, устав ждать.

— От вас не потребуется никаких особых усилий. Вы поможете ему, просто если будете рядом, Квинби Свенсен. — Он протянул руку и коснулся кончиком пальца ее щеки. — Я стараюсь создавать такие ситуации, такие условия, которые заставят его самостоятельно справиться со своими проблемами.

— И какая же роль в этой, гм-м, ситуации отводится мне?

— Ничего сложного. У меня в запасе имеется нечто вроде катализатора, которому отводится основная роль, а ваша — будет пассивной. Вам лишь предстоит окружить Эндрю любовью и заботой, когда он будет в этом нуждаться. Вам предстоит стать удобной мягкой подушкой, на которую иной раз упадет малыш, когда ему будет трудно. На эту роль могла бы сгодиться и Элизабет, мать Эндрю, но они с сыном слишком близки, а это в данном случае может помешать. Мы решили, что, если ее не будет рядом, мальчик станет вести себя более самостоятельно.

— Но какая разница, кто будет поддерживать Эндрю — я или его мать? — немного обиженно спросила Квинби. — Ничего не понимаю.

— Да, — улыбнулся он. — К сожалению. Но со временем все фрагменты этой головоломки встанут на свои места. Обещаю вам рассказать все до последней мелочи, когда я увижу, что вы к этому готовы.

— Ради всего святого! К чему именно я должна быть готова?

Гуннар убрал руку от ее лица.

— Почему вы все-таки выбрали арфу?

Сбитая с толку столь резкой сменой темы разговора, Квинби моргнула и ошеломленно переспросила:

— Что?

— Арфа — довольно старомодный инструмент, да и таскать ее с собой тяжеловато.

— Я влюбилась в этот инструмент, как только услышала его звучание в первый раз. Мне тогда показалось, что я никогда не слышала ничего прекраснее. Впрочем, что это вы мне зубы заговариваете? Если не хотите о чем-то говорить, то и не надо. Но не пытайтесь запудрить мне мозги. Я во всем предпочитаю искренность.

Гуннар ухмыльнулся.

— Я не хотел говорить о своих планах, но одновременно с этим мне хотелось узнать, почему вам вздумалось играть на арфе. Я хочу знать про вас абсолютно все. — Улыбка исчезла с его лица, а глаза сузились. — Все до мельчайших деталей.

Квинби почувствовала, как вспыхнули ее щеки, и, поняв, что он наверняка заметит этот предательский румянец, поспешила отвернуться.

— Хочу сразу предупредить вас: я не буду участвовать ни в каких незаконных предприятиях. Мои обязанности ограничиваются заботой о мальчике.

— Обещаю вам это, — торжественно склонил голову Гуннар. — Когда мне понадобится встретиться с членами мафии, я постараюсь делать это вне дома.

— Кроме того, я настаиваю на том, чтобы наши с вами отношения строились исключительно на деловой основе и чтобы вы воздерживались от любых попыток... — Квинби умолкла, затрудняясь найти подходящее слово.

— Соблазнить вас? — подсказал Гуннар. — Нет, на этот счет — никаких сделок. Но соблазнять я вас действительно не собираюсь. Я всего лишь подведу вас к пониманию того, что же для нас обоих лучше. — Он встретился с ней взглядом и продолжил: — Даже в том случае, если вы не справитесь со своей работой и я подберу для Эндрю другую «подушку», мы все равно продолжим наши отношения, пусть на ином уровне.

— Но разве вы не видите... — начала она и подняла руки в бессильном протесте. По выражению его лица она поняла, что Гуннар сделает именно так, как сказал. — Вы требуете от меня чересчур многого, не предлагая ничего взамен. А сами...

— Мне тоже придется кое с чем смириться. Я привык скользить по поверхности. Как вдруг невесть откуда появился девятый вал в вашем лице и накрыл меня с головой. — Черты Гуннара внезапно заострились. — Но я полностью и без оговорок принимаю это, Квинби. Каждый из нас должен, поняв, кто он, стремиться к тому, чтобы стать лучше. А мы можем стать лучше... вместе.

Она была окончательно сбита с толку.

— Гуннар, я не...

— Ш-ш-ш, — прикоснувшись кончиками пальцев к ее губам, он заставил ее замолчать, как несколько минут назад сделал это с Эндрю. — Не надо торопиться. Я и сам не отличаюсь терпением, но постараюсь им запастись. Я очень запасливый, как белка. — Он отвел руку от лица Квинби и снова накрыл ею ладонь женщины. — А теперь... Рассказать вам о Милл-Коттедж?

Гуннар почувствовал, что напряжение постепенно отпускает его спутницу.

— Что такое Милл-Коттедж?

— Так называется место, в котором мы проведем лето. Это фамильное имение Элизабет, матери Эндрю. Ему уже больше двухсот лет. Оно расположено на берегу реки. Раньше там была водяная мельница, и до сих пор сохранилось колесо, которое по-прежнему крутится.

— Наверное, там красиво?

— О, да! Элизабет очень любит Милл-Коттедж и давно мечтала о том, чтобы Эндрю тоже его увидел. Мебель там в основном старинная, но довольно удобная. Само имение расположено в сельской местности к северу от Олбани и окружено рощами и лугами.

Гуннар продолжал расписывать прелести и красоты Милл-Коттедж и чувствовал, как с каждым его словом расслабляются напряженные мышцы Квинби. Ах Лакруа, подонок! Что же он с ней сделал, если она до такой степени боится мужчин? В душе Гуннара внезапно вскипела ярость, глаза заволокло красной пеленой. Черт, а он-то думал, что научился подавлять в себе это внезапное бешенство. В последний раз он испытал подобное чувство, когда увидел своих отца и мать лежащими... Нет! Гуннар отогнал от себя это воспоминание. Он знал, что злоба и боль не помогут. Для человека с таким темпераментом, как у него, они лишь представляют опасность. Он знал это наверняка. Он должен навсегда похоронить в себе память о том дне.

— Гуннар, с вами все в порядке? — озабоченно спросила Квинби, увидев, как изменилось его лицо.

Он постарался изобразить беззаботную улыбку.

— По-моему, я начал видеть сны наяву. Так на чем мы остановились? Ах да, на Милл-Коттедж. Я нанял одного постоянного служащего — мастера на все руки — и горничную, которая будет приходить два раза в неделю. Готовить, если вы не возражаете, я буду сам. Я это очень люблю.

— Не возражаю. — Квинби поерзала, удобнее устраиваясь на сиденье.

Нет, он не видел сны наяву. Они не смогли бы внезапно превратить лицо Гуннара Нильсена в застывшую маску ненависти. Она вздрогнула, припомнив слово, пришедшее ей на ум в тот момент, когда, вырвавшись из мрачной тучи своих мыслей, он вернулся в этот мир и снова превратился в беззаботного солнечного человека, известного ей под именем Гуннара Нильсена. Это слово было древним, загадочным, как и то скандинавское понятие, которое оно обозначало, и таким же пугающим и мощным: берсеркер — неуязвимый древнескандинавский воин, яростный и безжалостный.

* * *

Мужчина, стоявший перед входом в Милл-Коттедж, был одет в выбеленные солнцем джинсы и простую рубаху. Казалось, что он находится в постоянном движении. Каждая часть его большого ширококостного тела шевелилась, выражая детское нетерпение. Он подбежал к машине и открыл водительскую дверцу даже раньше, чем автомобиль окончательно остановился.

— Здравствуйте, мистер Нильсен. Я все сделал. Отскреб полы, построил платформу, починил качели, подстриг лужайку. — Его крупные, как у оленя, глаза светились восторгом. — Все выполнил! Все, как вы велели!

— Отлично, Стивен, — похвалил его Гуннар, вылезая из машины и открывая дверцу для Квинби. — Не сомневаюсь, что ты поработал на славу. — Он помог ей выйти из машины и открыл заднюю дверцу для Эндрю. — Познакомься, Квинби: это Стивен Блаунт. Он будет помогать нам этим летом.

Сущее дитя, с явной симпатией подумала Квинби, глядя на Стивена. Этому мужчине было чуть за сорок, в темных волосах уже поблескивала седина, лицо тронуто временем и солнцем, но в его глазах светилась чистая детская восторженность.

— Очень рада познакомиться с вами, Стивен.

— Я тоже, — энергично кивнул головой мужчина. Затем он посмотрел на Эндрю, и в его взгляде появилась робость. — А ты — Эндрю. Мистер

Нильсен рассказывал мне про тебя. Он сказал, что мы с тобой сможем играть, когда я буду свободен. Я построил отличную платформу для домика на дереве. А сам домик пока что делать не стал. Мы с тобой сначала решим, каким он должен быть.

Эндрю смотрел на говорившего с каким-то странным выражением лица. Он явно оценивал этого человека. Наконец мальчик сказал:

— Мне бы хотелось взглянуть на нее.

Лицо Стивена озарилось радостью.

— Прямо сейчас?

Эндрю повернулся к Гуннару.

— Можно?

Тот кивнул.

— Валяй. Я не из тех, кто встает на пути прогресса в области архитектуры. Ужин будет готов часа через полтора.

Стивен склонился к мальчику:

— Тебе понравится то, что я сделал. За рекой растет здоровенный клен. Если мы с тобой ляжем на платформе и не будем шевелиться, то прибегут белки и будут скакать вокруг нас. Иногда они даже позволяют мне потрогать их.

— Как здорово! — Эндрю, не отрываясь, смотрел на Стивена. — Я белок не видел, но в нашем саду в Марасефе полно павлинов. Я тебе про них расскажу. — Его крохотная ладошка скользнула в огромную руку Стивена. — Пошли, покажешь мне.

Квинби проводила их взглядом и внезапно почувствовала, как у нее защемило сердце. Маленький мальчик и большой мужчина, живущие в солнечном детстве. Но Эндрю через некоторое время шагнет и выйдет из него, а вот мужчине суждено оставаться в нем навсегда.

— Не волнуйтесь за Эндрю. — Обернувшись, она встретилась взглядом с Гуннаром. — Стивен очень добрый. Когда я впервые с ним встретился, он сразу напомнил мне Эндрю. Они оба светятся изнутри.

— Светятся?

— А вы разве не замечали, что от некоторых людей словно бы исходит сияние? Стивен — чудесный человек и никогда не позволит, чтобы Эндрю причинили какой-то вред.

— Это я уже поняла. — Она снова посмотрела вслед мастеру и Эндрю. Они уже переходили речку по горбатому деревянному мостику. — Но мне почему-то кажется, что именно Эндрю будет присматривать за Стивеном, а не наоборот.

— Да, — кивнул Гуннар, — Эндрю очень заботлив по отношению к тем, кого любит.

Взгляд Квинби скользнул по его лицу.

— И вы знали, что Эндрю станет заботиться о Стивене, не так ли?

— Я рассчитывал на это. И не без оснований. Поскольку я сам увидел Эндрю в Стивене, то подумал, что и мальчик увидит в нем близкого по духу человека.

— Стивен — умственно отсталый?

— У него нет никаких физических дефектов. Просто чрезвычайно низкий коэффициент умственного развития. До тридцати двух лет он жил в интернате для психически больных людей. Дело в том, что мать бросила его, когда ему было пять лет, и его по недоразумению запихнули в психушку. Лишь несколько лет назад ее пациенты прошли очередное обследование. Тогда и выяснилось, что некоторые из них полностью здоровы.

— Какая трагичная судьба! — потрясенно проговорила Квинби.

— С тех пор Стивен работал в том же интернате посудомойкой, выполнял разнообразные поручения по хозяйству. Интернат был единственным домом, который он знал, а приспособиться в другом мире ему не по силам.

— Представляю, каково ему было. — Стивен и Эндрю вошли в густые заросли кленов, росших вокруг лужайки, и скрылись из вида. Квинби повернулась к парадной двери Милл-Коттедж. — Какую комнату мы отведем Эндрю? Его самого, видимо, мало занимает подобная проза жизни.

— Он будет жить на втором этаже, в комнате, где в детстве жила Элизабет. Окнами комната выходит на реку и мельничное колесо. Она сама так хотела. — Гуннар обошел машину и подошел к багажнику. — Идите в дом и осмотритесь, а я пока займусь багажом. Кстати, я не буду возражать, если вы сварите кофе.

— Я не умею готовить то экзотическое варево, которое вы называете «кофе».

— Ничего, сегодня я обойдусь и обычной американской бурдой. — Гуннар открыл багажник и принялся вынимать чемоданы, ставя их на посыпанную гравием дорожку. — А завтра я научу вас готовить настоящий кофе.

— Насколько я помню, в соответствии с контрактом, в мои обязанности не входит приготовление кофе, — ехидно заметила она, — но так уж и быть...

— Если отношения между Эндрю и Стивеном будут развиваться так, как я задумал, вам придется найти себе какое-нибудь дело, чтобы не скучать. Не станете же вы целый день напролет играть на арфе!

— Послушайте, если у вас есть Стивен, зачем вам я? — непонимающе спросила Квинби. — Судя по всему, вы заранее уверены в том, что я не смогу отработать свою зарплату.

— Ну почему же, я как раз уверен в обратном, — успокоил ее Гуннар и захлопнул крышку багажника. — Надобность в вас обязательно возникнет, и тогда вы окажетесь поблизости. Мягкая, удобная...

Он внезапно умолк и поднял голову, как лесной зверь, почуявший опасность, в его светлых глазах появилась настороженность и тревога. Взгляд Гуннара был устремлен в сторону густого леса, раскинувшегося по другую сторону дороги.

— Что случилось? — Квинби посмотрела туда же, куда и он, но не увидела ничего особенного. Никакого движения, никаких звуков. Даже листья деревьев не шелестели от ветра.

— Наверное, ничего. Мне на секунду показалось, что... — Мужчина пожал плечами. — Идите в дом. Я сейчас тоже приду.

Квинби стала подниматься по ступеням крыльца. Заросший плющом дом был и впрямь чудесным. Неудивительно, подумалось Квинби, что мать Эндрю так гордилась Милл-Коттедж.

— Скажите, а посуда на кухне есть? Для того чтобы сварить кофе, мне понадобится... — Квинби замолкла, увидев, что Гуннар ее не слушает. Он по-прежнему вглядывался в зеленую стену леса через дорогу, а на лице его появилось то же беспощадное, даже злое выражение, как тогда, в самолете. — Гуннар!

Он перевел взгляд на нее и ободряюще улыбнулся.

— Извините. Это место пробуждает множество воспоминаний, среди которых есть и не слишком приятные. — Он наклонился и взял два чемодана. — Горничная отправилась по магазинам за припасами, чтобы наполнить холодильник. А кофе должен находиться в одном из ящиков на кухне. Дайте мне двадцать минут, хорошо? Мне нужно позвонить в Седихан и сообщить Джону и Элизабет о том, что мы добрались благополучно.

— Хорошо, — кивнула Квинби, — двадцать минут.

Затем она открыла дверь и вошла в дом.

* * *

— Ну вот, я рассказал тебе, что твоя радость и гордость в целости и сохранности, а теперь, пожалуйста, позови к телефону Джона. Мне нужно выяснить, оставлять «Лэр-джет» здесь или отправить его обратно в Седихан. А Эндрю перед тем, как ложиться спать, обязательно вам позвонит.

Джон взял трубку уже через несколько секунд.

— Что там с самолетом? Мы же с тобой договорились, что ты отправишь его обратно. Марта тебе больше не понадобится, так что...

— Мне кажется, здесь что-то не в порядке, — лаконично сообщил Гуннар. — Я не стал говорить об этом Элизабет, чтобы не беспокоить ее. Она все еще в комнате?

— Угу.

— В таком случае отвечай мне только «да» или «нет». В отчетах относительно Карла Бардо сообщалось, что после того, как этот «агент спецслужб» был дискредитирован и его вышвырнули из НРБ, он исчез. Теперь скажи, не всплывал ли он где-нибудь на поверхности?

Некоторое время на другом конце провода царила тишина. Вопрос достиг своей цели.

— Нет, — ответил Джон. — Нет.

— Эта организация была распущена?

— На этот счет не может быть сомнений. Мы провели очень тщательное расследование, прежде чем принять решение о... — Джон умолк. — Ты не согласен?

— Не знаю, как насчет разведывательного бюро, но Карл Бардо, возможно, вовсе не исчез. — Пальцы Гуннара сжали телефонную трубку. — И находится очень близко.

— Почему ты так решил?

— Я его почувствовал, черт побери! Хоть раз коснувшись этой мерзости, ее не скоро забудешь. Думаю, ты понимаешь меня, Джон.

— Да, понимаю, — мрачно согласился Джон. — Ты уверен в том, что говоришь?

— Не знаю. Я что-то почувствовал на долю секунды. Может, просто воображение разыгралось. Воспоминания об этом месте и о Бардо слишком живы в моей памяти. — Он сделал глубокий вдох. — Может, нам вернуться?

— Тебе решать.

— Пока все шло так хорошо! Эндрю реагирует именно так, как я рассчитывал. Готов поспорить на что угодно: мой план сработает.

— По-моему, ты уже принял решение, Гуннар. И надеюсь, оно окажется правильным, — с металлом в голосе добавил Джон.

— Иначе ты перережешь мне глотку, не так ли? Но тебе не придется затруднять себя. Если что-то будет не так, я сделаю это собственными руками. Не волнуйся. С Эндрю все будет в порядке. Если я почувствую угрозу, то сразу же отошлю его домой.

— Не сомневаюсь.

— Позвоню тебе завтра вечером. И вот еще что: мне понадобится человек, чтобы присматривать за Эндрю и Стивеном, когда они гуляют по лесу. Может быть, Джадд Уокер. Я с ним уже работал.

— Он будет у тебя завтра же вечером.

— Хорошо. — Помешкав секунду, Гуннар сказал: — Я могу и ошибаться, Джон.

— Я знаю тебя не первый год и не припомню,

чтобы интуиция когда-нибудь подводила тебя. Доверься ей. Так будет лучше всего.

— До свиданья, Джон.

Гуннар положил трубку, но продолжал стоять в эркере кабинета, глядя в окно. Ему было страшно. Он надеялся, что Джон снимет с его плеч эту огромную ответственность, приказав немедленно возвращаться в Седихан. Предчувствие беды, охватившее его возле машины, было столь мимолетным, что казалось не более чем игрой воображения, однако он не имеет права рисковать Эндрю, даже если опасность минимальна. Если бы три грядущих месяца не были так важны для самочувствия ребенка, он немедленно сунул бы всех в машину и погнал ее обратно в аэропорт.

И все же Гуннар отчетливо ощутил прикосновение «мерзости», как он ее называл, и ощущение это было, как и пять лет назад, очень сильным. Но теперь он мог защитить Эндрю и Квинби.

Глава 3

Мальчик закричал.

Квинби рывком села в постели. В этом крике прозвучал ужас, и сразу же вслед за ним последовали всхлипывания.

Она спустила ноги на пол, схватила халат со стула, стоявшего возле кровати, и выбежала из комнаты.

Через несколько секунд Квинби уже распахнула дверь в детскую и включила свет.

— Эндрю!

Мальчик сидел на постели. По щекам его струились слезы, в широко раскрытых глазах застыл испуг, худенькие плечи содрогались от рыданий.

Квинби бросилась к постели и обняла ребенка, крепко прижав его голову к груди.

— Все хорошо, я с тобой. — Она принялась покачиваться из стороны в сторону, баюкая малыша и гладя его по волосам. — Все в порядке. Тебе приснился страшный сон?

Он кивнул. Дыхание толчками вырывалось из его худенькой груди.

— Да. — Судорожно обвив руками Квинби, он добавил: — Тени...

— На новом месте всегда плохо спится, к тому же ты устал с дороги. — Квинби коснулась губами виска ребенка. — Не бойся, это всего лишь сон. Плохой сон, Эндрю.

— Нет, они меня ждут. — Эндрю судорожно вздохнул и доверчиво прижался к ней. — Ты такая же мягкая, как моя мама. С тобой мне спокойно.

Квинби почувствовала, как внутри нее прокатилась теплая волна.

— Тебе и должно быть спокойно. — Она внезапно засмеялась. — И мне нравится, что ты считаешь меня... мягкой. Знаешь, о чем думает Гуннар, когда смотрит на меня? О большой мягкой и удобной подушке. Смешно, правда?

Эндрю перестал всхлипывать и поднял голову, чтобы посмотреть на Квинби.

— Ты нравишься Гуннару. — На ресницах малыша повисли слезы, щеки были мокрыми. — На самом деле ты не напоминаешь ему подушку. — Эндрю наморщил лоб, будто пытаясь что-то припомнить. — Хотя он и вправду говорил что-то про кровать.

Квинби рассмеялась.

— О Господи! По-моему, ты наполовину спишь.

Мальчик насупился.

— Я не сплю. — Он освободился от ее рук. К нему, похоже, вернулось прежнее достоинство. — Я сожалею, что разбудил тебя. Со мной уже все в порядке.

Квинби хотела снова обнять и приласкать мальчика, но почувствовала, что он уже преодолел в себе слабость и сделать это ей не позволит.

— Тебе часто снятся кошмары? — спросила она.

Он вытер глаза рукавом своей пижамы, на которой тоже красовалась большая надпись «ЗВЕЗДНЫЙ ПУТЬ».

— Нет, не очень.

И все же один кошмар у него сегодня уже был — когда он спал в самолете, припомнила Квинби. И тогда он тоже пробормотал это загадочное слово — «тени».

— Если тебе приснится плохой сон, лучше его рассказать, — осторожно сказала она. — Это всегда помогает. Вытащи кошмар на свет, и он растает. Расскажи мне, что тебе приснилось.

Эндрю отрицательно покачал головой.

— Все уже позади. — Он лег и натянул покрывало до самого подбородка. — Сегодня ночью он уже не вернется.

Сегодня ночью — может, и нет, а потом? Судя по всему, мальчику постоянно снится один и тот же сон.

— Я бы с радостью послушала, если, конечно, ты захочешь рассказать мне об этом.

Эндрю закрыл глаза.

— Нет, спасибо.

Квинби поняла, что тема закрыта. Протянув руку, она погладила мальчика по голове.

— Может, принести тебе что-нибудь попить? Чашку горячего шоколада?

— Нет, спасибо.

— Или воды?

Он мотнул головой.

Квинби вздохнула и поднялась с постели. Момент слабости миновал, и Эндрю снова держал себя в руках.

— Может, я посижу рядом с тобой, пока ты снова не заснешь?

Он снова мотнул головой.

Помешкав около кровати, Квинби направилась к двери.

— Квинби!

— Да? — Она повернулась к мальчику.

Глаза Эндрю были опять широко открыты и задумчиво смотрели на нее.

— Где спит Стивен?

— Гуннар сказал мне, что у него над гаражом — комната с ванной.

— Такая же красивая, как эта? — Эндрю обвел взглядом свою комнату, задержав внимание на старинном кресле-качалке и ситцевых подушках диванчика, стоявшего у окна. — Мне нравится эта комната. Она какая-то... теплая.

— Я не знаю, так ли красиво у Стивена, как здесь, но, если хочешь, завтра мы можем зайти к нему и посмотреть, хорошо ли он устроился.

Эндрю с серьезным видом кивнул.

— Так и сделаем. Хорошо бы Стивену... — Он умолк, подыскивая слово. — Ему одиноко. Наверное, у него никогда не было ничего своего, и чтобы... — Мальчик снова запнулся, тряхнул головой и закончил: — Даже не знаю, как сказать. Мне нужно подумать.

— Что-нибудь теплое? — подсказала Квинби.

— Что-нибудь... красивое.

Квинби проглотила застрявший в горле комок.

— Значит, мы должны позаботиться о том, чтобы у него было все, что нужно.

Эндрю радостно улыбнулся и с энтузиазмом закивал головой:

— Ага! Слушай, Квинби, а давай устроим Стивену день рождения? Мне кажется, он будет ужасно рад. Он сказал, что ему еще никогда в жизни не дарили подарков на день рождения. Он даже не знает, когда родился. Вот я и подумал, что мы можем выбрать для него какой-нибудь день, в который он как бы родился, и устроить ему праздник. — Эндрю покачал головой. — Надо же, я думал, у всех людей есть день рождения.

— У Стивена была нелегкая жизнь, Эндрю.

— Я знаю. — Мальчик помолчал. — Это несправедливо, когда у одних людей есть столько всего, а у других вообще ничего нет.

— Да, это несправедливо.

— Он никогда не станет умным? — Взгляды Эндрю и Квинби встретились. — Он не... такой, как надо, правда, Квинби?

— Я думаю, ты должен сам решить это для себя. Мне кажется, в Стивене очень много хорошего. Он добрый, мягкий человек. Гуннар говорит, что он светится изнутри.

Эндрю кивнул.

— Он и вправду светится. Мне бы хотелось, чтобы... — Мальчик закрыл глаза. — В общем, это очень необычно. Тут должна быть какая-то разгадка.

Квинби почувствовала новый прилив нежности к этому ребенку. Он такой маленький, а уже понимает, что существуют вопросы, на которые нет ответа.

— Ну что, а теперь — на боковую?

Мальчик кивнул, но тут же снова открыл глаза.

— Стивен любит звезды. Он рассказывает, что в том месте, где он жил раньше, был один старик, который знал все о звездах и рассказывал про них Стивену разные истории. А потом Стивен лежал на траве, смотрел на звезды и вспоминал эти рассказы. Он говорит, что то же самое мы сможем делать в нашем домике на дереве. У нас тут есть какие-нибудь книжки о звездах?

— Думаю, мы сможем найти что-нибудь в библиотеке. Здесь очень много книг. Ты умеешь читать, Эндрю?

Мальчик посмотрел на нее удивленно и даже с некоторой обидой.

— А как же!

Квинби спрятала улыбку в уголках губ.

— Извини. Просто мне еще никогда не приходилось встречать таких развитых пятилетних мальчиков. Завтра прямо до завтрака мы с тобой отправимся в библиотеку и покопаемся в книгах. — Она взглянула на часы и в притворном страхе широко раскрыла глаза. — Даже не завтра, а уже сегодня.

Гляди, сколько времени: третий час, и нам обоим пора спать. Если хочешь, я могу оставить тебе свет.

— Зачем?

Квинби открыла дверь и обернулась к мальчику. На его лице читалось неподдельное удивление. Какие бы ужасы ни мучили его в снах, но реальности он явно не боялся.

— Да просто так. — Она выключила верхний свет. — Помни: если я тебе понадоблюсь, моя комната — прямо за стенкой. Спокойной ночи, Эндрю.

— Спокойной ночи, Квинби. — Голос мальчика был уже сонным. — До завтра...

Квинби тихо прикрыла за собой дверь.

— Что-то не так? — раздался голос за ее спиной.

Она подскочила от испуга и обернулась, а затем облегченно вздохнула. Гуннар.

— С Эндрю все в порядке?

Гуннар поднимался по лестнице, перескакивая сразу через две ступеньки. Квинби удивило, что он был полностью одет, и даже — в своей неизменной черной кожаной куртке.

— Вы перепугали меня до смерти. — Она шагнула вперед и приложила палец к губам, делая знак говорить тише. — Все в порядке. Эндрю приснился плохой сон, но сейчас, я думаю, он уже уснул.

В коридоре было темно, и она не могла различить лица Гуннара, но почувствовала, что напряжение отпустило его.

— Снова кошмары? — проговорил он глухим голосом. — Он рассказал вам сон?

— Нет, не захотел, но я поняла, что он снится ему регулярно. — Квинби прошла мимо Гуннара и стала спускаться на первый этаж. — Я хочу поговорить с вами.

— Прямо сейчас?

— Прямо сейчас, — твердо заявила она. — Мне кажется, пришло время кое-что прояснить. Идемте.

Гуннар помолчал, а затем приглушенно рассмеялся.

— Слушаюсь, мэм! Сию минуту, мэм!

Квинби направилась в большую, в деревенском стиле, кухню, расположенную в дальнем конце дома. В выложенном из кирпича камине все еще тлели угли, но она включила свет, села за круглый дубовый стол и жестом предложила Гуннару занять место напротив нее.

— Садитесь.

— Мы могли бы устроиться в гостиной. Там было бы гораздо удобнее.

— Я не нуждаюсь в удобстве. Меня трясет от злости, и я хочу расставить точки над «i». — Квинби плотнее запахнула халат в цветочек, надетый поверх батистовой ночной рубашки. Она только что заметила, что впопыхах забыла обуться, и теперь дубовый паркет неприятно холодил ее босые ноги.

— Хотите, я приготовлю кофе? — вежливо предложил Гуннар, но в следующую секунду щелкнул пальцами и спохватился: — Ах да, извините! Вы же принципиальный противник всяческих удобств. — Он снял куртку, повесил ее на спинку того самого стула, на который указала ему Квинби, и сел напротив. — Судя по всему, одной из причин вашего негодования являюсь я, не так ли?

— Вы правы, черт побери! Эндрю нуждается в помощи, а я по вашей милости блуждаю впотьмах. — Она подалась на стуле и не сводила глаз с Гуннара. — Вы наверняка знали, что он не станет рассказывать мне о своих ночных кошмарах. Я права?

Он кивнул.

— Я знал, что ему не захочется разговаривать об этом.

— И эти сны являются частью его проблем, не так ли?

— Они скорее не причина, а следствие.

Губы Квинби упрямо сжались.

— Хватит загадок!

Гуннар откинулся на спинку стула, внимательно изучая ее лицо.

— А вы, судя по всему, не любите недомолвок, так ведь, Квинби? Вам нужна правда.

— Она нужна всем.

Мужчина грустно улыбнулся.

— Вы ошибаетесь. Люди очень часто видят лишь то, что хотят видеть. Честность, как и все прочее, такова, как мы ее понимаем.

— Хватит чепухи! — отчеканила Квинби. — Я сижу здесь посреди ночи вовсе не для того, чтобы выслушивать ваши философские теории. Можете темнить сколько угодно, когда речь идет о вас или этой вашей таинственной корпорации, но ночные кошмары Эндрю касаются меня самым непосредственным образом. Я хочу знать о них все.

— У вас замерзли ноги? — Гуннар наклонился и заглянул под стол. — Ничего удивительного. На вас даже нет тапок.

— Мы говорим об Эндрю, — напомнила Квинби.

— У вас красивые ноги. Сильные... — Она издала возмущенное восклицание. Гуннар поднял голову и посмотрел на нее невинным взглядом. — Но ведь так и есть! Вы не можете себе представить, как мало на земле женщин с действительно красивыми ногами. Могу поспорить, в детстве вы много ходили босиком.

— Разумеется, ведь я выросла на ферме.

— И я тоже. Нет ничего приятнее, чем чувствовать босыми ногами свежую травку, правда? Мне нравилось лежать на лугу, вдыхать запах земли, травы и ощущать на лице солнечное тепло.

— Так вы — мальчишка с фермы? — Это признание настолько удивило Квинби, что она на какое-то время позабыла о том, что хотела выяснить. — Не очень-то вы похожи на человека, который способен получать удовольствие от сельского пейзажа. Вы больше напоминаете бродягу.

— Вы правы. Я с нетерпением ждал того момента, когда смогу покинуть ферму и убежать в настоящий мир. Мы жили бедно, и у меня был не очень большой выбор. Я решил стать военным. — На его лицо набежало облачко. — Не самое мудрое решение.

— Почему же?

— Я обнаружил, что обладаю способностью к насилию. Я... Оно мне нравилось. Бывали моменты, когда... — Он осекся и несколько мгновений молчал. — Внутри каждого человека есть вещи, о которых ему лучше не знать. Если бы я остался на нашей ферме, моя жизнь, возможно, сложилась бы иначе.

— Лучше?

— Кто знает! По крайней мере, иначе. — Он улыбнулся. — Но тогда я не сидел бы сейчас здесь и не разговаривал с вами. Так что судьба все же оказалась милостива ко мне.

— Вы верите в судьбу?

Гуннар вскинул на нее удивленный взгляд.

— О, да. Все гарванийцы верят в судьбу. — Он пожал плечами и добавил: — Но вместе с тем, мы верим в логику и рассудок, и потому в наших головах частенько бывает страшная путаница.

— Гарванийцы... — Эхом повторила Квинби. Она что-то слышала о Гарвании, но не могла припомнить, когда и в каком контексте. — Это страна, которая находится где-то неподалеку от Саид-Абабы, не так ли?

— Находилась. — Воспоминания стерли улыбку с лица Гуннара. — Странно, что вы о ней вообще вспомнили. Однако ее больше не существует. Волны бесшумно сомкнулись над нею. А проще говоря, несколько лет назад мою страну сожрал наш добрый сосед. Свое вторжение он назвал «мирным присоединением».

Квинби захотелось протянуть руку и прикоснуться к нему, чтобы хоть как-то выразить сочувствие.

— Что же было на самом деле?

— Настоящая резня. Короткая, кровопролитная.

— Вы в то время были солдатом?

— Нет, я находился на спецзадании, и война закончилась раньше, чем я успел вернуться к своим. — Мужчина отвернулся. — Пять дней. Всего пять дней понадобилось для того, чтобы солдаты Саид-Абабы вошли в нашу страну, всех перебили, все разграбили... — Он сделал глубокий вдох, пытаясь вернуть самообладание. Квинби видела, каких усилий стоило ему держать себя в руках под тяжестью страшных воспоминаний. Губы его искривились в невеселой улыбке. — Простите. Вам совсем неинтересно, а я, когда вспоминаю об этом периоде своей жизни, становлюсь чересчур чувствительным. Но я справлюсь.

Он еще извиняется! Квинби почувствовала такой же прилив материнской заботы, какой охватил ее, когда она успокаивала Эндрю. Ей захотелось привлечь Гуннара к себе, погладить по волосам и баюкать до тех пор, пока не пройдет боль. Зачем он цепляется за эту свою непроницаемую маску, пряча за ней страдания!

— Вы с Эндрю очень похожи, — проговорила Квинби, пытаясь скрыть овладевшие ею чувства. — Но он, по-моему, более рационален.

Его рука накрыла ладонь Квинби, лежавшую на столе.

10 Зак. № 1108 Джоансен

— Еще бы! Мне понадобилось двадцать пять лет, чтобы приобрести чувство неуверенности и всяческие фобии.

Он повернул ее руку ладонью кверху и стал поглаживать запястье большим пальцем. Квинби почувствовала, как по ее жилам побежало тепло. Ей вдруг стало трудно дышать.

— Как чутко вы отзываетесь. — Он поднял взгляд на ее лицо и улыбнулся с неподдельной радостью. — Ваше сердце забилось, как сумасшедшее. Вам нравится, когда я к вам прикасаюсь, правда?

— Вам не откажешь в сексуальной привлекательности, и вы, как мне кажется, прекрасно об этом осведомлены. — Квинби попыталась освободить руку, но пальцы Гуннара сжались крепче, не позволив ей сделать это. — Взаимное влечение может возникать между мужчиной и женщиной в самое неподходящее время. Это еще ничего не означает.

— Ну почему же? Это означает, что я к тебе постепенно подбираюсь, — ответил он неожиданно мягко и проникновенно. Его большой палец продолжал неторопливо поглаживать ее запястье. — Тебе нравятся прикосновения моих рук, и это уже шаг вперед, Квинби. Думаю, тебе понравится и все остальное, что я буду делать с тобой. — Он взял руку Квинби и положил ее пальцы на свое запястье. — Вот видишь, ты не одинока. Мое сердце тоже норовит выпрыгнуть из груди. Я так сильно хочу тебя, что испытываю боль.

Квинби облизнула внезапно пересохшие губы.

Кончиками пальцев она ощущала бешеный ритм его сердцебиения, и ее возбуждала сама мысль о том, что причиной этого является она, Квинби.

— Не могу понять, с чего бы это. Я не накрашена, мои волосы растрепаны...

— И под платьем у тебя ничего нет, — добавил он. Квинби опустила глаза и увидела, что полы ее халата разошлись, и взгляд Гуннара не отрывается от округлостей ее полных грудей, натянувших батист ночнушки. — Я вижу твои темные соски под тканью. У тебя чудесная грудь — большая и красивая. — Он поднял глаза и неуверенно спросил: — Ты, наверное, не разрешишь мне расстегнуть твою ночную рубашку и посмотреть?

— Нет! — с усилием выдавила Квинби. Она чувствовала, как напряглись ее соски. Теперь они уже не проступали, а вызывающе торчали. Она торопливо запахнула халат.

На лице Гуннара выразилось нескрываемое разочарование.

— Я так и думал. Ну что ж, тогда буду смотреть на твое лицо. Это тоже очень приятно. Знаешь, ты замечательно выглядишь, когда краснеешь.

После этих слов ее щеки запылали предательским румянцем.

— Так нечестно. Я не умею ничего скрывать. Мой румянец — как пожарная тревога.

— А мне это нравится. Это честно. Потому что ты сама честная. Мне все в тебе нравится. Глаза у тебя сине-зеленые, как море у Бермудских островов, и очень красивые губы. Каждый раз, когда я смотрю на них, мне хочется их потрогать. Мне хочется потрогать всю тебя. — Глаза Гуннара светились теплом. — Перестань сопротивляться, Квинби. Разве ты не видишь, что это бесполезно! Мы обречены быть друг с другом. Генетики из «Кланада» объясняют влечение, возникающее между двумя людьми, с помощью научных терминов, но между нами существует нечто большее.

— Судьба? — с трудом улыбнулась Квинби. — Боюсь, я не разделяю веру гарванианцев в предопределение.

— Из-за того, что ты по уши влюбилась в мерзавца, который использовал тебя, а потом бросил? Ты потеряла способность видеть и заблудилась. Но теперь ты снова выбралась на правильный путь и не повторишь своей ошибки. — Он усмехнулся. — Ты вышла на улицу Судьбы, в конце которой тебя дожидаюсь я. Дай мне немного времени, и ты забудешь даже, как выглядел тот француз.

Квинби и без того уже с трудом могла вспомнить облик лощеного Рауля. Он словно растворялся, таял, как злой дух, изгоняемый экзорсистом. Впрочем, так оно и есть, подумала Квинби. Неожиданно для себя она почувствовала, что раны в ее душе, болевшие в течение долгих двух лет после того, как она была отвергнута, начинают чудесным образом затягиваться, а ставшая уже привычной боль затихает.

— Не надо воспринимать меня какой-нибудь неврастеничкой, которая оплакивает саму себя и свое разбитое сердце, — сказала она. — Я не настолько глупа.

Гуннар согласно кивнул, поднес руку Квинби к своим губам и нежно поцеловал ее ладонь.

— Лакруа не был твоей любовью. Я — твоя любовь, и меня ты не потеряешь.

Квинби показалось, что эхо от этих простых и в то же время прекрасных слов звенело в комнате еще несколько секунд после того, как они прозвучали.

— Согласишься ли ты отправиться в постель вместе со мной, чтобы узнать, как хорошо нам может быть вместе? — Он уже не говорил, а почти шептал. — Мы испытаем то, что до этого еще не испытывал ни один из нас. Это будет похоже на прогулку по лугу на рассвете, когда солнце ласкает лицо, а мир рождается заново. Это будет прекрасно, Квинби!

Она завороженно смотрела в его глаза. Она уже ощущала прикосновение солнца к своему лицу, ко всему телу...

Гуннар встал и помог ей подняться со стула.

— Ты согласна?

Квинби уже открыла рот, чтобы ответить согласием, но вовремя одумалась. Что она делает, сумасшедшая! Они ведь едва знакомы!

Глаза Гуннара потухли.

— Значит, нет? — Он шагнул вперед, и Квинби ощутила жар, исходивший от его стройного, гибкого тела, а также уже знакомый ей свежий и терпкий аромат одеколона. — Ты уверена?

В этот момент она не была уверена ни в чем.

Тепло и запахи его тела смешались, и у нее закружилась голова, все поплыло перед глазами. Она почувствовала, что дрожит. Как глупо! Ей уже двадцать семь лет, она давно не школьница! Проглотив комок, Квинби сказала:

— Да, уверена.

— Почему?

— Я вас совсем не знаю.

Во взгляде Гуннара вспыхнула надежда.

— И это — все? Я возьму тебя к себе и... — Он осекся, и лицо его снова помрачнело. — Чер-рт! Похоже, я напугал тебя до смерти. — Квинби смотрела на него, ничего не понимая. Гуннар с отчаянием мотнул головой. — Дорога будет очень долгой.

Он склонил голову, и она ощутила прикосновение его губ — легкое, невесомое, как лепесток цветка. Они трепетали и чуть подрагивали. Губы Квинби раскрылись и подались ему навстречу. Было странно, что такое легкое прикосновение способно вызвать в ней столь мощную волну ответного желания.

— Как хорошо! — выдохнул он. — Ну разве это не здорово, Квинби?

— Да.

Их лица находились так близко, что, произнеся это короткое слово, она снова ощутила его губы на своих. И поцеловала его. Это получилось само собой, и ей захотелось повторить поцелуй. Снова ощутить вкус его губ, их нежный трепет.

Гуннар поднял руки и положил их на ее шею, ощутив, как под тонкой кожей бьется неутомимая жилка.

— Я чувствую неутолимый голод. Мне хочется еще и еще. — Его язык прикоснулся к ее нижней губе. — Раздвинь губы, любовь моя, пусти меня внутрь.

Ее губы раздвинулись, и язык Гуннара оказался внутри — трепещущий, ищущий, ласкающий.

Затем он чуть отстранился и посмотрел в лицо Квинби. Сквозь загар на его щеках отчетливо проступил румянец.

— Если ты допустишь меня внутрь себя, будет так же хорошо — тепло, приятно...

Грудь Квинби вздымалась и опадала, ей не хватало воздуха. Господи, если она останется здесь хотя бы еще одну минуту, она пропала! Квинби неуверенно шагнула назад.

— Мне пора в постель.

Гуннар застыл. Он внимательно посмотрел в ее лицо, а затем констатировал:

— Я вижу, ты вкладываешь в эти слова не тот смысл, который мне бы хотелось. Ты, видимо, сделана из более крепкого материала, чем я, милая Квинби. Я весь горю. Мне кажется, я сейчас взлечу, как ракета. — Он погладил ее по щеке. — Ну хорошо, каждый пойдет в свою кровать. По крайней мере сегодня. — Он взглянул на ее босые ноги. — Они еще не согрелись?

— Ноги? Кажется, нет. — Собственные слова доносились до нее как будто со стороны. Ей не было холодно. Она тоже пылала — от щек и до кончиков пальцев на ногах.

— Так не годится, — покачал головой Гуннар, поднял ее на руки и понес к двери.

На секунду удивление заслонило собой все остальные чувства.

— Опустите меня, я чересчур тяжелая, чтобы таскать меня на руках.

— Ничего, в самый раз. — Гуннар миновал темный коридор и начал подниматься по лестнице. — В самый раз для того, чтобы ощущать, что я держу в руках женщину.

— Женщину, которая весит шестьдесят пять килограммов, и ростом сто семьдесят два сантиметра, — сухо уточнила Квинби.

— Тем лучше. — Ему, казалось, было совсем не тяжело, и, добравшись до верхней ступеньки, он дышал так же ровно, как и в начале подъема.

А вот у самой Квинби теснило в груди.

— Я думала, что такое бывает только в кино, — насилу выдавила она.

— Что ж, я люблю красивые жесты. Особенно когда они несут определенную смысловую нагрузку. — Он открыл дверь в комнату Квинби и понес ее к широкой двуспальной кровати. — Кроме того, всегда есть надежда, что мое великодушие будет вознаграждено.

— И какой же должна быть награда?

— Да так, ничего особенного. — Он поставил ее на ноги возле постели и снял с нее халатик в цветочек, как если бы раздевал ребенка, укладывая его спать. — Прыгай под одеяло, а я открою окно. Здесь душновато.

Квинби посмотрела, как он медленно идет к окну — широкоплечий темный силуэт был залит лунным светом, — и послушно забралась в кровать.

По комнате пробежал свежий ветерок, неся с собой сладкий запах покрытой росой травы и жимолости.

— Вот так-то лучше. — Гуннар отвернулся от окна и подошел к ней. Включив ночник в изголовье кровати, он налил в стакан воды из стоявшего на тумбочке кувшина. — Попей. Я рад, что ты не позволила мне приготовить для тебя кофе, иначе ты бы ни за что не уснула. — Он опустился на колени у кровати и протянул ей стакан. — Вода не помешает тебе уснуть, но зато помогает при дегидратации после долгого перелета и даже успокаивает нервы.

Она долго смотрела на стакан, а потом взяла его.

— Спасибо. Вы очень добры.

Гуннар плутовато улыбнулся.

— Это потому, что я ожидаю награды. Сядь, любовь моя.

Она медленно приподнялась и села на постели. По ее телу пробежала волна возбуждения.

— По-моему, мы договорились...

— Я помню, — скривившись, перебил он ее. — И я сдался. Но, мне кажется, мое терпение должно быть чем-то вознаграждено. — Его пальцы лихорадочно расстегивали четыре пуговицы, спускавшиеся от ворота ее ночной рубашки. — Ты ничего не потеряешь, подарив мне хоть капельку наслаждения. Тебе это самой понравится.

Руки Гуннара легли на ее груди, все еще прикрытые тонкой тканью.

Квинби судорожно вздохнула. Его ладони были нежными, но в то же время сильными и требовательными. От них по всему телу побежали волны возбуждения.

— Твои груди такие тяжелые... — Взгляд Гуннара, устремленный на ее грудь, казалось, прожигал тонкий батист. — Твердые и тугие. Можно мне взглянуть на них, Квинби?

Неожиданно она поймала себя на мысли, что ей и самой хочется, чтобы он увидел ее грудь. Она кивнула, утратив способность дышать, горя от возбуждения, с трепетом ожидая этого мгновения.

Он неторопливо раздвинул легкую ткань и спустил с ее плеч.

Она взглянула в его лицо. Его черты были напряжены, они излучали мужественность и ненасытность. Глядя на него, Квинби почувствовала, как между ног зреет и скапливается жаркая влага.

Несколько секунд Гуннар, не отрываясь, смотрел на ее грудь, и Квинби видела, как на его висках пульсируют жилки. Затем он протянул руку и выключил ночник.

Невидимый в наступившей темноте, он стоял на коленях совсем рядом с ней, и она слышала его частое дыхание.

— Ты хочешь, чтобы я взял ее в рот, — низким голосом проговорил он. — Ты хочешь, чтобы я ласкал ее языком. Ты хочешь, чтобы я заставил ее набухнуть. — Он замолчал, а когда заговорил вновь, в голосе его сквозила боль. — Я тоже этого хочу. Но ведь этим не закончится.

Квинби ждала. Напрягшись, испытывая боль от нестерпимого желания.

— А это уже будет называться «соблазнение»,

правильно, Квинби? Я не хочу соблазнять тебя. Я хочу, чтобы ты пришла ко мне сама, но ты сказала, что пока не можешь. — Гуннар аккуратно натянул ночную рубашку ей на плечи и застегнул пуговицы. — Поэтому я удовольствуюсь лишь маленькой наградой, а большую приберегу на потом. — Он опустил ее на подушки, укрыл и прежде, чем подняться, легонько поцеловал ее в лоб. — Спокойной ночи, Квинби. Завтрак будет готов в девять утра. — Гуннар едва различимым силуэтом двинулся к двери. — А потом пойдем в лес и будем смотреть, как Эндрю и Стивен строят свой шалаш на дереве.

— Ты так и не рассказал мне о страшных снах Эндрю, — сказала она. — А ведь это меня очень беспокоит.

Он открыл дверь, повернулся и посмотрел в ее сторону.

— Не все сразу. — Квинби не видела лица Гуннара, но голос его звучал мягко и печально. — Скоро ты обо всем услышишь. А сейчас... Даже если бы ты все знала, то все равно не смогла бы ничем помочь.

— Я привыкла сама принимать подобные решения. — Квинби вдруг села в постели. — Пойду, проверю, как там Эндрю.

— Ложись. Я сам зайду к нему.

Она поколебалась, но затем все-таки легла на подушки.

— Ему ты тоже откроешь окно и дашь напиться? — с улыбкой спросила она.

— А что тут такого? Мне нравится заботиться о людях, которых я люблю. Это доставляет мне удовольствие. Во взаимоотношениях между двумя людьми один из них всегда выполняет роль няньки. Ты сразу заметила это, увидев Эндрю и Стивена вместе. — Его голос звучал в темноте — нежный и ласковый, как ветерок, ласкавший ее щеки. — Но нам с тобой повезет больше, чем другим, Квинби. Потому что мы оба любим заботиться о других. По отношению друг к другу мы просто будем делать это по очереди.

Не дожидаясь ответа, он вышел в коридор и закрыл за собой дверь.

Квинби повернулась на бок, лицом к окну, чтобы полнее насладиться душистым воздухом со двора.

Нянька. Смешное и доброе слово. И как прекрасно иметь рядом с собой человека, который будет заботиться о тебе и пестовать тебя, причем не по долгу службы, а лишь потому, что это доставляет ему радость.

Она смотрела в темноту, дрейфуя между мыслями и сном, пока наконец ее веки не налились тяжестью и не закрылись.

И уже в тот момент, когда она погружалась в темную вязкую трясину сна и реальность, кружась в танце, стала уплывать назад, ее посетила самая последняя мысль: когда, выйдя от Эндрю, она встретила Гуннара на лестнице, он был одет и даже в куртке. Куда он мог выходить посреди ночи?

Глава 4

— Мне нравится смотреть, как ты играешь на арфе. — Гуннар откинулся на мягкой софе и вытянул ноги. — Вот только напомни мне, чтобы я приобрел для тебя какой-нибудь более подходящий для этого занятия наряд. С арфой джинсы и футболка как-то не смотрятся.

Квинби подняла на него глаза и улыбнулась. Ее пальцы продолжали перебирать струны.

— Белые одежды и серебряные крылья? Если ты полагаешь, что арфа годится лишь для музыки небесных сфер, значит, ты никогда не слышал Волленвейдера.

— Мне вовсе не хочется, чтобы ты походила на ангела. Мне скорее представлялось что-то старинное. Во времена, когда процветало рыцарство, из тебя получился бы прекрасный менестрель. — Его глаза, устремленные на Квинби, сузились. — И, кстати, говорят, в дамах того времени было очень мало от ангелов. Судя по всему, они были настоящими бестиями. — Его лукавый взгляд с радостью отметил, как зарделись ее щеки. — Мне бы очень хотелось, чтобы ты пошла по их стопам, любовь моя.

Квинби взяла фальшивую ноту и беспомощно посмотрела на Гуннара. И так — весь день. Как только она начинала ощущать себя рядом с ним уютно и покойно, он тут же говорил что-то такое, отчего на поверхность вновь всплывала сексуальная тема. Он был прекрасным собеседником — легким, ироничным и в то же время умеющим внимательно и серьезно слушать, и тогда у нее складывалось ощущение, что он ловит каждое ее слово. Он чутко реагировал на ее настроение и понимал ее с полуслова, отчего Квинби рядом с ним ощущала себя так же легко, как с лучшей подругой. Она еще никогда не встречала мужчину, который до такой степени умел совмещать в себе агрессивный напор и трогательную чуткость.

Да и вообще, ей еще ни разу в жизни не встретился такой мужчина, как Гуннар Нильсен. Определенно, он представлял собой совершенно уникальную человеческую особь.

Ее руки отпустили арфу и упали вдоль тела.

— Уже поздно. Я, пожалуй, позову Эндрю в дом. Ему пора умываться и готовиться ко сну. — Она встала. — И этим займусь именно я, а не ты. Каждый раз, как только я собираюсь что-то сделать, ты тут же вскакиваешь и вырываешь у меня все из рук.

— Мне нравится помогать тебе.

Квинби почувствовала, как что-то в ее груди тает. Нянька!

— Но если ты будешь делать за меня всю мою работу, я сойду с ума. — Она повернулась, поспешно вышла из гостиной и направилась по коридору в сторону кухни. Гуннар шел за ней по пятам. — Эндрю такой самостоятельный, что с ним почти нет хлопот. Он всегда был таким?

— Ага. — Гуннар уже открывал створчатую дверь, выходящую на заднее крыльцо. — С момента своего появления на свет он не принадлежал никому, кроме себя. Именно поэтому стоящая перед нами задача усложняется. У Эндрю чертовски сильный характер.

— Но он всего лишь маленький мальчик, — нетерпеливо возразила Квинби. — А ты воспринимаешь его, как взрослого.

— Частично он является совершенно зрелым человеком, и эта часть его натуры должна осознавать свои обязанности... — Он замолчал, увидев в нескольких метрах от крыльца Стивена и Эндрю. Маленький мальчик и огромный мужчина сидели на поросшем травой берегу реки и, задрав головы, смотрели на звезды. — И он непременно осознает их.

— Обязанности? — спросила Квинби, выходя на крыльцо и закрывая за собой дверь. — У пятилетнего мальчугана нет и быть не может никаких обязанностей. Разве что слушаться и убирать за собой игрушки.

Гуннар, не отрываясь, смотрел на Стивена и Эндрю.

— Обязанности, которые лежат на Эндрю, гораздо серьезнее, чем у большинства детей. Я уже сказал тебе, что он не такой, как другие.

— Поскольку является одаренным ребенком? Если причина только в этом, я не позволю ни тебе, ни кому-либо еще давить на него, — с жаром заявила Квинби. — Он всего-навсего ребенок, черт побери!

— Никто на него не давит, а если это и случается, то ради его же блага. — Гуннар уселся в кресло-качели и лениво вытянул ноги. — А теперь садись и позволь мне тебя обнять. Хочу почувствовать себя древним дедом, который со своей старухой вышел подышать воздухом. Наверное, этот старый дом так действует на меня.

— Но Эндрю пора ложиться.

— Им, по-моему, хорошо вдвоем, и лишние четверть часа не повредят. А мы пока посидим, покачаемся и послушаем цикад. Сколько времени прошло с тех пор, как ты в последний раз сидела на крыльце, качалась и смотрела в темноту?

— Много-много лет.

Квинби медленно опустилась рядом с Гуннаром, и его рука сразу же обняла ее за плечи. В этом объятии не было ничего сексуального, лишь уютная, успокаивающая нежность. Ночь была теплой и безветренной, темноту прочерчивали светлячки, на черном полуночном бархате неба чистым белым светом горели звезды. Квинби показалось, что они стали ближе, и не такие холодные. Она откинула голову на руку Гуннара и постаралась расслабиться.

— Слишком давно.

— Какая ты чувствительная. Я должен был сообразить с самого начала, что такие моменты созерцания красоты, как этот, подействуют на тебя гораздо сильнее, чем повседневные ухаживания.

Квинби снова стала смотреть на Стивена и Эндрю. В этой сцене тоже была своеобразная красота — такая же простая и бесхитростная, как и сама ночь.

До их слуха донесся глубокий страстный голос Стивена:

— А вон там, левее, созвездие Кентавра. Он наполовину мужчина и наполовину конь. Мистер Басби рассказывал, что его заколдовала ведьма, у которой он пытался украсть ее волшебный котел.

— Думаю, это неправда. Я читал книжку о мифах... — Молчание. — Правда, иногда и книжки ошибаются. А вот это что?

— Лев. А это — Большая Медведица и Малая Медведица. Ты когда-нибудь видел что-нибудь красивее, Эндрю? Неужели бы тебе не хотелось сесть в космическую ракету, подняться в небо и рассмотреть их поближе? Я уверен: они оказались бы такими яркими, что на них будет больно смотреть.

— Если оказаться рядом с ними, они не будут светить... — Снова молчание. — Да, мне бы хотелось рассмотреть их поближе. Но и отсюда они мне тоже нравятся.

— И мне.

Светлячки мелькали, исчезая в ночи, затем появлялись вновь. Единственными звуками, которые нарушали тишину, было негромкое поскрипывание качелей и хлюпающие звуки медленно вращающегося в речном потоке мельничного колеса.

— Эндрю!

— М-м-м?

— Ты мне друг?

— Конечно.

— Не только сейчас? Надолго?

— Навсегда.

Снова воцарилось молчание.

— У меня еще ни разу не было друга. Это вроде как... ну, здорово.

— По-моему, тоже.

— А «навсегда» — это долго?

— Долго, Стивен. Очень долго.

* * *

Крик Эндрю прорезал ночную тишину.

О Господи, неужели опять! — подумала Квинби, лихорадочно отбрасывая простыню и вскакивая с постели. День прошел так мирно и спокойно, Эндрю был такой радостный. Она и думать не могла, что этой ночью кошмары станут вновь преследовать его. Квинби схватила халат и выбежала в коридор.

Дверь в комнату Эндрю была распахнута. Гуннар все же опередил ее. Он сидел на краю кровати, держа мальчика за плечи и пристально глядя ему в глаза.

— Все в порядке, Эндрю. Тебе нечего бояться. Ты понимаешь меня? Я могу помочь тебе.

Квинби опустилась на колени возле кровати.

— Гуннар прав. Это был всего лишь сон.

— Нет, это был не сон. — Карие глаза ребенка блестели от слез. — Он был здесь.

— Снова тени? — осторожно спросил Гуннар, вытирая ладонью щеки мальчика. — Я знаю про тени все. Я помогу тебе.

Эндрю покачал головой.

— Нет, не тени. Сегодня не тени. Человек. Мужчина...

Квинби почувствовала, как напряглось тело Гуннара.

— Какой мужчина?

— Не знаю. Я никогда его раньше не видел. Он корчил рожи, и еще у него были здоровенные брыли. Как у бульдога.

Гуннар пробормотал что-то вполголоса, а затем уже отчетливо выругался:

— Черт!

— Он страшный. Он хочет меня обидеть. — Эндрю судорожно вздохнул. — И он хочет обидеть тебя, Гуннар.

Губы Гуннара искривились в жесткой улыбке.

— Значит, мы не позволим ему это сделать, правильно? — Он неожиданно распрямился и взял Эндрю на руки. — А сейчас нужно спать. — Подойдя к креслу-качалке, он сел в него. Мальчик свернулся клубочком у него на руках. — Я не дам в обиду никого из нас.

— А Квинби и Стивена?

— Никого! — Длинные гибкие пальцы Гуннара

гладили мальчика по голове. — А теперь я досчитаю до трех, и ты крепко уснешь. Тебе не будут сниться никакие сны, а в восемь утра ты проснешься — свежий и отдохнувший. Договорились?

— Договорились.

— Раз. — Эндрю крепче прижался к мужчине. — Два. — Гуннар посмотрел на мальчика, и лицо его озарилось ласковой улыбкой. — Три.

Эндрю крепко спал.

Квинби изумленно покачала головой.

— И ему действительно не будут сниться кошмары?

Гуннар кивнул и прижал к себе хрупкое тельце.

— Этой ночью — нет.

От поднялся с кресла и отнес ребенка на постель.

— Почему же в таком случае ты не говоришь ему этого каждый вечер?

Гуннар уложил Эндрю и накрыл его простыней. Мальчик немедленно перевернулся на бок и свернулся клубочком.

— Потому что любой сон идет на пользу.

— Даже ночной кошмар?

— В кошмарах выходит наружу то, что мы держим внутри себя, бодрствуя. Нам всем снятся сны, но запоминаем мы только те, которые видим перед самым пробуждением. — Его губы сузились, — или самые неприятные.

— В таком случае, у Эндрю преобладают именно они. — Квинби поднялась с колен. — Кроме того, мне не кажется, что они идут ему на пользу. — Она повернулась и направилась к двери. — И ты, по-моему, тоже в это не веришь. Иначе ты не стал бы говорить ему, что этой ночью он больше не увидит снов.

— Сейчас — другое дело. Я думаю, он что-то случайно услышал... — Лицо Гуннара выражало озабоченность. — Надеюсь только, что он услышал это от меня. — Мужчина последовал за Квинби, выключил свет и прикрыл дверь. — Такое вполне вероятно.

— Я не понимаю, о чем ты, черт побери, говоришь! Но будь я проклята, если стану терпеть эти ваши таинственные тени еще хоть один день! Завтра же позвоню матери Эндрю и потребую полной ясности. Если они с мальчиком так близки, как ты говорил, она расскажет мне все, что я должна знать, чтобы иметь возможность помочь ему.

— Ты этого не сделаешь.

— Еще как сделаю! И только попробуй мне помешать! — Квинби остановилась возле двери в свою комнату и повернулась к Гуннару. — Я не буду ждать сложа руки и смотреть, как мальчик каждую ночь мучается.

— Ты только заставишь ее волноваться. Элизабет и без того тяжело переживает все это, а ты еще хочешь подлить масла в огонь.

— Я не собираюсь подливать масло в огонь. Наоборот, я намерена его потушить.

— Мы уже так близко подошли... Черт, Квинби, потерпи еще чуть-чуть! Дай мне еще немного времени.

— Нет, — отрезала она. — Спокойной ночи, Гуннар.

Несколько секунд он молча размышлял, а затем сделал шаг по направлению к ней и жестко сказал:

— Ну ладно, ты сама напросилась. Действительно хватит секретов. — Гуннар вошел в комнату, потянулся к стене и щелкнул выключателем. В залившем комнату свете Квинби прочитала на его лице холодное упрямство и едва сдерживаемую ярость. Таким она его еще не видела. — Садись, — приказал он.

К собственному удивлению, Квинби беспрекословно повиновалась. Она села на стоявшее у кровати светло-голубое кресло с подголовником, выпрямив спину и сдвинув босые ноги на ковре.

— Не понимаю причину твоей злости. Ведь это меня держат в неведении, это со мной обращаются, как с дурочкой.

— Я злюсь, потому что мне обидно. — Его синие глаза потемнели. Он захлопнул дверь, пересек спальню и сел на кровать. — Я хотел, чтобы ты мне поверила, а сейчас ты к этому еще не готова, а потому примешь меня за сумасшедшего.

— Я поняла, что ты сумасшедший, как только увидела тебя, бегущего под пулями по взлетной полосе.

— Это было необходимо.

— Это было безумие! — воскликнула Квинби, глядя на него. Сцена, которую она наблюдала на аэродроме, встала перед ее мысленным взором с пугающей отчетливостью. Если бы хоть одна из тех пуль достигла цели, она бы никогда его не узнала. Он так и остался бы для нее прекрасным незнакомцем, трагически погибшим в расцвете лет. Но теперь-то она его знала, черт побери, и это воспоминание заставило ее задрожать от страха. — Ты не имел права так рисковать.

— А вот это мне решать.

— Неужели? Только не теперь, когда... — Она замолчала и сделала глубокий вдох. — Ладно, вернемся к Эндрю. Рассказывай все, что знаешь.

— Ты все равно мне не поверишь.

— Рассказывай.

— Эндрю — сын Элизабет, а Джон на самом деле — его отчим. Сама Элизабет не принадлежит к «Кланаду», но прежде была замужем за другим его членом, Марком Рамсеем. Эндрю — единственный ребенок, рожденный от этого брака. — Губы Гуннара дрогнули. — Я уже говорил тебе, что мы, гарванианцы, во всем предпочитаем руководствоваться здравым смыслом. Мы стараемся держаться подальше от проблем, которые неизбежно возникают в результате подобных браков.

— Меня интересует Эндрю, а не члены вашей корпорации.

— «Кланад» — не корпорация. Это группа из пятидесяти трех человек, принимавших участие в научном эксперименте, который проводился много лет назад в Гарвании. Нам вводили вытяжку из редкого растения, которого сейчас уже не существует в природе. В результате... — Гуннар судорожно втянул воздух. — Мы изменились. Ты, вероятно, слышала, что обычный человек использует не больше десяти процентов возможностей своего мозга. Так вот, инъекции вытяжки из мирандита позволили нам использовать дополнительно от тридцати до пятидесяти процентов возможностей мозга. Это не значит, что мы в одночасье стали чрезвычайно умными. Просто мы способны научиться практически всему и умеем гораздо лучше, чем другие люди, справляться с любыми проблемами.

Квинби окаменела. Ей хотелось рассмеяться, но в то же время она была слишком удивлена. Что за чушь! Прямо фантастика какая-то!

— Но есть и еще кое-что. — Он сделал паузу. — С расширением способностей мозга пришли также определенные таланты и способности. Мы телепаты, Квинби.

Тут уж она не сдержалась и рассмеялась. Впрочем, смех ее прозвучал довольно неуверенно.

— Час от часу не легче!

— Я так и знал, что ты это скажешь. Чер-рт!

— А чего иного ты от меня ожидал? Мне еще никогда в жизни не приходилось слышать настолько неправдоподобной истории.

— В таком случае дослушай ее до конца, — мрачно проговорил Гуннар. — Все эти способности появились у нас одновременно: телепатия, умение контролировать психику, а у некоторых из нас — даже способности к телекинезу. Стоит ли удивляться тому, что мы объединились в группу, находящуюся под покровительством шейха Бен-Рашида. Нам было необходимо разработать определенную систему контроля, чтобы не нанести вред остальному обществу, и мы разработали меры психологического контроля, Квинби. Никто из нас не сможет причинить вред другому человеку, насильно вторгшись в его психику. А если кто-то попытается, то пострадает от этого в гораздо большей степени, чем его жертва.

— Эндрю тоже обладает способностью к телепатии? — недоверчиво спросила Квинби.

— Да, он унаследовал этот дар от своего отца, но сумел значительно развить его с помощью Элизабет и...

— Ну все, довольно! — воскликнула Квинби и вскочила на ноги. — Не могу больше слышать такую чудовищную смесь бреда и вранья! Почему ты решил, что я проглочу всю эту небывальщину?

— Я ничего не решал. — Он тоже поднялся на ноги. — Я сам говорил тебе, что время откровений еще не пришло. Ты по-прежнему намерена звонить Элизабет?

— Разумеется. Может, хоть она не будет мне врать. По крайней мере, я надеюсь, что она не будет испытывать мой рассудок байками, подобными этой.

В глазах Гуннара мелькнул гнев.

— Я не позволю тебе волновать Элизабет.

— Обрежешь телефонные провода?

— Нет. Попытаюсь убедить тебя в том, что мой рассказ — чистая правда.

Квинби посмотрела на него с подозрением.

— Ну что ж, удачи.

— Она мне не понадобится, — горько улыбнулся он. — Мне не помешало бы немного доверия с твоей стороны, а без удачи я давно научился обходиться. Спокойной ночи, Квинби.

Через секунду она осталась в комнате одна. Несколько мгновений она смотрела на дверь, испытывая смешанное чувство растерянности, досады и удивления. Он, видите ли, хочет, чтобы ему верили. А почему он сам не доверяет ей? Зачем морочит ей голову своими нелепыми выдумками? Лучше бы и дальше молчал, как делал это с самого начала.

Она прошла через комнату и выключила свет. Вскоре Квинби уже лежала в кровати, завернувшись в простыню. Она проглотила комок в горле, решительно смахнула слезы с ресниц и велела себе как можно скорее заснуть. Она не будет лежать в темноте, думая про Гуннара и его лживые россказни. Слава Богу, она еще в самом начале их отношений поняла, сколь низко он ценит ее интеллектуальные способности!

Да, он — талантливый актер. Как правдоподобно он разыграл гнев, когда увидел, что она не поверила в его россказни!

А с какой стати, черт побери, он должен быть честен с нею!

* * *

Это, должно быть, сон.

Квинби беспокойно ворочалась на постели, пытаясь устроиться поудобнее. Сладкое, интимное ощущение, которое она испытывала, несомненно, было иллюзорным. Странно! Раньше ей никогда не снились эротические сны.

Она вздрогнула от удовольствия, когда большие сильные руки накрыли ее груди, а затем начали сжимать их — мягко и ритмично. Спина ее непроизвольно выгнулась, дыхание стало вырываться из легких толчками. Затем она ощутила язык Гуннара на своем соске, и ее пронзило острое чувство наслаждения.

Гуннар? Но каким образом он вторгся в ее сны? Сначала ей чудились лишь прикосновения, теперь же она осознала, что ее ласкал именно он, и от этого охватившее ее возбуждение стало еще сильнее. Его зубы сомкнулись на соске и начали осторожно покусывать. По телу Квинби прошел электрический разряд, а между ног снова скопилась горячая влага.

— Перевернись, любовь моя, — послышался голос Гуннара.

Нет, сонно подумала она, это не голос, потому что рядом с ней не раздалось ни единого звука.

— Вот так, хорошо. Какая ты красивая. А теперь раздвинь ножки и позволь мне войти в тебя.

Почему бы и нет? Тем более что это всего лишь сон, а сама она изнывает от желания.

— Тебе хочется этого, любимая? О да, хочется — я вижу. Ты не представляешь, как я счастлив, зная, что могу подарить тебе наслаждение.

Теперь Квинби ощутила его длинные сильные

пальцы. Они ласкали, гладили ее, находясь в постоянном движении.

Ногти Квинби впились в матрац. Все происходящее казалось реальным! Ее голова металась по подушке. Все это слишком реально, чтобы быть сном. Он входит в нее... Выходит... Ласкает все ее тело... Квинби прикусила нижнюю губу, чтобы сдержать рвущийся наружу крик. Она должна проснуться! Сейчас же!

Его пальцы стали двигаться быстрее. Рот Гуннара прижался к ее груди и принялся ласкать — сильно и в то же время нежно.

— Пусть это случится, любимая, — беззвучно говорил голос Гуннара. — Я хочу, чтобы тебе было хорошо. Расслабься и позволь мне подарить тебе то, что ты хочешь.

Лихорадка. Пустота. Гуннар.

Сердце билось в таком бешеном темпе, что Квинби боялась потерять сознание. Она облизнула губы и прошептала:

— Гуннар! Мне больно. — Это было правдой. Терзавшее ее желание было столь сильным, что она испытывала физическую боль. — Я не могу...

Звук собственного голоса вырвал ее из объятий сна, и она открыла глаза. Но невидимый Гуннар продолжал целовать ее грудь, и она по-прежнему ощущала его пальцы у себя между ног.

Но это невозможно! Что с ней происходит?

— Черт! — она явственно услышала голос Гуннара, и в следующее мгновение он исчез. Вернее, исчезли все ощущения. Квинби лежала опустошенная и дрожащая. Сердце билось, как обезумевшая птица, по телу прокатывались жаркие волны. Это всего лишь сон. Сумасшедший, невыносимо эротичный сон. Но насколько реально все было!

Она повернулась на бок. Отчего же ей приснился такой сон, да еще с участием Гуннара, если она злится на него? Эта мысль озадачила Квинби даже больше, чем сам сон. Все это было совершенно непохоже на нее. Такое с ней еще не случалось.

Если только Гуннар не загипнотизировал ее.

Глаза Квинби широко открылись и уставились в темноту.

Она лежала, ошеломленная пришедшей в голову мыслью. И все же это могло оказаться правдой. Судя по всему, Гуннар — опытный гипнотизер, она имела возможность убедиться в этом. Нет, наверное, она все же ошибается. Разве можно загипнотизировать человека без его ведома и согласия? Не так давно она смотрела фильм ужасов, и там...

О нет, что за глупость! А может... Она слишком мало знала о гипнозе, но постепенно начинала склоняться к мысли, что помимо своей воли стала объектом гипнотического воздействия.

Квинби захлестнула волна злости. Как он посмел! Ему это, наверное, показалось забавным — подшутить над глупой девицей, которая уже от него без ума.

Квинби рывком села на постели, откинула в сторону простыню и спустила ноги на пол. Она не стала включать свет и даже не набросила на плечи халат. Она лишь взяла с тумбочки кувшин с ледяной водой и направилась к двери.

Глава 5

Через несколько секунд она распахнула дверь в спальню Гуннара. В комнате было темно, но у дальней стены проступали очертания широкой кровати.

— Квинби? — послышался голос Гуннара. Тот же самый голос, который вторгался в ее сны, но теперь в нем звучала не вкрадчивость, а беспокойство.

Правильно делает, что беспокоится, подумала Квинби. В ней кипела такая ярость, что она была готова разорвать его на куски.

— Да, это я. А ты не ожидал, что я нанесу тебе визит?

— Ожидал, но...

— Но предполагал, что я прибегу и прыгну к тебе в постель. — Подойдя поближе, она увидела, что Гуннар сидит на постели — обнаженный по пояс, с простыней, накинутой на бедра. — Ну, вот я и прибежала. Мне не нравится, когда меня гипнотизируют против моей воли. Не знаю, как это делается, но тебе явно удалось. Черт бы тебя побрал, Гуннар Нильсен!

Она подняла кувшин и вылила ледяную воду на голые плечи и грудь Гуннара. От неожиданности он громко вскрикнул:

— О, черт! Квинби! Я же хотел, как лучше! Ох, до чего холодно!

Гуннар включил свет, спрыгнул с постели и побежал в ванную комнату. Прежде чем он успел туда юркнуть, Квинби успела разглядеть его крепкие мускулистые ягодицы. Гуннар оставил дверь открытой, и Квинби слышала, как, вытираясь полотенцем, он бормочет:

— Вы, шведы, может, и привыкли к купанию в проруби, но Гарвания — теплая страна. — Он выключил свет в ванной и вышел, завернувшись в большое махровое полотенце. — Это было чертовски неприятно.

— Не более неприятно, чем то, что сделал со мной ты.

— Не ври. В тот момент тебе очень нравилось все, что я с тобой делал. Я не виноват в том, что ты проснулась прежде, чем я довел дело до конца. Понятно, тебе это было в новинку, но что поделать!

Глаза Квинби удивленно раскрылись.

— Откуда тебе известно, что я проснулась прежде, чем... — Она нервно облизнула губы. — А-а, ты догадался. Значит, ты действительно хороший гипнотизер.

— Да, хороший. — Он подошел к ней. — Но это был не гипноз, а телепатия. Я дождался, когда ты уснешь, и стал проецировать образы и ощущение на твое подсознание.

Квинби неуверенно засмеялась.

— Снова ты за свое? Я же сказала тебе, что не верю в... — Она резко выдохнула, вновь ощутив нежное прикосновение к своей груди. Но Гуннар стоял в двух метрах от нее! — Я, кажется, схожу с ума.

Гуннар покачал головой, и ощущение моментально исчезло, хотя Квинби явственно почувствовала, что ему не хотелось оставлять ее.

— Извини, но мне надо было показать тебе, на что я способен, и тогда, когда ты бодрствуешь. Единственной причиной, по которой я воздействовал на твое подсознание во время сна, было то, что я боялся слишком сильно тебя испугать. Сначала тебя нужно было приучить к этому.

— Приучить? — Ее щеки вспыхнули от гнева. — Ты называешь подобное мысленное изнасилование словом «приучить»?

— Я не насиловал тебя. Я тебя соблазнял, — быстро возразил он. — Я дал тебе понять, что это — я, и если бы твое подсознание возражало против этого, оно закрылось бы для меня. Но оно знает, что ты — моя, пусть даже ты до сих пор отказываешься признаться в этом самой себе. Кроме того, я всего лишь поиграл с тобой, подарил тебе немного удовольствия. Я же не... — Он помолчал и, выразительно подняв брови и прикрыв глаза, признался: — Впрочем, не буду утверждать, что все это было благородно с моей стороны. Настоящее удовольствие я приберег до той поры, когда я тоже смогу разделить его с тобой. — Его голос зазвучал тише: — Я должен был убедить тебя в правдивости своих слов, Квинби. И сделал это наиболее приятным для тебя способом.

Она растерянно тряхнула головой. Гуннар говорил правду. Теперь она ни на секунду не сомневалась в том, что он с самого начала был абсолютно искренен с нею, а его рассказ был правдой от первого до последнего слова. И все же, цепляясь за привычные стереотипы, она проговорила:

— Значит, ты просишь, чтобы я поверила, что вся чепуха, которой ты меня потчевал, правда?

— Я просил тебя верить мне, но ты не поверила. — Губы Гуннара искривились в ехидной улыбке. — Я был обижен, мне захотелось доказать тебе, что я не лгу, вот и пришлось прибегнуть к предметному уроку. По-моему, он возымел действие. Ведь теперь ты веришь мне, Квинби?

Да, она верила. А что ей было делать. Женщина вдруг почувствовала, что ее колени подгибаются, и она бессильно упала в кресло, стоявшее возле кровати.

— Да, теперь — верю. Наверное, у меня крыша поехала.

Он облегченно вздохнул.

— Наконец-то. Я рад, что все позади. Как же я проклинал твое дурацкое упрямство! Но, может быть, оно и к лучшему. Теперь, когда между нами установилось взаимопонимание, мы можем поближе узнать друг друга.

Квинби с тревогой посмотрела на собеседника.

— Если то, как ты со мной поступил, называет-

11 Зак. № 1108 Джоансен

ся «установить взаимопонимание», то что же означает «познакомиться поближе»?

— О, не обращай внимания, это была всего лишь маленькая демонстрация возможностей. Больше такого не повторится. По крайней мере, без твоего согласия.

— Но как тебе это удалось? Ты же сам говорил, что у вас существуют определенные ограничения на этот счет.

— Так оно и есть, но не существует правил без исключений. Мы имеем право использовать свои способности без ведома человека, если кому-то из нас грозит опасность или при крайней необходимости.

— Данный случай не подпадает ни под одну из этих категорий.

— Но есть еще одно исключение, под которое мы подпадаем. — Голос Гуннара звучал мягко и убеждающе. — Каждый из нас может входить в сознание того, кто является его *валоном.*

— Что значит «*валон*»?

— Это гарванианское слово, которое означает... — Гуннар помешкал, подыскивая адекватное понятие на английском. — Даже трудно перевести. Точнее всего будет сказать «души-близнецы». Тот, кто делит с тобой свою душу. Ты мой *валон*, Квинби. Я понял это в тот же миг, как увидел тебя.

Она растерянно посмотрела на Гуннара, потом попыталась засмеяться, но у нее ничего не вышло.

— И сколько раз в год тебе попадается этот твой... валон?

Лицо Гуннара исказилось как от боли.

— Не смейся, Квинби. Такое случается лишь раз в жизни.

— Как я могу в это поверить? Как я могу вообще верить тебе? Ты вошел в мою жизнь и вывернул ее наизнанку. Ты играешь с моим сознанием и заявляешь, что имеешь на это право, поскольку мы с тобой какие-то там... духовные побратимы. — Она пробежала пальцами по волосам. — Мне все это не нравится. Я привыкла к простым, ясным и земным вещам. И я вовсе не уверена в том, что мое подсознание позволило тебе выделывать со мной нечто подобное. Откуда мне знать, что ты говоришь правду? Ты, судя по всему, можешь играть с моей психикой так, как тебе захочется.

— Успокоит ли тебя мое обещание не входить больше в твое сознание ни при каких обстоятельствах, если только ты сама не позовешь меня туда?

— А ты его выполнишь?

Он кивнул.

— Я не могу обещать тебе, что этого не случится ни при каких обстоятельствах, но буду стараться изо всех сил. — Гуннар заискивающе улыбнулся. — Мне очень понравилось находиться в твоих мыслях, Квинби. Они чисты и прекрасны. Я заглядывал в души многих людей, но нигде мне еще не было так хорошо. Мне захотелось свернуться клубочком и остаться там навсегда.

Квинби безрадостно рассмеялась.

— Сама я — мягкая подушка, а сознание у

меня — уютное. Если бы все это не звучало столь чудно, я бы, наверное, обиделась.

— Почему? — недоуменно вздернул брови Гуннар. — Ведь это прекрасно, когда человек способен дарить мир и успокоение тем, кто рядом.

— Да потому, что я... — Она умолкла, не договорив. На самом деле ей не хотелось, чтобы он думал о ней, как о чем-то «уютном». На эту... как ее там звали... свою последнюю любовницу Гуннар наверняка смотрел не как на подушку, и в ней его привлекала скорее всего красота.

— Ее звали Мари-Энн, — рассеянно проговорил Гуннар. — И ты на порядок красивее, чем она.

Квинби захлестнула волна возмущения.

— Ты опять... подглядывал!

— В последний раз, — робко пообещал Гуннар. — Это сильнее меня. Мне нужно было удостовериться в том, что ты по-прежнему меня хочешь. Ты наверняка потрясена. Некоторые женщины, пережив такое, начинают испытывать отвращение. Я не стал внушать тебе такого чувства? Ты не считаешь меня... уродом?

— Нет, я не испытываю к тебе отвращения и не считаю тебя уродом. — Глаза ее блеснули. — Но я думаю, что ты — совершенно беспринципный тип. Ты обещал не лезть в мои мысли, черт тебя возьми!

Она повернулась и пошла к двери.

Гуннар оказался у двери раньше Квинби и загородил ей дорогу.

— Я сорвался. Больше этого не повторится. Мне было очень — очень! — важно убедиться в том, что я не стал тебе противен. — Он улыбнулся, как провинившийся мальчишка. — Я не совершенен, но ты можешь мне доверять.

— Дай пройти.

— Послушай, а не хочешь ли заглянуть в мои мысли ты? Я могу сделать так, что у тебя это получится. Тогда сама убедишься, что можешь мне верить.

Неужели он на самом деле пустит ее в свое сознание — на эту самую заповедную территорию, не доступную ни для кого, кроме ее хозяина? Взгляд его был искренним. Видимо, он говорил правду. Квинби отвела глаза в сторону.

— Нет, спасибо. Думаю, я еще не готова копаться в чужих мозгах.

— Тогда просто поверь мне: такое больше не повторится. — Гуннар старался, чтобы его голос звучал как можно более убедительно. — Это было мимолетное желание, импульс. Я сделал это, не подумав.

— Похоже, ты слишком часто действуешь, не подумав, — сухо сказала она. — Какие у меня могут быть гарантии, что это не повторится?

— Никаких, — честно признался он. — Но я не настолько бессовестный, как может показаться. Я держу свое слово.

— Если помнишь о нем.

Гуннар болезненно сморщился.

— Я же сказал тебе, что не совершенен. Но я исправлюсь.

Квинби подняла глаза. Конечно же, он не совершенен и сделает еще много ошибок. Она внезапно испытала огромное облегчение. Возможно, Гуннар обладает суперинтеллектом, но он бывает уязвим и беззащитен. Хотя бы сейчас, переживая по поводу того, как выглядит в ее глазах.

А ведь она боится его! Страх поселился в ее душе в ту самую минуту, когда она осознала, что Гуннар говорит правду. То, о чем он рассказал ей, заключало в себе огромную силу, а такая сила, в свою очередь, неизбежно порождает страх. И в то же время ей было ясно, что не надо бояться Гуннара.

Он не сводил с нее глаз.

— Так что, ты остаешься?

— Ты сейчас не читаешь мои мысли? — подозрительно глянула она на него.

На его лице отразилось радостное облегчение.

— Нет, честное слово. Значит, ты остаешься! — Он шагнул к ней, подхватил на руки и стал кружиться по комнате. — Черт, как же ты меня напугала!

— Гуннар, немедленно отпусти меня! — Она впилась руками в его голые плечи и тут же ощутила, как через ее ладони, словно от соприкосновения с оголенными проводами, пошли электрические разряды. Его кожа была гладкой, теплой и золотистой от загара.

— Как прикажешь. — Темно-синие глаза горели плутовским огнем. Он разжал объятия, и Квинби медленно скользнула вниз, ощутив при этом каждый мускул его тела. Она явственно почувствовала владевшее им возбуждение. — Ты уверена, что не хочешь заглянуть в мои мысли и узнать, о чем я думаю? Тебе это должно понравиться. Я думаю, как прекрасно было бы избавиться от этой чепухи, что на тебе. Тогда я мог бы прижаться к тебе всем телом и ощутить, какая ты нежная и горячая. А после я положу руку на...

— Тс-с! — Щеки Квинби горели. — Я не хочу читать твои мысли и не хочу, чтобы ты мне их пересказывал. Отпусти меня.

Он повиновался не сразу, внимательно вглядываясь прищуренными глазами в ее лицо, а затем неохотно разжал руки и отступил назад.

— Ну хорошо. Раз ты настаиваешь.

— Настаиваю. — Квинби изо всех сил старалась, чтобы ее голос звучал твердо и решительно. — Если я согласилась остаться, из этого еще не следует, что я намерена сию же секунду закрутить с тобой роман.

— Сию секунду не обязательно. Кроме того, я уже сказал тебе, что мы идем друг к другу с того момента, когда каждый их нас появился на свет. — Он мягко улыбнулся. — Но я вижу, что тебе сначала необходимо привыкнуть к этой мысли и связать все ниточки воедино. Для этого в твоем распоряжении есть день или даже два.

— Как щедро с твоей стороны!

— Это звучит самонадеянно? Прости, я не специально. Я лишь имел в виду, что ты — умница, светлая голова, и тебе не понадобится много времени, чтобы разобраться во всем услышанном и прийти к тому же выводу.

— К какому именно?

— О том, что я твой *валон*, — просто ответил он. — Раз и навсегда.

Глаза Квинби затуманили слезы. Внутри нее возникало что-то необъяснимое, но тут же рассыпалось и исчезало. Она боялась, что уже готова смириться с его выводом. Но это же совершенно невозможно! Приди она к такому заключению, обратной дороги не будет, и кто же окажется ее избранником? Человек, находясь рядом с которым, она столкнется с кучей проблем, да таких, о каких раньше и помыслить-то не могла! Но пока она еще не перешла черту, из-за которой возврата нет. Пока не перешла.

Квинби судорожно вздохнула. Сейчас она не в состоянии справиться со всем этим. Она слишком растеряна. Нынешняя ночь оказалась богата переживаниями, они привели ее в смятение.

— Я хочу вернуться в свою постель и не намерена больше обсуждать это до тех пор, пока спокойно все не переварю.

— Весьма резонно, — согласился Гуннар. — Не очень радостно для меня, но резонно.

— А вот о чем мне действительно хочется поговорить, так это об Эндрю.

Гуннар посерьезнел.

— Я собирался рассказать тебе о его проблемах, но ты не захотела слушать.

— Теперь я тебя слушаю. — Она повернулась и поспешно подошла к стулу, на котором лежал голубой махровый халат Гуннара. Тонкая шелковая пижама казалась ей недостаточно надежной защитой от искушения, которое излучало обнаженное тело Гуннара. — Ты сказал, что Эндрю тоже является телепатом?

— Да, причем очень сильным. Один из его родителей принадлежал к «Кланаду», второй — нет. Парадоксально, но это каким-то образом стимулировало его телепатические способности. — Гуннар помедлил. — Это же обстоятельство, к сожалению, повысило и его чувствительность. Члены «Кланада» без особого труда научились создавать вокруг себя защитный барьер, не пропускающий нежелательное психическое воздействие, но...

— Что это означает?

— Ну-у, это — обрывки чужих мыслей и переживаний, которые витают повсюду. Их можно сравнить с радиопомехами, только психического происхождения. В общем-то они обычно не представляют опасности, если это не является внезапным взрывом негативных эмоций в непосредственной близости от нас.

— А Эндрю не научился возводить такой барьер? — предположила Квинби.

— Он пытался. Для того чтобы научить его этому, был выбран я, и мальчик действительно учился. Мы тщательно следили за тем, чтобы он не общался ни с кем, кроме членов «Кланада», чтобы никто не смог его ранить. Но примерно с год назад произошло то, чего никто из нас не ожидал. Один из членов «Кланада» попал в автомобильную катастрофу. Он врезался в парапет набережной, машина загорелась, и он погиб в страшных мучениях.

— И Эндрю... — Квинби была не в силах выговорить то, что вертелось в ее голове. — О Боже, несчастное дитя!

Гуннар мрачно кивнул.

— Он не смог оградить свой мозг от волны этой страшной боли, которую испытывал умирающий человек. Он вместе с ним переживал и агонию, и смерть. Два дня у него не прекращалась истерика, и мы ничем не могли ему помочь. Что пережили Элизабет и Джон — невозможно описать. — В глазах Гуннара было написано страдание. Он словно снова переживал страшные события, о которых рассказывал. — А я тем временем проклинал себя. Я винил себя в том, что не торопился с его подготовкой. Но я полагал, что мальчика необходимо учить постепенно, поскольку интенсивный курс обучения мог бы травмировать его психику.

— Ты рассуждал правильно. Кто же мог предположить, что случится такое несчастье?

— Я должен был предположить! — К боли, звучавшей в его голосе, добавился сдерживаемый гнев. — Уж мне-то известно, насколько зол и жесток этот мир. Я был обязан предвидеть такую возможность и уберечь от нее малыша.

— Но ведь он все же оправился после того случая, — проговорила Квинби, желая хоть как-то утешить Гуннара. — Сейчас он производит впечатление совершенно нормального ребенка, если не считать ночных кошмаров.

— Нет, — качнул головой Гуннар.

— В чем же дело?

— После того как у Эндрю закончилась истерика, он почти неделю находился в состоянии ступора. А потом как-то открыл глаза и выглядел так, словно полностью пришел в себя. Он, казалось, начисто забыл обо всем, что случилось. Господи, как же мы радовались! Мы решили, что он каким-то образом сам излечился и теперь быстро пойдет на поправку.

— Но этого не случилось?

— Нет. Он действительно себя излечил, но помимо этого сделал с собой кое-что еще. Он возвел свой собственный барьер против боли, а поскольку Эндрю сам является очень сильной личностью, его защита тоже оказался чрезвычайно прочной. Он оградил себя от всего мира. Он прячется за этим барьером и отвергает тот факт, что обладает телепатическими способностями.

— Может, это к лучшему? — осторожно спросила Квинби. — Может, после таких переживаний ему и не надо возрождать в себе способности, таящие подобную опасность?

— Так думала и Элизабет. Ей было плевать, вырастет мальчик каким-то особенным или нет — главное, чтобы он был здоров. Но потом у него начались ночные кошмары. Поначалу они посещали его редко, затем стали случаться чаще, и под конец — каждую ночь. Иногда он боится даже закрывать глаза.

— Вы показывали его психиатру?

— Начиная с той ночи, когда произошла автокатастрофа, его наблюдали лучшие врачи «Кланада». Но они не могли понять, что происходит с мальчиком. Видишь ли, — горько усмехнулся Гуннар, — проблемы медицинского характера, с которыми сталкиваемся мы, являются новыми, слабоизученными для врачей. Когда речь заходит о нас, им приходится действовать наугад, методом проб и, к сожалению, ошибок. Тем не менее через некоторое время им удалось поставить диагноз и предложить некоторые рекомендации. Эндрю — прирожденный телепат, и подавление этих способностей для него неестественно. Его психика — это поле боя, и единственное время, когда он осознает, какая битва происходит внутри его, это часы сна.

— А что значит это загадочное слово «тени»?

— Тени — это мысли, которые пытаются прорваться сквозь возведенный им защитный барьер. Мысли, которых он боится, поскольку они могут нести в себе такую же боль и ужас, мысли, которые едва не свели его с ума.

Такое объяснение звучало логично, Квинби снова ощутила волну жалости и симпатии к Эндрю.

— Вы пытались применять гипноз?

— Он допускает меня до определенной точки, но не дальше.

— Так что же тут можно поделать?

— Найти способ разрушить этот барьер.

— Нет! — не раздумывая, воскликнула она. —

Вы не имеете права вновь заставлять его пройти сквозь всю эту боль.

— Конечно. Я бы скорее согласился на то, чтобы он остался таким, как сейчас, чем снова причинять ему психическую травму. Неужели ты считаешь меня чудовищем?

— Я хотела сказать...

— Дело в том, что его состояние ухудшается, — перебил ее Гуннар. — Его сознание балансирует на опасной грани, и мы не можем позволить ему сохранять свой защитный барьер. Если он рухнет, я смогу помочь Эндрю разобраться в том, что происходит, и выстроить иную систему защиты, такую, которую можно контролировать.

— Как же ты рассчитываешь преодолеть его защиту?

— Я рассчитываю на то, что он сам это сделает, — ответил Гуннар. — У Эндрю — добрая душа и прирожденная склонность к целительству. Это — его главная отличительная черта.

Квинби вдруг догадалась о замысле Гуннара.

— Так вот о каком «катализаторе» ты говорил! Стивен! Ты свел их вместе, чтобы Эндрю попытался помочь Стивену?

— Не «попытался». Эндрю на самом деле способен излечить Стивена. В течение последних пяти лет мы изучали различные уровни интеллекта и нашли способы, с помощью которых можно помочь таким людям, как Стивен. Их можно излечить собственным примером, показывая им, как воспринимать те или иные явления. Это — долгий и изнурительный процесс, но, если применить при этом телепатию, можно достичь потрясающих результатов.

— Удивительно! — восхитилась Квинби. — Настоящее чудо!

— Это не чудо, а новая ступень развития науки. Жаль только, что в ее лабиринтах нам пока приходится двигаться вслепую.

— А если Эндрю не сможет помочь Стивену?

Губы Гуннара сжались в узкую полоску.

— Тогда я увезу их обоих обратно в Седихан, обращусь к специалистам «Кланада» с просьбой вылечить Стивена, а сам постараюсь не думать о том, как бы помочь Эндрю, а займусь чем-нибудь другим.

— Но ты, судя по всему, надеешься, что этого не потребуется?

— Надеюсь. Я всегда надеюсь. Господи, как же мне хочется, чтобы так не случилось! Стивен и Эндрю явно начинают привязываться друг к другу. Ты сама видела это сегодня вечером.

Горло Квинби сжалось. Она вспомнила трогательную картину: мужчина и мальчик сидят на берегу реки и смотрят на звезды.

— Да, они действительно становятся близкими.

— Ты поможешь мне, Квинби? — умоляющим тоном спросил Гуннар. — Помогая мне, ты будешь помогать Эндрю. Без тебя мне не справиться. Я не знаю, чего ожидать, когда он пересечет черту, из-за которой уже не будет возврата.

Как странно: Гуннар употребил то же самое

выражение, которое незадолго до того пришло ей в голову. Они оба — и Эндрю, и она сама — входили в незнакомые, опасные воды. Квинби уже решила, что поможет мальчику, чего бы это ни стоило — даже при том, что не знала, кто поможет ей самой.

— Для этого я здесь и нахожусь — чтобы удержать Эндрю. Ты рассказал мне все, или есть еще что-то, что я должна знать?

Гуннар колебался и, казалось, уже был готов что-то сказать, но затем мотнул головой:

— Не сейчас. Ты и так узнала достаточно много, так что этой ночью у тебя будет над чем подумать. Остальное узнаешь завтра.

Квинби не стала спорить. Она вдруг почувствовала невероятную усталость.

— Хорошо. Завтра. — Пройдя через комнату и открыв дверь, она сказала: — Спокойной ночи, Гуннар.

— Квинби! — окликнул он ее. Она оглянулась. — Дело ведь не только в Эндрю, правда? Я знаю, ты здесь ради мальчика, но есть и что-то еще. — Фразы получались у него неуклюжими. Ему явно было не по себе. — Я имею в виду, что дело и во мне тоже, да? Ты же хочешь остаться еще и для того, чтобы получше узнать меня?

Квинби не знала, что ответить. Он требует от нее чересчур много. Нужно остановить его. Женщина уже открыла рот, чтобы дать резкий отпор, но встретилась глазами с его молящим, беспомощным и... любящим взглядом. Разве можно ударить человека, который так на тебя смотрит?

Она вздохнула и честно ответила:

— Да, Гуннар, я хочу узнать тебя лучше. — Лицо мужчины осветилось радостью. — Но не так быстро и решительно, как хотелось бы этого тебе. И держись подальше от моих снов!

После этих слов дверь закрылась за ее спиной.

* * *

Двадцатью минутами позже, когда сон уже обволакивал ее своей черной пелериной, Квинби услышала негромкие шаги Гуннара. Он прошел по коридору мимо ее двери и стал спускаться по лестнице.

Еще одна тайна, которую он не счел нужным доверить, подумалось ей: Нужно не забыть и завтра обязательно спросить его относительно этих ночных прогулок.

Глава 6

— Я хочу купить Стивену подарок. — Эндрю доел последний блинчик и отодвинул тарелку. — Подарок на день рождения.

Гуннар поставил стеклянный кувшин с кофе на нагреватель и откинулся на стуле.

— Так вы уже решили, в какой день будете праздновать его день рождения?

Эндрю кивнул.

— Двадцать второго мая. Через четыре дня. Годится?

— По-моему, вполне подходящая дата для дня рождения, — присоединилась к разговору Квинби. — А что ты хочешь подарить Стивену?

Эндрю задумчиво наморщил лоб.

— Даже не знаю. Что-нибудь связанное со звездами. Может быть, большую книжку, где много картинок. Наверное, Стивен не очень хорошо умеет читать.

— Что-нибудь связанное со звездами... — Квинби задумалась, сведя брови вместе. — По-моему, у меня есть одна идея.

— Какая? — нетерпеливо спросил Эндрю. — Ему это понравится?

— О да. Я уверена, что ему это очень понравится. — Квинби наклонилась вперед и прикоснулась губами к золотоволосой макушке мальчика. Этим утром он выглядел таким радостным и светящимся! Даже не верилось, что ночью он был близок к истерике. Слава Богу, что дети так быстро приходят в себя! — Вот только я не уверена, что это можно будет организовать до дня рождения Стивена. Мне нужно кое-куда позвонить, а чуть позже я тебе скажу.

— Это лучше, чем книга?

— Гораздо лучше, — заверила его Квинби, вставая из-за стола. — Кстати, раз уж мы готовимся устроить для Стивена настоящий день рождения, узнай у него, какой он предпочитает пирог и мороженое. А потом мы отправимся в город, чтобы купить воздушные шары, праздничные ленты...

— Я прямо сейчас побегу и спрошу его, — воскликнул мальчик, вскакивая на ноги. — Ух, классная у нас получится вечеринка! Квинби, а можно мне рассказать Стивену про то, что мы задумали?

— Почему бы и нет! Где он сейчас? Кстати, ты сказал ему, что мы бы хотели, чтобы он позавтракал вместе с нами?

— Сказал. — Эндрю уже находился у раздвижной двери. — Но он хотел начать строить домик на дереве спозаранку, как только встанет солнце.

— И все равно он должен позавтракать. Пойди

и позови... — Квинби умолкла, поняв, что говорит в пустоту. Мальчика в кухне уже не было.

Гуннар улыбнулся ей.

— Не волнуйся, я сложу еду в корзину для пикников и отнесу им в лес. — Он поднялся, неторопливо подошел к двери и с показным равнодушием посмотрел вслед Эндрю, который бежал через луг по направлению к лесу. — Кстати, Джон решил, что нам может понадобиться помощь, и прислал еще одного человека — Джадда Уокера. Он будет присматривать за Эндрю и Стивеном, пока те играют в лесу. Вчера ночью я встретил Джадда в аэропорту и привез его в городской мотель, но каждый день, начиная с сегодняшнего, он будет приезжать сюда. Джадд — чернокожий, высокий и худой; ему лет тридцать пять. Он постарается быть незаметным, но, если попадется тебе на глаза, не переживай и не думай, что Эндрю грозит какая-то опасность.

Квинби, собиравшая со стола грязные тарелки, подняла глаза на Гуннара.

— А зачем, скажи на милость, мне может потребоваться еще один помощник? Мне и без того почти нечего делать. Сколько нянек, по-твоему, нужно Эндрю?

— Джадд — не нянька.

— Для чего же он тогда здесь нужен?

— Джон — очень богатый и влиятельный человек. Естественно, он хочет, чтобы Эндрю находился в полной безопасности.

Квинби бессильно опустилась на стул.

— В безопасности... Значит, Джадд — телохранитель?

— Я этого не говорил!

— Не принимай меня за дуру! — сухо заявила Квинби. — Я привыкла к тому, что для своих чад богатые и известные люди нанимают телохранителей. К сожалению, еще хватает психов, которые не остановятся перед тем, чтобы причинить вред ребенку ради выкупа или мести. Так что не надо оберегать меня от потрясения при мысли о том, что Эндрю является одним из таких детей. Лучше скажи, почему этого Джадда Уокера прислали тебе на помощь. Ты, по-моему, достаточно хорошо умеешь разбираться с проблемами такого рода, и если тебе в помощь присылают еще одного человека, значит, на горизонте маячит что-то очень серьезное. Я права?

— Во-первых, я не принимаю тебя за дуру, как раз наоборот. Просто мне не хотелось, чтобы ты волновалась понапрасну. Вполне возможно, Эндрю ничего не грозит.

— Куда же ты в таком случае ходишь посреди ночи? — Квинби заглянула ему в глаза. — Если бы речь шла об Эндрю или Стивене, я бы решила, что они по ночам любуются звездами, но когда в полночь дозором ходишь ты...

— Считай, что ты пришпилила меня к стене.

— Вот именно. Ну как, Эндрю благополучно добрался до леса? Ведь ты стоишь возле двери именно для того, чтобы проследить за этим?

— Да, — кивнул Гуннар. — Стивен увидел его и встретил.

— А этот Джадд, судя по всему, наблюдает за ними обоими? — Квинби налила себе еще чашку кофе. — Иди сюда и садись. Ты должен растолковать мне кое-что еще.

— Я почему-то испытываю ощущение, что меня сейчас отшлепают. — Глаза Гуннара хитро блеснули, и он с подчеркнутой покорностью повиновался. — Но я и без того намеревался тебе все рассказать.

— Так я тебе и поверила. — Тон Квинби был сухим и деловым. — Терпеть не могу, когда меня заставляют блуждать в потемках. И, кстати, я предпочитаю сама судить, что для меня хорошо, а что плохо. Рассказывай. Кто-то намеревается похитить Эндрю?

— Нет. — Гуннар протянул руку, взял со стола стеклянный кофейник и налил себе кофе. — По крайней мере, я так не думаю.

— Тогда что тебя волнует?

— Да меня ничего особо и не волнует. Я просто решил проявить осторожность. За безопасность Эндрю отвечаю я, и мне не хочется, чтобы с ним что-нибудь случилось.

— Гуннар, если ты не прекратишь ходить вокруг да около...

Он заглянул на дно своей чашки.

— В день нашего приезда сюда я что-то почувствовал. Это длилось всего долю секунды, так что, может, я и ошибаюсь. Мне показалось, что из леса по ту сторону дороги за нами кто-то наблюдает.

По спине Квинби побежал противный холодок.

— Даже если тебе не показалось, это необязательно должно было таить в себе опасность. Если кто-то и смотрел...

— Нет, тут было другое. — Он поднял на нее взгляд. — Мне показалось, что это Карл Бардо.

— Кто такой Карл Бардо?

— Несколько лет назад он возглавлял секретное правительственное агентство. Национальное разведывательное бюро. Оно было укомплектовано профессионалами высочайшей пробы, но совершенно беспринципными, по сравнению с которыми агенты ЦРУ выглядели сущими котятами. Это агентство было расформировано около четырех лет назад, но Карл Бардо исчез из виду.

— Но какое ему дело до Эндрю?

— Пять лет назад Бардо проводил расследование в связи с «Кланадом». В то время мы базировались здесь, в Штатах, — с мрачным выражением рассказывал Гуннар. — Бардо заявил, что все мы — уроды и представляем опасность для страны. Он вконец свихнулся на этой почве, превратился в настоящего фанатика, и когда родился Эндрю... — Гуннар умолк, но затем, сделав над собой усилие, сказал: — Сначала он заявил, что всего лишь хочет обследовать мальчика, но затем пригрозил его пристрелить.

— Убить беззащитного младенца? — Квинби замутило.

— Он ненормальный. Представься ему возможность, он перестрелял бы нас всех.

— Но вам удалось одержать над ним верх?

— Джон нашел способ дискредитировать Бардо, и его уволили из НРБ. Мы постоянно следили за ним, но после того, как весь «Кланад» переместился в Седихан, потеряли его из вида.

— Значит, ты полагаешь, что сейчас Бардо может следить за нашим домом? — Сама эта мысль пугала Квинби. — После стольких лет?

— Не знаю, черт побери! Возможно, я ошибаюсь. Я же говорил тебе, что несовершенен. Но если я прав... — Каждое слово давалось Гуннару с огромным трудом. — Если я прав, то нам стоит бояться вовсе не похищения, а...

— Убийства? — неслышно выдохнула Квинби.

Гуннар поник головой.

— У этого человека мерзостное нутро. Мы должны быть уверены, что он ни при каких обстоятельствах не доберется своими грязными лапами до Эндрю. Вот почему Джон прислал сюда Джадда. Джадд — член «Кланада» и ощутит присутствие Бардо, даже не видя его самого.

— Но ты же сказал, что можешь ошибаться. После нашего приезда сюда ты еще хоть раз ощущал его присутствие?

— Нет. Две ночи подряд я выходил в лес и прислушивался, но его не почувствовал. Может быть, он уехал, — устало пожал плечами Гуннар. — А может, его здесь вообще не было.

Квинби сделала глубокий вдох.

— Что еще мне следует знать?

— Разве что, как выглядит Бардо, на тот случай, если он попадется тебе на глаза. Ему за сорок. Жидкие седые волосы и брыли, как у бульдога.

— Брыли... — повторила Квинби, и вдруг ее глаза испуганно расширились. — Но ведь это тот самый человек, который приснился Эндрю!

— Возможно. Может быть, он подглядел его облик в моих мыслях. Такое тоже бывает.

— А может, он «подглядел» это, мысленно увидев самого Карла Бардо. — Квинби сглотнула, чтобы избавиться от застрявшего в горле комка. — Но в таком случае насколько мощным должен быть эмоциональный выброс злобы и ненависти, чтобы он пробился через защитный барьер Эндрю!

— Да, Квинби, — тихо проговорил Гуннар, — он должен быть исключительно сильным.

Она поежилась. Ей было страшно думать о ядовитой ненависти Бардо, направленной против маленького беззащитного мальчика.

Гуннар протянул руку и нежно прикоснулся кончиками пальцев к щеке Квинби.

— Все будет хорошо. Если мы будем вместе и начеку, то сможем защитить нашего мальчика. Малейший признак того, что Бардо поблизости, и я немедленно отправлю вас в Седихан, где вы будете в безопасности.

— А что будешь делать ты сам?

В глазах Гуннара блеснул отчаянный злой огонек.

— Если это действительно Бардо, с моей стороны было бы безответственным позволить ему уйти. Иначе любому из нас вечно будет грозить опасность. Мне придется выйти на охоту.

Квинби с испугом смотрела на Гуннара. Он не шутил. По его словам, Бардо намеревался убить не только Эндрю, но всех, кто входит в «Кланад», и тем не менее, рискуя жизнью, он намерен идти по его следу.

— Безответственным? Разве ты умеешь быть другим? Ты просто хочешь поймать его, вот и все! — Глаза Квинби гневно сверкнули. — Тебе это доставит удовольствие. Для тебя это что-то вроде наркотика. — Она встала, оттолкнув стул с такой силой, что он отлетел назад и едва не упал. — Уходи! Не хочу тебя видеть! — Женщина снова принялась собирать посуду со стола. — Господи, какой же ты идиот!

— Квинби...

— Ты меня не расслышал? Проваливай! — Голос ее дрожал, она избегала встретиться взглядом с Гуннаром. — Иди, играй с остальными детишками. — Квинби принялась укладывать грязные тарелки в посудомоечную машину. — Может, они и воспримут твои объяснения серьезно. Я — нет.

— Ты боишься за меня. — Голос Гуннара прозвучал не к месту радостно. — Ты и впрямь переживаешь за меня!

— А чему мне радоваться... — Она замерла и закрыла глаза. Проговорилась! Ей хотелось удушить самое себя. — Я думаю, это временное помутнение ума, и я приложу все усилия, чтобы преодолеть его.

— Открой глаза, Квинби. — Он уже стоял рядом с ней. — Ты не разрешаешь мне подсматривать за своими мыслями, а мне хочется знать, что ты чувствуешь.

— Иди к черту! — На последнем слове голос ее сломался. Глаза ее оставались плотно закрыты. — Уходи куда хочешь. Только оставь меня в покое.

Несколько секунд Гуннар в нерешительности топтался, затем Квинби почувствовала, что он отошел.

— Я ухожу, — прозвучал его голос. — Но мне кажется, это ошибка. Инстинкт подсказывает мне, что я сейчас должен перейти в наступление и закрепить занятые высоты.

— Ты пока никаких высот не занял.

— Не скажи. — В голосе говорившего слышалось торжество. — Я тебе явно небезразличен, иначе ты бы за меня так не переживала. — Квинби услышала, как открылась раздвижная дверь, а затем послышался ликующий вопль: — Ю-уп-пи-и-и!!!

Дверь закрылась, и до нее донесся радостный смех Гуннара, сбегающего с крыльца.

Веки ее поднялись. Глаза застилали слезы, и она даже не позаботилась смахнуть их. Черт бы его побрал! — с отчаянием подумала Квинби. Ей страшно не хотелось признавать его правоту. Она не желала признавать, что кто-то был способен так напугать ее, особенно мужчина, который воспринимает опасность как приятное разнообразие. Тот, кто не боится автоматных очередей и вооруженных маньяков.

Слезы уже бежали по ее щекам ручьями. Квинби вынула из шкафа над мойкой бумажное полотенце. И вдобавок ко всему он, черт его дери, еще и телепат! Кто знает, каким фокусом он огорошит ее в следующий раз! Она не хотела любить Гуннара Нильсена.

Любить. Произнесенное даже мысленно, это слово потрясло ее. На протяжении всего этого времени, она обходила его, как шхуна обходит опасные рифы, и вот теперь мысль о том, что Гуннару грозит опасность, выбросила его на поверхность. Она просто не могла любить его. Ведь они встретились совсем недавно, и на пути этого чувства лежало столько всяческих препон!

Но, Боже милостивый, она уже любила его!

Квинби медленно подошла к прозрачной двери и выглянула наружу. Гуннар пружинистой походкой шел через луг, и солнечный свет создавал нимб над его золотоволосой головой. Все его мускулистое тренированное тело излучало жизненную силу. Гуннар что-то весело кричал, обращаясь к кому-то, кого Квинби не видела, и махал рукой с такой детской радостью, что она вновь испытала прилив нежности к этому взрослому мальчишке. Он был таким живым, открытым и непосредственным, таким любящим и... любимым. Ну разве можно ему противостоять!

«Да уж, — мрачно подумала Квинби, — втюрилась. Причем — по самые уши». После чудовищной истории с Раулем она поклялась себе, что в следующий раз решится строить отношения лишь с мужчиной рассудительным и основательным, как скала. Никто в здравом уме не сказал бы, что Гуннар обладает хотя бы одним из этих качеств.

Нет, это ужасно — быть такой непроходимой дурой, чтобы влюбиться в Гуннара Нильсена.

* * *

Он шел по натянутому канату.

Ноги Квинби вросли в землю. Корзина с едой выпала из ее безжизненной руки. Она окаменела и не могла отвести глаз от фигуры Гуннара, который балансировал на толстой веревке, протянутой между ветвями двух гигантских кленов. Она была натянута на высоте не менее тринадцати метров от земли. Один неверный шаг — и он разобьется. Насмерть. Она боялась не то что крикнуть — перевести дух!

Гуннар уже прошел половину пути. Он смеялся, на лице и во всей его фигуре была написана та же самая бесшабашность и озорство, которые она видела в нем уже не раз.

— Квинби! — раздался шепот Эндрю с нижней ветви дерева, в паре метров от того места, где она стояла. — Классно, правда? Настоящий канатоходец! Стивен сказал, что ни разу не был в цирке, вот Гуннар и решил показать ему...

— Ш-ш-ш! — Она безумно боялась, что Гуннар отвлечется и рухнет с огромной высоты. — Потом, Эндрю.

Гуннар уже почти дошел до другого дерева, и тут Квинби поймала себя на том, что беззвучно молится: не дай ему упасть, Господи, ну чего тебе стоит!

Наконец он добрался до конечной цели своего маршрута и легко перепрыгнул с каната на сравнительно надежную ветвь клена.

Стивен и Эндрю разразились аплодисментами. Гуннар посмотрел вниз и одарил их сияющей улыбкой, а затем согнулся в изысканном поклоне артиста, выходящего на бис.

— А теперь — следующий номер...

— Гуннар! — Кровь прилила к голове Квинби, ее щеки покраснели от злости. — Никаких номеров! Спускайся вниз! Слышишь?!

— Я лишь хотел показать Стивену... — начал Гуннар, но, увидев ее лицо, осекся. — Спокойно! Уже спускаюсь. — Он стал слезать по толстому стволу. — Это было вовсе не опасно, Квинби.

Она не слушала. Нужно было уйти отсюда как можно скорее, чтобы не взорваться гневом на виду у Стивена и Эндрю. Махнув рукой в сторону валявшейся на земле корзины с едой, она сказала:

— Я принесла вам поесть, Эндрю. Увидимся позже, а сейчас мне надо возвращаться домой.

— Останься, Квинби, — Эндрю смотрел на нее сквозь листья деревьев, и на его лице было написано недоумение. — Я хотел показать тебе наш домик. Мы его уже почти закончили.

— Потом посмотрю. — Она отвернулась от них. — Приятного аппетита.

Через несколько секунд Квинби поймала себя на том, что бежит по лесу, словно за ней гонятся все демоны ада. Черт бы побрал этого идиота! Как он мог так поступить!

— Квинби! — послышался сзади крик Гуннара.

Она не обернулась. Продираясь сквозь сучья деревьев, она бежала к краю леса.

— Стой!

Почему он хочет, чтобы она остановилась? Может, еще раз собирается продемонстрировать ей, как он намерен сломать себе шею?

— Да не сходи же ты с ума, Квинби! Чем я тебя расстроил? — задыхающимся голосом прокричал Гуннар. Он бежал за ней по пятам. — Да постой же ты!

Подошвы ее кроссовок застучали по доскам моста, и через несколько секунд она уже вбежала на заднее крыльцо дома. Она рывком открыла раздвигающуюся дверь и в этот момент почувствовала, как рука Гуннара легла ей на плечо.

— Квинби, милая, ну послушай меня!

— Убирайся! — Она вырвалась и вбежала в дом. — Оставь меня в покое! Пойди спрыгни с горы или покончи с собой как-нибудь еще, чтобы продемонстрировать, какой ты идиот. Мне на тебя наплевать!

Она уже не могла сдерживать слезы, поэтому

повернулась и кинулась из кухни в сторону коридора.

— Да ты когда-нибудь прекратишь эти скачки! — крикнул Гуннар голосом, в котором отчаяние сочеталось с нежностью. — Я хочу извиниться перед тобой! Я не хотел тебя пугать! Я просто не подумал...

— Ты никогда не думаешь. — Она стала подниматься по лестнице.

— Мне ничего не угрожало. Я знал, что делаю. Когда-то я был знаком с акробаткой из цирка братьев Ринглинг, и она меня научила...

— Не сомневаюсь!

— Ты ревнуешь! — Гуннар схватил ее за руку, затем за плечо и развернул к себе лицом. Увидев ее заплаканное лицо, он разом перестал улыбаться, обнял ее и прижал к себе, гладя по голове и пытаясь утешить. — А я — полная сволочь! — Он наклонил голову и поочередно поцеловал ее глаза. — Прости меня.

— Нет!

— Пожалуйста. — Убрав руки с ее плеч, он взял в ладони ее лицо. — Я подарю тебе все, что захочешь, только прости.

— Не нужны мне твои подарки.

— Тогда ты сделай мне подарок. Я очень люблю получать подарки. — Его губы оказались рядом с ее. — Поцелуй меня, Квинби.

— С какой стати? Я тебя на куски разорвать готова.

— Просто потому, что мне очень хочется. Если

ты этого не сделаешь, я умру. — Его дыхание касалось ее губ. — Мне так больно, когда ты злишься на меня. Хочешь, я покажу тебе, как мне больно?

— Мне тоже больно.

— Я знаю.

От него пахло свежестью и солнцем, и весь он излучал тепло, убаюкивающее Квинби. С каждым вдохом ее грудь высоко вздымалась и опускалась.

— Давай доставим друг другу радость, любовь моя, — сказал он, и она почувствовала на своих губах его поцелуй. Это прикосновение не было требовательным или настойчивым. В нем угадывалась просьба и ожидание.

— Гуннар... — попыталась возразить Квинби, но у нее получился лишь какой-то жалобный беспомощный писк. — Затем она обвила его плечи руками и изо всех сил прижалась к нему. А что, если бы она потеряла его?! — Как же я тебя ненавижу...

— Не обманывай меня, — проговорил он, покрывая горячими поцелуями ее щеки и губы. — Ты любишь меня. Потому и злишься. — Она ощутила, как напряглось его тело, и ощутила внутри себя неудержимую дрожь. — Ты сама знаешь это, Квинби.

Да, она знала, и от этого ее сердце разрывалось на части.

Пальцы Гуннара торопливо расстегивали пуговицы ее блузки с коротким рукавом.

— Лучше перестань противиться этой мысли. — Он стянул блузку с ее плеч, и она упала на ступени лестницы. — Может, я и не соответствую твоим представлениям об идеальном мужчине, но поверь, я не такой плохой. — Теперь он возился с пряжкой ее бюстгальтера, который застегивался спереди. — И никто не сможет любить тебя сильнее, чем я.

Губы его ласкали нежную кожу на ее шее, и сердце Квинби забилось в удвоенном темпе. В голове кружились обрывки разрозненных мыслей. Как же это случилось? — спрашивала она себя. Он вмиг разрушил тот барьер, который она так старательно возводила, желая защитить себя от него, и вот теперь она стоит перед ним — беззащитная и сгорающая от страстного желания! Квинби попыталась уцепиться за последнюю соломинку.

— Не надо! Мы не должны этого делать. А вдруг Эндрю...

— Джадд присматривает за Эндрю и Стивеном, а сами они настолько увлечены своим домиком, что нам повезет, если мы сумеем вытащить их из леса до темноты. — Он медленно развел в стороны две половинки бюстгальтера, и его взгляду предстали ее полные и горячие груди. Из горла Гуннара вырвался прерывистый выдох, в глазах зажегся огонь. — И мне кажется, что мы с тобой будем тоже очень заняты — до самой темноты.

Бюстгальтер полетел туда же, где уже лежала блузка.

Квинби самой уже начинало казаться, что он прав. По всему ее телу прокатывались волны дрожи, эпицентр которых располагался где-то в низу живота. Еще никогда ей не приходилось испытывать такого мощного желания.

— Нам следует пойти в мою комнату.

— Сейчас, сейчас. Иногда бывает лучше... — Квинби так и не поняла, что хотел сказать Гуннар, его голова склонилась к одному из розовых кружков, венчавших ее груди, язык принялся играть с ним, и остаток фразы прозвучал неразборчивым мычанием.

Квинби закрыла глаза и негромко застонала, погрузив пальцы в густые золотистые волосы Гуннара. Она чувствовала, как его пальцы сражаются с пуговицами на ее шортах, но была не в состоянии помочь ему. Она просто не могла пошевелиться. Каждый мускул ее тела был напряжен, заряжен необыкновенной энергией. Такую же готовность она ощущала и в теле Гуннара. Он выпустил ее сосок, и она услышала, как дыхание толчками вырывается из его губ. Однако в следующую секунду его губы накрыли ее второй сосок.

Шорты и трусики бикини скользнули вниз по ее ногам, и, сделав шаг, Квинби переступила через них. Она уже была не в состоянии думать ни о чем, кроме Гуннара и собственного мучительного желания.

— Я не могу больше ждать, — пробормотал Гуннар, подняв голову. Его скулы окрасились румянцем, глаза на худощавом лице лихорадочно горели. Он стащил через голову свой легкий свитер. — Ты ведь хочешь меня, Квинби? Господи, я не знаю, что сделаю, если...

— Да, да, — пробормотала она и, сделав шаг вперед, прижалась обнаженным телом к поросли курчавых волос на его груди. Почувствовав их прикосновение к своим соскам, она вздрогнула. — О да, я хочу тебя, Гуннар!

Он взял ее ягодицы в свои большие ладони и стал их ритмично сжимать, одновременно целуя ложбинку на ее шее.

— Я люблю тебя! Ты веришь мне? Это ведь не просто секс. — Он неуверенно засмеялся. — Хотя, честно говоря, ни о чем другом сейчас я думать не в состоянии. — Гуннар заставил Квинби встать на колени, опустился рядом и привлек ее к себе — так, что она ощутила под грубой тканью джинсов его напряженное мужское естество.

— Я тоже. Я никогда еще не испытывала ничего подобного. Мне кажется, что я сейчас... растаю.

— Хорошо. — Он расстегнул «молнию» джинсов, и в следующий момент она почувствовала, как что-то подобно пружине уперлось в ее живот. — В тот момент, когда ты будешь таять, я хочу находиться внутри тебя.

Он откинулся на спину, потянул Квинби на себя и затем одним резким толчком вошел в нее.

— Гуннар! — задохнулась она, выгнувшись дугой и откинув голову назад. Ее пальцы впились в его плечи.

Он потянул ее вниз, оказавшись еще глубже внутри нее.

— Я сделал тебе больно?

— Нет. — Она и впрямь не чувствовала боли. Только жаркий огонь и огромное желание.

Гуннар приподнялся — так, чтобы ее ноги обвились вокруг его бедер.

— У тебя внутри так уютно. Мне так хорошо! — Грудь Гуннара поднималась и опускалась в такт его частому дыханию. Он напрягся внутри нее и засмеялся, когда по ее телу прокатилась новая судорога. — Тебе это нравится?

— Да... — Ее мышцы конвульсивно сжались. Гуннар застонал.

— Сделай так еще раз!

— Нет... Пожалуйста...

Квинби наклонилась и уткнулась лицом в его плечо. Жесткая материя джинсов терлась о ее мягкую кожу, и это возбуждало еще больше.

Она вся горела. Ее груди набухли и тяжело легли на его грудь.

— Я этого не вынесу. Двигайся же, Гуннар!

Он потерся губами о ее висок.

— Это будет чудесно, любовь моя! — Он взялся руками за бедра Квинби и начал двигать ее, медленно приподнимая, а затем резко насаживая на себя, отчего во все концы ее тела летели электрические разряды. — Тебе понравится то, что я буду делать.

Ей казалось, что их соединили какими-то проводами, и она в состоянии делать только то, что он от нее хочет. Она закусила губу, стараясь не закричать от наслаждения, что накатывало на нее волна за волной, подобно неутомимому морскому прибою.

— Сейчас... Совсем скоро... — пробормотал он охрипшим голосом. — Я больше не могу... Сейчас, Квинби.

— Я знаю... — то ли сказала, то ли подумала она.

Окружающий мир прекратил свое существование. Остались лишь один ритм, одно движение, одна страсть. Сердце толчками гнало бурлящую кровь по ее венам, и это напряжение было слишком сильным, чтобы продолжаться долго. Если это продлится еще чуть-чуть, она взорвется.

— Сейчас!

Ритм их движения ускорился, превратившись в бешеную скачку, от которой у нее перехватило дыхание, затем Гуннар глухо зарычал, вонзившись в нее глубже, чем раньше. В следующую секунду ей показалось, что перед глазами лопнуло огромное зеркало, осыпав ее мириадами ослепительных разноцветных осколков. По телу раз за разом прокатывались конвульсии неведомого раньше наслаждения, потом тело внезапно расслабилось, сделавшись будто шарик, наполненный водой. Все вокруг поплыло, и Квинби закрыла глаза, пытаясь восстановить дыхание. Она чувствовала, как Гуннар осторожно снял ее с себя и уложил на ковер, которым была покрыта лестничная площадка, но была не в силах открыть веки. Сквозь обволакивающую ее сознание пелену она слабо удивлялась, как у него еще хватает сил, чтобы двигаться. Сама она была не в состоянии даже пошевелить пальцем.

Наконец Квинби заставила себя открыть глаза.

— Что ты делаешь?

— Снимаю с тебя кроссовки.

Она с удивлением заметила, что Гуннар успел избавиться от всей одежды и теперь красуется совершенно голым. Собрав в охапку ее и свои вещи, он заявил:

— Ну вот, можем мы отправляться в постель?

— Можем? — Она изумленно воззрилась на мужчину. — Лично я и шагу сделать не в состоянии.

— А я тебе помогу. — Переложив одежду в одну руку, он помог ей подняться, с улыбкой окинув взглядом ее обнаженное тело. — Боже, до чего же ты хороша! Но я с самого начала не сомневался, что ты — прекрасна.

Он обвил рукой ее талию и повлек Квинби вверх по лестнице.

— А я полагала, что ты считаешь меня «удобной», — с притворно невинным видом заметила Квинби.

— Ты, похоже, до конца жизни не забудешь мне этого слова, — скривился он. — Нет, любовь моя, «удобной» тебя вряд ли назовешь. Только что ты довела меня почти до помешательства. Ты самая темпераментная женщина, которую я когда-либо встречал, и мне не терпится снова почувствовать себя сумасшедшим.

Они поднялись наверх, и Квинби посмотрела вниз — на лестничную площадку, на которой они недавно находились. Ей не верилось, что все это произошло наяву, а не во сне. Не верилось, что сейчас, среди бела дня, они стояли обнаженными на лестнице, на которой только что занимались любовью исступленно и отчаянно.

— По-моему, если кто-то из нас и сошел с ума, так это я, — проговорила она. — Я еще никогда не вела себя так глупо. Скажи, а ты всегда такой... нетерпеливый?

— Нет, — ответил Гуннар и до тех пор, пока они не подошли к двери в ее комнату, не проронил ни слова. Лишь тогда, когда за ними закрылась дверь, он снова заговорил: — Просто я хотел тебя так, что у меня помутилось в голове. — Гуннар бросил одежду на пол и повел Квинби к кровати. — И до сих пор не прояснилось. — Он обнял ее и бросился на постель, увлекая ее за собой. — Но есть еще одна причина, по которой я не хотел дожидаться, пока мы доберемся до спальни.

— Какая же?

— Я боялся, — низким голосом ответил он. — Боялся, что ты передумаешь раньше, чем я успею доказать тебе, как хорошо нам будет вместе. — Его руки легко, словно ветерок, прикасались к ее телу, и Квинби вновь ощутила уже знакомое горячее покалывание в коже, возвещавшее о скором возбуждении. — Я знаю, что выгляжу в твоих глазах каким-то ненормальным, чуть ли не уродом, но подумал, что если сумею удовлетворить тебя, то...

Внезапно Квинби осознала, что он уже готов к новому раунду и теперь дело за ней. Гуннар смотрел на нее сверху вниз, и в глазах его читалась непоколебимая решимость.

— И мне удалось тебя удовлетворить. Я всегда буду способен сделать это, и с каждым разом — все лучше и лучше.

Сказав это, Гуннар умолк и медленно вошел в нее.

«Урод»... Квинби вспомнила, что он уже употреблял это слово применительно к себе. Она должна убедить его в том, что не только не считает его уродом, а наоборот...

Гуннар начал ритмично двигаться внутри нее, и Квинби забыла обо всем на свете.

* * *

Лучи заходящего солнца проникали через толстые оконные стекла, и в комнате царил приятный розоватый свет. Как красиво, сонно подумала Квинби. Это мирное свечение лучше всего отвечало ее теперешнему состоянию.

— Ты любила его? — спросил Гуннар. Он говорил, прижавшись щекой к ее плечу, и от этого его голос звучал приглушенно. — Я имею в виду Лакруа.

Квинби покосилась на Гуннара, но не смогла увидеть его лица.

— Подходящее же время ты нашел для того, чтобы спросить об этом! Ты сам не устаешь твердить мне, что я его не любила.

— А что скажешь ты?

Квинби помолчала, а затем произнесла:

— Нет. — И тут же осознала, что говорит чистую правду. Те чувства, которые она испытывала по отношению к Раулю, не шли ни в какое сравнение с тем, что она чувствовала теперь к Гуннару. — Все всегда считали меня премудрой, — сказала она, тряхнув головой. — Но на самом деле, когда я встретилась с Раулем, я была глупой девчонкой, только что выбравшейся из провинциальной Миннесоты. Я не понимала, что, если мужчина говорит женщине, что любит ее, это не всегда является правдой. У нас с Раулем совершенно разные системы ценностей, казалось, я была им просто околдована. Сейчас я не нахожу в этом ничего удивительного. В конце концов, он граф, обаятельный человек и весьма привлекательный мужчина, а кроме того...

— Довольно! — резко оборвал ее Гуннар. — Мне хотелось, чтобы ты меня приободрила, а не перечисляла достоинства этого подонка.

— Приободрить? Тебя?! — изумленно переспросила Квинби.

— Я не так уж уверен в себе, как может показаться. Кроме того, я ревнив, как черт, и тебе это известно.

— Нет, мне это не известно. — Квинби начала понимать, что существует еще очень много граней в характере этого человека, о которых она не имеет понятия. — Скорее можно было предположить, что обладание талантами и способностями, недоступными для большинства обычных людей, а также принадлежность к узкому кругу избранных должны вселять в человека уверенность. С какой стати тебе переживать из-за такого, как Рауль?

— Потому, что он не... — Гуннар осекся, а затем приподнялся на локте и мрачно посмотрел на Квинби. — Все, не желаю больше о нем говорить! Извини, что завел этот разговор. Не хочу больше думать ни о ком, кроме нас с тобой. — Он отвел взгляд. — Когда ты выйдешь за меня замуж?

Квинби окаменела.

— Что?

— Я знаю, ты еще не до конца уверена в том, что действительно любишь меня, — немного обиженно, словно маленький мальчик, проговорил Гуннар. — Но согласись, в постели нам потрясающе хорошо, и я могу доставить тебе подлинное наслаждение. У меня много денег, и я в состоянии купить тебе все, что ты пожелаешь. Тебе придется жить в нашем поселении неподалеку от Марасефа, это чудесное место, ручаюсь, и тебе непременно понравятся Элизабет и Джон.

— А почему нам придется жить в Марасефе? — невольно спросила Квинби, чувствуя безотчетный страх. События развивались чересчур быстро.

— Там нам ничто не будет угрожать. Именно по этой причине мы переехали в Седихан, когда Алекс Бен-Рашид предложил нам свою защиту и место, где мы могли бы работать. Существуют группы лиц и даже правительства целых стран, которые хотели бы использовать нас в своих интересах. Должен сказать, окажись мы в нечистоплотных руках, из нас получилось бы страшное оружие. —

Гуннар нахмурился. — Время от времени мне придется покидать тебя, и я хочу быть уверен в том, что с тобой ничего не случится.

Квинби почувствовала легкий холодок страха, словно прикосновение ночного ветра.

— Ах да, ведь ты же сказал мне, что «решаешь разнообразные проблемы по мере их возникновения». — Она оттолкнула Гуннара и села на постели, а затем спустила ноги на пол и встала. — В таком случае ты действительно подходишь для такой работы лучше, чем кто-либо еще. Не могу представить на твоем месте другого, кто был бы так же ненормален.

— О чем ты говоришь? — спросил Гуннар, сузив глаза.

— Об опасности. — Квинби отрывисто роняла слова. — Ты не можешь без нее обходиться. Ты сказал, что ваш распрекрасный «Кланад» обосновался в Седихане потому, что там безопаснее. Но только не для Гуннара Нильсена. Он мотается по всему свету, рискуя своей шеей, лишь бы...

— Но это моя работа, Квинби.

— Ни черта подобного! — выкрикнула она, повернувшись к нему спиной. — Всякую работу можно делать по-разному.

— Ложись в постель. Если ты сбежишь, мы не сумеем ни о чем договориться.

— Я никуда не убегаю. — Она задержалась возле двери в ванную комнату и посмотрела на Гуннара. — Я всего лишь намерена выполнять свою работу. Эндрю и Стивена пора вытащить из этого чертова леса и накормить ужином. Я приму душ, а затем схожу за ними.

— Я сам...

— Нет! — отрезала она так жестко, что Гуннар удивленно раскрыл глаза. — Выполнение моих обязанностей доставляет мне удовольствие. Они мне вовсе не в тягость. Мне ведь не приходится ходить по натянутому канату, балансируя между жизнью и смертью. Впрочем, для того, чтобы наслаждаться любимой работой, большинству людей этого не требуется.

— Ты злишься. Интересно, твой гнев искреннее чувство или всего лишь защитная реакция потому, что ты не хочешь ответить на мой вопрос?

— Ты чертовски прав, я злюсь совершенно искренне. Только что я с трудом выбралась из одного романа, от которого едва не поседела, а ты хочешь, чтобы я, очертя голову, кинулась в новый, который сулит еще больше проблем и разочарований! Вряд ли на свете нашлась бы хоть одна женщина, которую обрадовала бы подобная перспектива.

— Но ведь ты, любовь моя, принадлежишь к числу тех женщин, которым нравится принимать вызов судьбы.

— Но не до такой степени! — Квинби почувствовала внутри себя пустоту. У нее начинала болеть голова. — Я не позволю тебе втянуть меня в брачную аферу, Гуннар.

На его лице промелькнула тень разочарования,

но в следующее мгновение он заставил себя улыбнуться.

— Я и не рассчитывал, что мне удастся взять тебя наскоком, тем более на ранней стадии нашей игры, но все же решил попытаться. Однако все будет иначе, если ты позволишь мне каждую ночь «втягивать» тебя к себе в постель. — Увидев выражение, появившееся на ее лице, он неуверенно спросил: — Что, и такой вариант не проходит?

— Мне необходимо подумать, а ты... — Она помолчала и, облизнув губы, договорила: — Я хочу сказать, что ты очень силен в сексуальном смысле, Гуннар. И я боюсь попасть под влияние этой твоей сексуальности.

Мужчина хитро улыбнулся.

— Именно на это я и рассчитываю.

— О, Гуннар... — Квинби смотрела на него, и в ее душе боролись нежность, злость и отчаяние. — Я всего лишь хочу быть разумной. Такое решение чрезвычайно ответственно для нас обоих, и, принимая его, я не могу руководствоваться одним только сексом. Ты ведь и сам не хотел бы этого, верно?

— Да. Но я все равно заполучу тебя, а там будь что будет.

— А вот я не могу принимать такие решения с ходу. Я не привыкла действовать, не взвесив все «за» и «против». Это еще одно доказательство того, насколько мы далеки друг от друга. Мы даже думаем по-разному.

— А мы и не должны думать одинаково, — сказал Гуннар и улыбнулся так лучезарно, что на душе у Квинби потеплело. — Во-первых, так гораздо интереснее, а во-вторых, это не имеет никакого значения, поскольку мы с тобой *валоны*.

— Послушай, Гуннар, а вдруг...

— Я приму душ у себя, — сказал он, не дав ей закончить, а затем соскочил с кровати и стал копаться в груде одежды, в беспорядке валявшейся на полу. — Пока ты будешь ходить за ребятами, я займусь ужином. Как насчет стейка и овощного салата?

— Хорошо. — Она смотрела на Гуннара и продолжала хмуриться. — По-моему, ты до сих пор не воспринимаешь меня всерьез.

— Я сразу же воспринял тебя всерьез, — проговорил Гуннар, повернувшись от двери и глядя на Квинби сияющими глазами. — А что касается нашей с тобой женитьбы, то... я подожду. — Он открыл дверь и договорил: — Но не рассчитывай, что все получится по-твоему. Это не секс, тут дело куда серьезнее.

Глава 7

— Пошли. — Гуннар схватил ее за руку и потащил вниз по ступеням. — Я устал тебя дожидаться. Эндрю уснул?

Квинби кивнула, пытаясь поспеть за размашисто шагавшим Гуннаром, который наполовину вел, наполовину тащил ее за собой.

— Они со Стивеном наигрались сегодня до такой степени, что он буквально рухнул в постель. Куда ты меня тащишь? Что случилось?

— Ничего. — Они прошли через кухню и вышли на заднее крыльцо. — Ничегошеньки. Просто пришло время нам с тобой немного поиграть.

— Гуннар, я же сказала тебе вчера вечером...

— А разве я не был паинькой? — ухмыльнулся он через плечо, вытаскивая ее на ступени крыльца. — Я ведь не заявился в твою спальню прошлой ночью, да и сегодня вел себя тише воды, почти как святой.

— Почему-то мне кажется, что сейчас эта святость сошла на нет? — устало поинтересовалась

Квинби, следуя за Гуннаром по направлению к реке.

— Ну, я пораскинул мозгами и решил, что с моей стороны будет неправильным оставлять тебя одну на сцене. Ты нуждаешься в человеке, который станет будоражить стоячие воды твоей тихой заводи. Как оно. — Гуннар указал рукой на старое мельничное колесо. — Смотри: была маленькая тихая речка. Но все изменилось с появлением мельницы: колеса ласкают воду, заставляя ее бурлить. — Гуннар повернулся к ней, и луна высветила плутовское выражение его лица. — То же самое я намерен сделать с тобой, Квинби.

Она испытала теплое тающее чувство где-то глубоко внутри себя. Его золотоволосая голова светилась, как маленькая луна, а каждая клеточка стройного тела излучала сексуальность. Слишком серьезное искушение даже для присущего ей здравого смысла и твердой решимости держать оборону. Стоило ему улыбнуться, как все возведенные ею бастионы в одночасье рухнули, и воспоминания о сладостных минутах вчерашнего вечера с новой силой вспыхнули в ее сознании, заставив трепетать от возбуждения.

— А что, если мне этого не захочется? — спросила она, стараясь говорить твердо, но голос ее предательски дрогнул.

— Тогда пусть речка течет дальше — такая же тихая и спокойная. — Его голос звучал шепотом искусителя. — И очень скучная. — Пальцы Гуннара уже расстегивали пуговицы на ее блузке. — Но лучше тебе не сопротивляться. Пусть мельничное колесо делает свое дело. Это тебя взбодрит. — Он закончил возиться с пуговицами, затем расстегнул ее бюстгальтер и, стянув с плеч Квинби, бросил в траву у берега. — Ты не предназначена для скучной, лишенной приключений жизни. Скажи, — спросил он, внимательно вглядываясь в ее лицо, — когда вчера ночью ты лежала в постели одна, ты думала обо мне?

— Да, — прошептала она, припомнив, как, лежа без сна, она изнывала от желания, мечтала принадлежать ему, как будто это не произошло совсем недавно, а только еще ожидалось. — Да, я хотела тебя.

— Обожаю твою честность. Она не перестает удивлять и радовать меня. — Гуннар отступил назад и окинул ее внимательным взглядом. — Ты и сейчас хочешь меня. — Он протянул руку и нежно положил ладонь на ее грудь. Ладонь была теплой и шершавой, и по телу Квинби пробежала дрожь. — А почему ты сама не пришла ко мне? — Он слегка сжал ее грудь и стал наблюдать, как напрягается и расцветает от этого прикосновения ее сосок. — Я ждал тебя. Я ждал тебя всю свою жизнь.

Квинби опустила взгляд и, увидев его широкую загорелую ладонь, лежавшую на ее молочно-белой коже, вздрогнула от окатившей ее горячей волны. Она утратила способность думать. О чем он спросил ее? Ах, да...

— Я хотела быть благоразумной.

Гуннар поднял вторую руку и продолжил ласки. В ту же секунду все ее тело пронзила молния, начавшись у соска и закончившись в горячем тесном пространстве между ног. Она закусила губу, чтобы сдержать готовый вырваться крик.

— А разве удовольствие и благоразумие противоречат друг другу?

— Сейчас мне кажется, что нет.

Гуннар медленно покачал головой. На губах его играла улыбка.

— Ты снова начинаешь мудрствовать, любовь моя, но я все равно получу то, что хочу. Раздевайся.

— Прямо здесь? Что, скажи на милость, ты имеешь против спальни?

— Ничего, но в том-то и заключается преимущество отдыха в сельской местности: здесь никто нам не помешает. — Прежде чем Квинби успела раскрыть рот, чтобы возразить, он сказал: — А по поводу Эндрю не волнуйся. Ты открыла в его комнате окно, выходящее на эту сторону, так что, если он будет звать, мы услышим.

Гуннар принялся быстро раздеваться, а Квинби беспомощно наблюдала за его действиями. Мускулистое, стройное тело Гуннара было покрыто светлым пушком — таким же золотистым, как волосы на голове. Прекрасный в своей наготе, он стоял перед ней, и Квинби хотелось любоваться им вечно.

Гуннар тихонько засмеялся.

— Что-то ты не торопишься. Или тебе помочь? Я — с удовольствием.

— Нет, — ответила Квинби, почувствовав внезапно сумасшедшее возбуждение.

Двумя резкими движениями она скинула теннисные туфли и стала расстегивать пуговицы на шортах.

— На сей раз я, пожалуй, поучаствую более активно. Мне надоело быть пассивной.

На лице Гуннара появилось удивленное выражение.

— Что-то я пока не замечал пассивности с твоей стороны. Мне казалось, мы выступаем как равноправные партнеры.

— Правда? — Квинби откинула назад волосы, и они приятно защекотали ее обнаженные плечи. — Теперь мне хочется быть не партнером, а заводилой. — Совершенно обнаженная, она шагнула вперед и прикоснулась губами к щеке Гуннара, а затем прижалась к его груди. — Вот так. — Он резко выдохнул, и Квинби ощутила, как по его крепкому телу пробежала дрожь. — И вот так, — добавила она.

Почувствовав прикосновение ее ладоней, Гуннар не сдержал глухого низкого рычания. Стоя неподвижно, он ждал продолжения.

— И вот так. — Весело рассмеявшись, она тут же отскочила на несколько шагов.

— Ради всего святого, Квинби, что...

Не дожидаясь, пока он закончит фразу, Квинби с разбегу бросилась в прохладную воду, показавшуюся ее разгоряченной коже кипятком.

— Иди сюда, Гуннар! Здесь так здорово!

— Я привел тебя сюда вовсе не для того, чтобы купаться, — немного растерянно проговорил он, входя в воду. — Но если дама хочет...

— О да, дама хочет! — Квинби стояла на цыпочках на самой середине реки, но вода доходила ей лишь до подбородка. Гуннар подошел ближе, и она прижалась к нему всем телом. — Дама очень хочет...

— Послушай, ты сводишь меня с ума и получаешь от этого удовольствие. По-моему, я только что открыл для себя новую Квинби Свенсен. — Он поймал ее за руку и повел обратно к берегу, а затем заставил опуститься на валявшуюся беспорядочной грудой одежду. — Но должен сказать, что мне очень нравится Квинби-искусительница.

Гуннар опустил голову и нашел губами полуоткрытый, влажный, трепещущий от желания рот Квинби. В следующую секунду его жадный ищущий язык оказался у нее во рту, отчего ее сердце подпрыгнуло и пустилось вскачь.

— Так давай же, соблазняй меня.

Квинби вдруг почувствовала растерянность.

— Давай лучше соблазнять друг друга одновременно, — дрожащим голосом проговорила она, кладя руки ему на плечи. — Я недостаточно агрессивна, чтобы... — Не договорив, она вскрикнула и выгнулась назад.

— Я тоже так думаю. — Гуннар с улыбкой смотрел на ее лицо, а затем встал и потянул ее за собой, заставив подняться на ноги. — Ты вся горишь, и уже одно это является для меня непреодолимым искушением. — С этими словами Гуннар приподнял ее и рывком посадил на себя. — Помоги мне, — прошептал он, откинув голову и закрыв глаза от наслаждения. — Ноги...

Она обвила ногами его бедра и крепко переплела их у него за спиной, а он тем временем поддерживал ладонями ее ягодицы.

И вот он уже двигается внутри нее...

Квинби прикусила губу, сдерживая рвущийся наружу стон. Ей казалось, что ее тело пронзает огненное копье, дарящее каждым своим ударом ни с чем не сравнимое наслаждение.

Рядом с ними река нежно плескалась в своих берегах, а Гуннар и Квинби любили друг друга. Все смешалось: сила и нежность. Напряжение росло и наконец достигло такого накала, что не было мочи терпеть. Ногти Квинби впились в сильные плечи мужчины.

— О, Гуннар!

— Дай мне еще! — прорычал он, глубоко входя в нее. — Еще...

Однако она и так отдала ему все, что могла. В следующее мгновение они оба достигли пика наслаждения, изо всех сил вцепившись друг в друга, задыхающиеся и опустошенные.

— Пожалуй, я поставлю тебя на землю, — через силу проговорил Гуннар, но не отпустил ее, а наоборот, прижал к себе еще крепче. — Черт, мне хочется держать тебя вот так еще лет пять, а то и больше! Как ты на это смотришь?

— Не возражаю, — прошептала она. Ей тоже

хотелось постоянно ощущать на своем теле его руки. Это было не просто хорошо. Иное казалось ей немыслимым! — Ты полагаешь, это можно устроить?

— Вряд ли. — Он поцеловал ее долгим и горячим поцелуем. — Но, может быть, я сумею устроить так, чтобы «Кланад» поработал над этой задачей. Все его члены заняты решением тех или иных задач.

Гуннар с сожалением снял Квинби с себя и поставил на землю. Колени ее до сих пор дрожали, и, чтобы не упасть, ей пришлось прислониться к нему.

— Мне кажется, я разваливаюсь на куски.

— Не разваливайся, — шутливо попросил он. — Ты мне нравишься такой, какая есть — целиком. — Гуннар легко поцеловал ее в висок, а затем усадил Квинби на кучу одежды и сказал: — Хорошо, предоставлю тебе возможность прийти в себя. Оставайся здесь, я скоро вернусь. — С этими словами он побежал по направлению к дому, но, остановившись на полпути, обернулся и крикнул: — И, ради Бога, не начинай опять думать! Хоть раз в жизни прислушайся к своим инстинктам!

Через несколько секунд раздвижная дверь закрылась за его спиной. Квинби едва удалось сдержаться и не расхохотаться во весь голос. Уж сегодня ночью она точно ни о чем не думала. Она позволила Гуннару любить себя и делать с собой все, что ему вздумается.

Нет, все не так. Гуннар действительно агрессор, но она капитулировала перед ним только потому, что ей самой этого хотелось. Ее тело испытывало неутолимый голод, и она дала ему именно то, чего оно хотело — Гуннара.

Квинби чувствовала себя на удивление легко, млея от только что пережитого наслаждения. Как ни странно, ей не было холодно. Теплый ветерок ласкал влажную кожу, и вдруг она снова ощутила, как внутри нее нарастает желание. Да что с ней, в конце концов, творится?

Раздвижная дверь снова хлопнула, и Квинби увидела Гуннара, спешашего обратно. В руках он держал два полотенца и халаты. Бросив их и одно из полотенец на траву, он принялся вторым растирать ее тело.

— Как ты себя чувствуешь? — заботливо спросил он.

— Хорошо. — Прикосновение махрового полотенца к коже было не менее приятным, чем ощущение ласковых дуновений ветерка. — Как здорово!

— Правда? — Гуннар улыбнулся, и его рука принялась делать круговые движения. — Мне тоже нравится. — Он отбросил полотенце, взял халат Квинби и помог ей надеть его, а затем завязал на ней пояс и игриво шлепнул ее.

— Беги на крыльцо и жди меня на качелях. Я сейчас тоже вытрусь и приду к тебе.

Качели? На ее губах появилась улыбка.

— Мы будем старомодно миловаться?

Вытирая полотенцем свою широкую грудь, Гуннар хмыкнул.

— Миловаться, но не старомодно.

Квинби вновь ощутила жар в низу живота, повернулась и торопливо пошла по направлению к крыльцу. Через пару минут Гуннар тоже сидел на качелях рядом с Квинби. На нем был такой же белый махровый халат.

— Мы, должно быть, выглядим сейчас, как Барби и Кен, — засмеялась она. — Бесполые существа.

— Ни в коем случае. — Гуннар отодвинулся к краю качелей, чтобы она смогла лечь и положить голову ему на колени. — Сама мысль об этом внушает мне отвращение. Я всегда говорю: да здравствуют различия!

Гуннар распахнул на ней халат, посмотрел на ее полные груди и начал играть с ними, поочередно нежно сжимая ее соски. Он не стремился возбудить ее, а лишь наслаждался ее бархатной кожей. Он оттолкнулся ногой от крыльца, и качели стали неторопливо раскачиваться. — И это мне тоже нравится. Я ощущаю тебя... своей.

Квинби также чувствовала, что принадлежит ему, причем сейчас — даже в большей степени, чем тогда, когда они занимались любовью. В этом было что-то очень интимное: она доверчиво лежит, положив голову ему на колени, а его руки играют с ее телом, словно это — совершенно обычное дело.

Он еще раз сжал ее сосок.

— Какие они красивые! Когда родился Эндрю, Элизабет кормила его грудью. А ты будешь кормить грудью нашего малыша?

— Что? — непроизвольно вздрогнула Квинби.

Гуннар почувствовал, как она напряглась, и, оторвавшись от разглядывания ее грудей, посмотрел ей в лицо

— Ты против?

— Я всегда думала, что буду кормить своего ребенка грудью. Грудное кормление является идеальным не только с точки зрения питания, но и благотворно влияет на формирование детской психики. Однако...

— Может, тебе не по душе мысль родить ребенка от меня? Ты ведь знаешь, что он будет таким же, как Эндрю. Таким же, а может, даже сильнее, чем любой из членов «Кланада». Я не могу обещать тебе обычного, нормального ребенка.

— Дело не в этом.

Его губы сжались в ниточку.

— Тогда в чем же?

— Эндрю — чудесный ребенок, его нельзя не любить. И я была бы полной дурой, если бы не хотела такого же только потому, что он будет наделен необычными способностями. Но ты снова давишь на меня, черт бы тебя побрал! Мы знакомы всего лишь несколько дней, и вдруг ты начинаешь требовать, чтобы я родила тебе ребенка!

Гуннар расслабился и с улыбкой посмотрел на нее.

— И это все? — спросил он, снова принявшись играть с ее соском. — Но это нужно не мне, Квинби. Я всегда любил детей, но смогу подождать еще год или два, пока родится мой собственный. Кроме того, я хочу, чтобы некоторое время ты безраздельно принадлежала мне. — Во взгляде Гуннара, устремленном на лицо любимой, читалась нежность. Точно так же он смотрел на Эндрю, когда баюкал мальчика, разбуженного ночным кошмаром. — Это нужно тебе. Ты относишься к числу женщин, которым для того, чтобы сформироваться окончательно, необходимо стать матерью. Даже если бы я не понял этого сам, то узнал бы об этом из отчета «Кланада», посвященного твоей персоне. Тебе нужен собственный ребенок, Квинби. — Он склонился над ней и снова стал целовать. — Позволь мне стать его отцом. — Каждое слово сопровождалось поцелуем. Гуннар откинул полу ее халата и принялся гладить ладонью ее живот. — Я хочу подарить тебе малыша...

Его слова затрагивали какую-то струну, спрятанную глубоко в ее душе. Ребенок от Гуннара! Златовласый малыш с улыбкой, в которой светятся любовь и нежность. Она хотела этого ребенка.

— Гуннар...

Его ладонь застыла на ее животе, словно он уже чувствовал зародившуюся там новую жизнь.

— Он появится вот здесь. Я уже чувствую, как он шевелится, ворочается. — Гуннар не отрываясь смотрел в ее глаза. — И думаю, что стану хорошим отцом, Квинби.

Гуннар будет прекрасным отцом, подумала она, и у нее перехватило дыхание. Сильным, чутким, мудрым — таким же, какой он с ней. Внезапно Квинби почувствовала, что по ее щекам катятся слезы.

— Эй, что это ты? — Он прикоснулся кончиками пальцев к ее влажному лицу. — Не плачь. Мы же с тобой не собираемся рожать прямо сейчас. Я всего лишь хотел сообщить тебе, что мечтаю о ребенке, но это не к спеху. Я не буду торопить тебя с этим.

Квинби уткнулась лицом в махровую ткань халата на его груди. Гуннар погладил ее по волосам.

— Квинби...

— Я в порядке, — всхлипнула она. — Просто я круглая дура, вот и все.

— Извини, — проговорил он. — Поговорим об этом потом. Я не думал, что ты так отреагируешь на мои слова. — Он приподнял ее подбородок и заставил взглянуть в свои глаза. — Мне казалось, что я успел изучить тебя достаточно хорошо. Видимо, я ошибался.

Она жалобно улыбнулась.

— Достаточно хорошо, чтобы предположить, что я соглашусь стать матерью твоего ребенка.

— Но это как раз в порядке вещей, коли ты — мой...

— *...валон*, — докончила она. — Я еще не привыкла мыслить такими категориями. Мне нужно еще немного времени, чтобы освоиться со всем этим.

— Никаких проблем. Мы уже кое-что обсудили, и теперь можно подождать более подходящего момента, чтобы продолжить этот разговор. — Внезапно в его глазах зажегся хитрый огонек. — А теперь я предлагаю немного отвлечься, чтобы этот вечер закончился на жизнеутверждающей ноте.

— Каким же образом ты намереваешься «отвлечься»?

— Ну, если хочешь, развлечься.

Гуннар заставил ее приподняться и усадил на себя верхом. Полы их халатов распахнулись, и, опустив глаза вниз, Квинби с шумом втянула в себя воздух. Он снова был готов к любви.

Заметив ее реакцию, мужчина рассмеялся.

— Сейчас я покажу тебе, насколько эротичным может быть такое обычное на первый взгляд сооружение, как качели.

И он сдержал свое слово.

* * *

Было уже почти три часа утра, когда Гуннар и Квинби медленно поднялись по лестнице на второй этаж. Он любовно и в то же время по-хозяйски обнимал ее за талию. Это полностью совпадало с тем, какой она ощущала себя — любимой и принадлежащей любимому.

Дойдя до верхней ступеньки, Гуннар остановился и взглянул на нее. Выражение его лица было серьезным.

— Мне бы хотелось спать с тобой, но, думаю, ты к этому еще не готова. Я и без того нагрузил тебя свыше всякой меры. — Он прикоснулся пальцами к ее щеке. — Но я должен был обладать тобой сегодня ночью, любовь моя. Это было нужно нам обоим. И не обещаю, что поведу себя иначе, когда нам опять это понадобится.

Квинби подняла на него неуверенный взгляд. Теперь, когда она сдала почти все позиции, Квинби ожидала, что Гуннар станет вести себя требовательно и напористо.

— Не смотри на меня так, — попросил он, словно угадав ее мысли. — Я постоянно твержу себе, что в нашем распоряжении — целая жизнь, что у нас будет сколько угодно времени, чтобы лежать, обнявшись и прижимаясь друг к другу. А сейчас отправляйся в постель. Увидимся утром.

— А ты разве не собираешься ложиться?

Он отрицательно покачал головой.

— Я хочу немного посидеть возле Эндрю.

Глаза Квинби испуганно расширились.

— Зачем? Судя по всему, ему не снится ничего плохого, иначе мы давно услышали бы его крик.

— Я всего лишь хочу посидеть рядом и посмотреть на него. — Гуннар улыбнулся. — Иногда доставляет удовольствие просто находиться возле того, кого любишь. Кроме того, если я вдруг понадоблюсь ему, то окажусь рядом.

Нянька, с нежностью подумала Квинби. Ну зачем он это делает, заставляя ее любовь к нему расти словно на дрожжах!

— Ты должен отдохнуть.

— Еще успею. — Он потуже затянул пояс на ее халате, словно она была маленькой девочкой — ровесницей Эндрю. — И я хочу, чтобы в следующий раз ты сказала, что любишь меня. Я должен это услышать. — Его губы искривила печальная улыбка. — А если ты опять будешь медлить, я снова начну соблазнять тебя. Ты ведь знаешь, меня терпеливым не назовешь, и я люблю тебя, Квинби.

С этими словами он повернулся к двери в спальню Эндрю.

Квинби еще долго смотрела на закрывшуюся за ним дверь. Она вдруг почувствовала приступ одиночества и внутреннюю пустоту. Странно, стоит ей сказать всего три слова, и она в мгновение ока перенесется в мир, где никогда больше не ощутит себя одинокой. Что же мешает ей произнести эти слова?

Квинби вздохнула и пошла по коридору к своей спальне. Ее останавливали воспоминания об отношениях с Раулем, необычайные способности Гуннара, без сомнения, наложившие отпечаток на его личность, и та головокружительная быстрота, с какой развивались их отношения. Ее колебания могли объясняться любой из этих причин или всеми сразу. Но она не могла забыть тоскливый взгляд Гуннара, которым он посмотрел на нее прежде, чем уйти. И к какому бы выводу ни пришла Квинби, постель, в которую ей предстояло сейчас лечь, покажется одинокой.

* * *

— Стивену это понравится, — констатировал Эндрю и прилепил на угол подарочной коробки блестящий красный бант, сделанный из бумажной ленты. Затем он положил коробку на середину постели и посмотрел на нее восторженным взглядом. — Ты права, Квинби, это гораздо лучше, чем большая книжка с картинками.

— Книгу он тоже получит, — сказала Квинби. — Книга будет моим подарком, а Гуннар сегодня утром отправился в город и купил ему телескоп.

— Правда? — Личико Эндрю озарилось неподдельной радостью. — И здоровский же получится день рождения! А ты купила клубничное мороженое?

— Ты же знаешь, что купила, Эндрю. — Квинби ласково улыбнулась. — Все, как вы повелели, милорд.

Мальчик хихикнул.

— Я не хотел изображать из себя босса. Просто Стивен...

— Все в порядке, Эндрю.

Она перегнулась через постель и порывисто обняла малыша. Он только что вышел из ванной, и теперь его маленькое тело пахло влагой и душистым мылом. В такие минуты она была готова поверить, что он — всего лишь обычный, хотя и очаровательный, ребенок, каким она считала его в первые дни их знакомства. Но разве найдется на земле хотя бы один пятилетний мальчуган, который стал бы проявлять подобную заботу и любовь по отношению к такому несчастному созданию, как Стивен? Наконец она с неохотой отпустила мальчика.

— Мне нужно идти вниз украшать стол. А ты сбегай за Стивеном. Уже почти шесть часов. — Квинби взглянула на струи дождя, стекавшие снаружи по оконным стеклам. — И не забудь надеть дождевик.

Эндрю рассеянно кивнул, гладя ладошкой плоскую коробочку с подарком.

— Как ты считаешь, ничего, если он откроет мой подарок в последнюю очередь? Он ведь необычный. Нет, — быстро добавил мальчик, — ваши подарки тоже классные, но...

— Я думаю, приберечь твой подарок напоследок — прекрасная мысль. — Квинби встала с кровати. — Хочешь, я захвачу его с собой в столовую?

Рука мальчика непроизвольно вцепилась в коробочку.

— Нет, я сам.

Она понимающе улыбнулась.

— Хорошо. Значит, через полчаса, договорились? Гуннар будет недоволен, если приготовленное им жаркое остынет.

Эндрю спрыгнул с кровати, подбежал к стенному шкафу и снял с вешалки желтый дождевик.

— Мы не опоздаем. Обещаю, Квинби.

* * *

Стивен, как завороженный, рассматривал длинную белую трубу телескопа, осторожно водя по ней пальцем. Его щеки горели от возбуждения.

— Значит, я смогу рассматривать звезды? Погляжу сюда и увижу Венеру, и Млечный путь, и... — Голос Стивена внезапно охрип от волнения. — Все звезды? Все-все?

Гуннар кивнул.

— Не думай, что они окажутся прямо у тебя перед носом, но с помощью телескопа ты сможешь разглядеть их гораздо лучше.

Стивен хватался то за телескоп, то за большую книгу с прекрасными иллюстрациями, лежавшую на столе перед ним.

— Надо же, все звезды!

Квинби смотрела на него и вдруг почувствовала, что у нее защемило сердце. На Стивене была та же грубая рабочая одежда, в которой он был в тот день, когда они приехали, однако сейчас его седеющие волосы были тщательно причесаны. Квинби представила себе, как этот большой ребенок стоял перед зеркалом и, волнуясь, готовился к сегодняшнему празднику. Сейчас его доброе доверчивое лицо светилось наподобие одной из тех звезд, которые он так любил.

— А теперь — подарок от меня, — проговорил Эндрю и пододвинул плоскую коробочку ближе к Стивену. — Открой ее, Стивен.

Стивен разорвал упаковочную обертку, стараясь не испортить красный бумажный бант. Открыв картонную коробку, он восхищенным и в то же время растерянным взглядом уставился на красочный, прекрасно оформленный документ, вертя его то так, то эдак перед глазами.

— Спасибо, Эндрю. Очень красиво.

На лице мальчика отразилось разочарование.

— Тебе не нравится?

— Конечно, нравится. Просто здорово. И так красиво...

И только тут Эндрю понял. Он соскользнул со стула, на котором сидел, и подбежал к Стивену.

— Позволь, я помогу тебе прочитать, что здесь написано. Такой витиеватый шрифт трудно читать с непривычки. — Покровительственно положив руку на плечо Стивена, Эндрю начал водить пальцем по строчкам документа. — Здесь говорится, что это — сертификат, который удостоверяет, что звезде в созвездии Вела-Ра номер 8H54M475D5519 официально присвоено имя Стивена Блаунта, и под этим именем она зарегистрирована в Международном астрономическом каталоге в городе Женева, в Швейцарии. — Эндрю развернул карту звезд, прилагавшуюся к сертификату, и указал на звезду, обведенную красным кружочком. — Вот она, Стивен. Эта звезда твоя. Звезда, которую зовут Стивен Блаунт.

Стивен сидел, словно окаменев, и слепо смотрел на карту блестящими от слез глазами.

— Моя звезда! — прошептал он. — Ты назвал звезду моим именем!

Взгляд Эндрю жадно ловил каждое изменение в лице Стивена.

— Теперь у тебя есть твоя собственная звезда. Ты рад?

Стивен резко кивнул.

— О да, Эндрю! — Он говорил очень тихо, почти беззвучно. — Это подарок на всю жизнь, правда? Теперь до конца моей жизни я могу смотреть на небо и буду знать, что там горит моя звезда. Звезда, названная моим именем.

Квинби не могла больше сдерживать душившие ее чувства. Резко отодвинув стул, она встала из-за стола.

— Мне нужно украсить торт свечами. Я сейчас вернусь.

Оказавшись на кухне, она принялась втыкать свечи с красными и белыми полосками в шоколадную глазурь торта, вытирая глаза тыльной стороной ладони. Руки ее дрожали.

— Тебе помочь? — послышался сзади голос Гуннара. Он взял с кухонной стойки коробок спичек и принялся зажигать свечи. — Хотя, честно говоря, я думаю, им сейчас не до торта. Они разглядывают звездную карту в предвкушении темноты, когда смогут предаться созерцанию ночных светил. Жаль, что идет дождь. Стивен сгорает от нетерпения, мечтая опробовать телескоп и попытаться разглядеть с его помощью свою звезду.

— Завтра должно проясниться, — дрожащим голосом ответила Квинби, стараясь не встречаться с ним взглядом. — Стивен должен задуть свечи на торте. Такова традиция. Я отнесу торт в столовую.

Гуннар погасил спичку и бросил ее на стойку.

— Я сам. — Он взял Квинби за подбородок, приподнял ее голову и улыбнулся, глядя ей в глаза. — И не вздумай снова спорить со мной, утверждая, что я отнимаю у тебя кусок хлеба. Мальчики не поймут, почему ты плачешь в этот праздничный для них день. — Он легонько поцеловал ее в губы и приказал: — А теперь умойся и возвращайся в столовую с широкой улыбкой на лице, чтобы присутствовать при торжественной церемонии задувания свечей. Хотя мне думается, что желание Стивена уже осуществилось.

— Эндрю хотел подарить ему что-то необыкновенное.

— И ты помогла ему в этом. Откуда тебе стало известно об этом звездном каталоге?

— Прочитала где-то. И очень рада, что все получилось. Каждому из нас время от времени необходимо маленькое чудо.

Гуннар взял блюдо с праздничным тортом, сияющим несколькими десятками горящих свечей, и повернулся к двери.

— Именно в этом я пытаюсь убедить тебя на протяжении последних двух дней, — проговорил он ровным голосом. — И после того, как я усажу Эндрю и Стивена перед телевизором, вставив в видеомагнитофон кассету с тремя сериями «Звездных войн», я намерен утроить свои усилия. Нынче вечером я услышу, что ты любишь меня, Квинби. Сегодня ты размягчилась и будешь как теплый воск в моих руках.

* * *

Гуннар возился в гостиной с видеомагнитофоном, когда раздался звонок в дверь. От этого звука Квинби словно ударило током. Она настолько привыкла к безмятежному покою, царившему в Милл-

Коттедж, что сама мысль о том, что здесь может появиться кто-то посторонний, казалась ей невероятной. Звонок прозвенел снова. Судя по всему, Гуннар возился с Эндрю и Стивеном и не слышал его. Квинби закрыла посудомоечную машину, включила ее и вышла из кухни.

Распахнув дверь, она увидела, что на пороге стоит высокий стройный мужчина, одетый по случаю дождя в непромокаемый плащ цвета хаки и резиновые сапоги. На его темнокожем лице сияла ослепительная улыбка. Он скинул капюшон, и стали видны его короткие курчавые волосы.

— Вы, должно быть, Квинби? А я Джадд Уокер.

У Квинби захолонуло сердце, но она тут же отогнала от себя испуг. Ну и что из того, что телохранитель Эндрю решил познакомиться с ней! Это вовсе не значит, что мальчику грозит какая-то опасность.

— Гуннар говорил мне про вас. Кажется, вы должны присматривать за Эндрю? Очень приятно с вами познакомиться. Заходите. У нас сегодня праздничная вечеринка, и мы... — Она умолкла, увидев, что Джадд Уокер, по-прежнему улыбаясь, отрицательно качает головой. — Нет?

— С вашего позволения, я хотел бы повидать Гуннара, — сказал он. — Он нужен мне всего на пару минут.

— Сейчас я позову его. Но вы все-таки зайдите. Ведь здесь льет как из ведра.

Внезапно из-за спины женщины послышался голос Гуннара:

— В чем дело, Джадд?

— Может, и ни в чем. — Мужчины встретились взглядами, и вежливая улыбка исчезла с лица Джадда. — Я шел через лес и вдруг что-то почувствовал.

— В каком именно месте?

Джадд указал рукой на темные густые заросли, за дорогой.

— Почувствовал всего на мгновение, но...

Гуннар проследил глазами за его жестом.

— Бардо?

Квинби показалось, что ее сердце проваливается в пустоту.

— Не знаю, — растерянно проговорил Джадд. — Я ведь с ним раньше никогда не сталкивался. Но ощущение было ужасно неприятное.

Из уст Гуннара послышался жестокий смешок.

— Не дай Бог, это на самом деле он. Ты правильно поступил, что сразу же пришел ко мне. — Гуннар открыл стенной шкаф и сдернул с вешалки свою черную куртку. — Пойдем, покажешь мне то место.

— Ты собрался идти в лес? — Квинби не могла заставить себя отвести глаз от стены леса, темневшей по другую сторону дороги. Может быть, как раз сейчас там кто-то затаился и наблюдает за ними? Густая пелена дождя скроет от них любое движение того, кто мог там притаиться. — Но это же безумие! Если он действительно там, он нападет на тебя раньше, чем ты успеешь сообразить, что произошло.

— Прежде, чем он пошевелится, я уже почувствую его и пойму, что он намерен делать. — Гуннар натянул куртку. — Запри двери, окна и до моего возвращения в дом никого не впускай. Когда я приду, то позвоню в дверь, но ты все равно не открывай, пока не убедишься, что это именно я.

— Когда ты вернешься?

— Когда все выясню, — мрачно ответил Гуннар, выходя за дверь и закрывая ее за собой.

Несколько мгновений Квинби стояла перед захлопнувшейся дверью, не в силах пошевелиться. Он ушел. Ушел и сейчас, должно быть, направляется прямиком к неведомой опасности, затаившейся в темноте ночного леса. Ей хотелось открыть дверь, броситься за ним вдогонку, обхватить руками и никуда не отпускать.

Квинби непроизвольно шагнула к двери, но тут же остановилась. Нет, она не имеет права оставлять Эндрю и Стивена. Она отвечает за них и должна уберечь их от любой опасности. Надо делать то, что велел Гуннар, и постараться не думать о том, что ему грозит.

Квинби закрыла задвижку, а затем повернулась и поспешила в кухню, чтобы запереть дверь заднего входа. Через пять минут все окна и двери в доме были наглухо закрыты и надежно заперты.

Однако замки можно взломать, а окна разбить.

Эта мысль заставила ее снова кинуться на кухню. Сложив на сервировочный столик остатки праздничного торта, тарелки и ложки, она вместо традиционной лопаточки для торта вынула из ящика острый кухонный нож и положила его на столик рядом с блюдом. Затем она покатила его по коридору в гостиную, где, устроившись на мягком диване и забыв обо всем на свете, Эндрю и Стивен смотрели видео.

— Не возражаете, если я к вам присоединюсь? — спросила Квинби. — Я не смотрела «Звездные войны» уже сто лет. И, кстати, принесла вам перекусить, если проголодаетесь. — Она опустилась на ближайший к двери стул, убедившись, что столик и острый нож находятся в пределах досягаемости. — Ну как, Люк и Хан Соло уже встретились?

* * *

Гуннар отсутствовал уже два часа. Квинби только что сменила видеокассету, поставив вторую часть фильма — «Империя наносит ответный удар». В этот момент задребезжал дверной звонок.

Подбежав к входной двери, Квинби уже приготовилась открыть ее, но тут вспомнила о предостережении Гуннара и спросила:

— Это ты, Гуннар?

— Да, я.

С чувством невероятного облегчения она широко распахнула дверь. Гуннар промок насквозь, его обычно золотистые волосы потемнели от дождевых струй, лицо было мрачным.

— У вас тут все в порядке?

— Все хорошо. — Квинби отступила в сторону, чтобы он смог войти, а затем закрыла за ним дверь. — А что нам сделается! Нам-то здесь ничего не грозило, а вот тебе там... — Она осеклась, сообразив, что почти кричит на него, в то время как ей хотелось прижаться к нему и забыть о страхах в его объятиях. Господи, как же она за него переволновалась! — А где Джадд?

— Я велел ему связаться с Мартой и приказать ей готовить «Лэр-джет» к вылету. — Он снял куртку, и на плетеный коврик полетели брызги. — Ребята все еще в гостиной?

— Да, — кивнула она. — Их не оторвать от этих «Звездных войн».

— Боюсь, что придется. — Гуннар стал подниматься по лестнице. — Я соберу чемоданы — твои и Эндрю, а Стивену купят все новое, когда прилетите в Седихан. Я не хочу, чтобы кто-то шел сейчас в его квартиру. Кстати, придется оставить здесь и твою арфу. Потом я как-нибудь перешлю ее тебе.

— Мы уезжаем прямо сейчас?

Гуннар задержался на лестнице и внимательно посмотрел на женщину.

— Сию же минуту. Вы должны прибыть в Марасеф завтра утром. А сейчас выключи, пожалуйста, электричество и заставь Стивена и Эндрю надеть непромокаемые плащи.

— Он там? Ты его видел?

Гуннар устало покачал головой.

— Там было темно, как в ведьмином мешке. Я блуждал в этих потемках битых два часа, но так и не нашел его следов. — Гуннар стиснул зубы. — Однако он там был. Я дважды уловил его статику. Один раз — впереди себя, второй — сзади. Я испугался, что он двинулся по направлению к дому, и тоже решил вернуться.

— Это точно Бардо? — прошептала Квинби.

— Несомненно. А значит, мы должны немедленно вывезти отсюда Эндрю.

Не дожидаясь ее следующего вопроса, Гуннар стал подниматься наверх.

Убийца бродит поблизости! По телу Квинби пробежала дрожь, и это заставило ее действовать. Она бегом кинулась в кухню, желая убедиться, что все электрические приборы отключены, затем метнулась в прихожую и возвратилась в гостиную, держа в руках плащи Стивена и Эндрю.

— Мне очень жаль, ребята, но фильм придется досмотреть потом, — беззаботно проговорила она, входя в комнату. — Гуннар неожиданно получил важное сообщение, и нам придется вернуться в Седихан. — Она выключила видеомагнитофон и вынула кассету. — Надевайте плащи.

— Что-то случилось с мамой? — Хриплый голосок Эндрю задрожал от волнения. — Она заболела или...

— Нет. — Разумеется, это была первая мысль, которая могла прийти в голову такому восприимчивому ребенку, как Эндрю. — Никто не заболел, и никто не пострадал. Твои родители в порядке, Эндрю. Дело совсем в другом.

— Я не хочу уезжать.

— Мне очень жаль, дорогой, но это необходимо.

Эндрю бросил быстрый взгляд на Стивена и вскочил с дивана.

— Я хочу видеть Гуннара. Где он?

— Наверху. Собирает вещи.

— Я сейчас вернусь, Стивен. А ты пока не...

Конец фразы они не расслышали. Эндрю бросился из комнаты.

Квинби растерянно посмотрела мальчику вслед. Ей уже приходилось видеть его расстроенным, но не до такой степени.

— Надевай плащ, Стивен.

— А можно мне побыть здесь, пока Эндрю не уедет? — приглушенно прозвучал голос Стивена. — Я не буду мешать. Честное слово!

Квинби обернулась и с удивлением посмотрела на этого сорокалетнего ребенка. Он сидел на диване с несчастным лицом, вцепившись в свой телескоп и карту звездного неба.

— Я так хотел, чтобы Эндрю посмотрел на мою звезду! Эх, если бы не дождь...

Так вот оно в чем дело, с жалостью подумала Квинби. Он думает, что его бросают здесь! И Эндрю, очевидно, подумал так же. Ей следовало выражать свои мысли более ясно.

— Он увидит твою звезду, — мягко сказала женщина. — Мы хотим, чтобы ты поехал с нами, Стивен. Гуннар говорит, что Седихан — чудесное место, а Эндрю будет страшно тосковать, если ты останешься здесь. Мы бы все скучали без тебя. Так что ты просто обязан отправиться с нами.

— Честно? Вы не шутите? Я вправду могу поехать с вами? — Его лицо сияло.

— Мы просто не сможем уехать без тебя.

— И я могу взять свой телескоп, свою карту и свою книжку?

— Да, — кивнула Квинби, — но только их и больше ничего. Мы очень торопимся.

— Я быстро. — Он вскочил и натянул плащ. — Видите, я уже готов!

— Ты просто молодец.

— Но я бы хотел остаться здесь еще на один денек, — жалобно проговорил он. — Мне так хочется посмотреть на свою звезду!

— В пустыне ночи очень ясные, так что, возможно, в Седихане тебе удастся рассмотреть ее даже лучше, чем здесь.

— Но если...

— Тут появился один очень плохой человек, который может обидеть Эндрю, — перебила его Квинби. — Но ты ему этого не говори. Ты ведь не хочешь напугать своего друга?

Стивен удивленно посмотрел на нее.

— Эндрю не испугается.

— Но все-таки лучше ему не рассказывать.

— Да, наверное. Но вы все равно не волнуйтесь, Квинби, я не дам Эндрю в обиду.

Она впервые увидела на лице Стивена выражение взрослого человека и была тронута этим, ведь обычно Эндрю выступал в роли защитника Стивена. Она крепко сжала его лапищу.

— Все в порядке, Стивен! — закричал Эндрю, вбегая в гостиную. — Ты едешь с нами!

— Я знаю, — с достоинством ответил Стивен. —

Но нам нужно уезжать прямо сейчас. Надевай свой плащ, Эндрю.

Они явно поменялись ролями, и, пытаясь осознать это, мальчик задумчиво наморщил лоб.

— Конечно. — Он взял желтый дождевик, висевший на ручке кресла. — Конечно, Стивен.

Стивен заботливо засунул свои подарки под полу плаща и сказал:

— Ты сядешь сзади, вместе со мной, Эндрю.

Взгляд мальчика медленно ощупывал лицо Стивена.

— Отлично! Это будет здорово.

— Пошли, — проговорил Гуннар, появляясь в дверном проеме.

Он переоделся в сухие джинсы и свитер, сверху на нем была неизменная черная куртка. Гуннар протянул Квинби ее зеленый плащ.

— Я уже подогнал машину к парадному крыльцу и уложил чемоданы в багажник. Пора выбираться отсюда.

Через несколько минут серый «Мерседес» вырулил от дома на дорогу. По лобовому стеклу отчаянно колотили тяжелые дождевые капли, и стеклоочистители работали на полную катушку.

— Заприте дверцы, — скомандовал Гуннар.

Квинби старалась не смотреть на черную стену леса, уносившуюся назад всего в нескольких метрах справа от нее. Она нажала на кнопки задней двери, а потом собственной.

— Он... здесь?

— Не знаю. — Гуннар стиснул руки на рулевом колесе. — Думаю, да.

Все мускулы Квинби были напряжены. Она смотрела прямо перед собой — на черное полотно дороги, что неслось им навстречу. Сильные фары били вперед, отчего дождь и темнота за пределами светлого прямоугольника казались еще гуще.

— А почему он не показывался раньше? — Она старалась говорить как можно тише, чтобы ее не смогли услышать сидевшие на заднем сиденье Стивен и Эндрю.

— Откуда мне знать! — пробормотал Гуннар. — Может, решил поиграть с нами в «кошки-мышки». У людей, обладающих или обладавших большой властью, нередко бывает сдвинута психика.

— Ты полагаешь, Бардо именно такой?

— Из того, что мне удалось уловить, я понял, что он балансирует на грани безумия, а может, уже и переступил ее. Уже пять лет назад он был не вполне нормальным.

Значит, он к тому же и сумасшедший. Квинби стало еще страшнее. Она с трудом проглотила застрявший в горле комок.

— Ты не мог бы ехать побыстрее?

— Только не в такой ливень. — Он искоса глянул на сидевшую справа от него Квинби. — Не волнуйся, как только нам удастся добраться до аэропорта, мы окажемся в безопасности, а это всего минут сорок. Не забудь сказать Марте, чтобы она связалась по рации с Джоном: пусть вас встретят в аэропорту Марасефа.

До Квинби вдруг дошло, что с тех пор, как Гуннар вернулся в Милл-Коттедж, он ни разу не сказал «мы», а все время говорит «вы». Напуганная таким резким поворотом событий, женщина совсем забыла о его намерении отправиться на охоту за Бардо и теперь похолодела от ужаса.

— А разве ты с нами не полетишь?

— Сейчас — нет.

— Значит, ты намерен вернуться и искать этого маньяка?

— Он представляет угрозу для Эндрю.

— Он представляет угрозу и для тебя, — яростно проговорила Квинби. — Мы улетим за тридевять земель от него, и, когда окажемся в Седихане, он ничего не сможет сделать с Эндрю.

— Он уже второй раз угрожает нам, — ответил Гуннар, не глядя на нее. — Я не могу допустить, чтобы это продолжалось и дальше.

— Гуннар, я прошу тебя...

— Тс-с-с! — Он напрягся и впился взглядом в темноту. — Я что-то вижу.

Прямо перед ними, посередине дороги, стоял мужчина.

Пистолет! В вытянутой руке незнакомца был пистолет, нацеленный на приближавшуюся машину.

Перед взглядом Квинби на мгновение мелькнул безумный огонь во взгляде незнакомца, его бульдожьи брыли, и в этот момент Гуннар нажал на тормоза. Бардо! Это был Бардо!

Машину занесло, и она пошла юзом. Гуннар судорожно пытался справиться с управлением.

Бардо, казалось, не обращал внимания на грозившую ему опасность и двинулся по направлению к не слушавшейся руля машине. Вот он уже совсем рядом, заглядывает внутрь через окно задней двери и прижимает ствол пистолета к стеклу.

— Ложитесь на пол! — крикнул Гуннар, все еще пытаясь выправить машину. — Эй, Бардо...

Но было поздно. Пуля ударилась в заднее стекло, и оно разлетелось вдребезги. Квинби услышала, как вскрикнул Эндрю. Боже, мальчик ранен!

Бульдожья морда Бардо исчезла. Обернувшись, Квинби увидела, как он бросился к кромке леса и исчез.

— Эндрю! — яростно выкрикнул Гуннар. Он отпер заднюю дверь, открыл свою и выскочил на асфальт. — Боже мой... — Открыв заднюю дверцу, он заглянул внутрь.

Квинби тем временем перебралась на заднее сиденье, поглядела, что там происходит, и ее затошнило. Оказывается, пуля поразила не Эндрю. Мальчика накрыл своим телом Стивен, и теперь из раны в его левом виске вытекала струйка крови.

Эндрю горько плакал и пытался перевернуть большое тело Стивена.

— Он заслонил меня, Квинби! Он ранен! Он умирает! Сделайте что-нибудь, ведь он спас меня!

Квинби чувствовала, как по ее щекам струятся слезы бессилия. О Господи, почему Стивен — бесхитростный, светящийся изнутри добротой человечек! Только не Стивен, наконец-то сумевший побороть свой детский ум и стать чем-то большим, нежели раньше. Стать... нянькой.

Глава 8

— Эндрю, ты ничем не сможешь ему помочь, — мягко сказала Квинби. — Кроме того, к нему никого не пускают. Поедем домой, я уложу тебя спать.

Эндрю упрямо мотнул головой.

Квинби сложила руки на коленях, заставив себя отвести взгляд от маленькой фигурки, скорчившейся на зеленом пластмассовом стуле. Он выглядел таким несчастным, таким одиноким! Конечно, ему не следовало находиться здесь — в этой стерильной комнате ожидания, но каждая попытка увести его натыкалась на такое же, как сейчас, молчаливое и упрямое сопротивление.

Взгляд Квинби переместился к окну, и она равнодушно отметила про себя, что дождь на улице прекратился и предрассветное небо начало очищаться от туч. Сколько часов они уже сидят здесь? Десять? Двенадцать? Ей казалось, что целую вечность.

— Квинби!

Она подняла глаза и увидела рядом Гуннара с двумя стаканами апельсинового сока в руках.

— Выпей. Тебе нужно подкрепиться.

— Ты говорил с врачом?

Он устало кивнул и понизил голос, чтобы его не услышал сидевший у окна Эндрю.

— Они до сих пор не могут сказать ничего определенного. Исход может оказаться любым. Марта оставила мне в комнате медперсонала сообщение, в котором говорится, что Элизабет и Джон уже едут сюда из аэропорта. Через полчаса они будут здесь.

— Их вызвал ты?

— Да, сразу же после того, как мы привезли Стивена в больницу. — Он улыбнулся, но улыбка получилась жалкой. — Я знал, как отреагирует Эндрю, и подумал, что нужно вызвать подмогу. У меня самого, судя по всему, ни черта не получается.

— Ты сделал все, что мог, и попытался вывезти нас сразу же, как только почувствовал опасность. Все произошло так быстро! Тебе не в чем себя винить.

— Да как же не в чем?! — В голосе Гуннара прозвучала злость на самого себя. — Стивен умирает на больничной койке, а Эндрю снова чуть ли не в ступоре. Весь этот план придумал я. Именно мне принадлежит идея найти человека, который стал бы для Эндрю самым близким другом, и вот теперь по моей вине он отдает Богу душу.

На его лице отразилась такая буря чувств, что

Квинби захлестнула волна сочувствия. Стивен и Эндрю были не единственными жертвами этой страшной ночи.

— Гуннар! Бардо действовал очень быстро...

— Но я мог остановить его, — нетерпеливо перебил ее он. — Если бы моя голова не была занята тем, как бы не позволить машине перевернуться, я смог бы парализовать его раньше, чем он успел нажать на курок. Какой толк обладать сверхъестественными способностями, если оказываешься не в состоянии защитить тех, кого любишь!

— Не знаю, но с твоей стороны глупо винить в случившемся себя.

— Я был обязан остановить Бардо! Он все еще бродит где-то там.

— Ты же сам сказал мне, что полиция прочесывает окрестности в поисках Бардо. Они наверняка найдут его и посадят за решетку. — Квинби хотелось отвлечь Гуннара от мрачных мыслей. — А теперь прекрати заниматься самобичеванием и давай подумаем, как помочь Эндрю. — Она глубоко вздохнула. — У меня просто сердце разрывается. Не могу заставить его ни поесть, ни отдохнуть.

— Дай-ка я попробую. — Он прошел через комнату и присел на корточки перед стулом, где сидел Эндрю, протянув ему стакан с апельсиновым соком. — Гляди, что я тебе принес.

Эндрю отвернулся в сторону.

— Не отказывайся. — Гуннар взял мальчика за руку и вложил стакан ему в ладошки. — Я не заставляю тебя кушать, если тебе не хочется, но сок поможет тебе выдержать еще несколько часов ожидания. Если ты решил оставаться рядом со Стивеном, ты должен позаботиться и о себе.

Пальцы Эндрю сомкнулись на стеклянных стенках стакана.

— Он ведь не умрет? Правда, Гуннар?

Гуннар замялся.

— Я никогда не обманывал тебя и не хочу делать это сейчас. Мы пока не знаем, чем все обернется. Пуля не пробила его висок, а лишь скользнула по нему, но удар все равно оказался очень сильным. Поэтому сейчас Стивен находится в коме. Врачи считают, что его состояние, и без того тяжелое, усугубило сильное потрясение.

— Кома. Это значит, что он уснул и больше не проснется, — тоненьким голоском проговорил Эндрю. — Это как смерть.

Гуннар отрицательно мотнул головой.

— Он может очнуться в любую минуту. Мы просто не знаем, когда именно это произойдет. Некоторые люди, оказавшиеся в коме, приходят в сознание очень быстро, другим для этого требуется больше времени.

— Но ведь чем дольше он находится без сознания, тем... — Эндрю встретился взглядом с Гуннаром и в этот момент походил скорее на взрослого, чем на ребенка. — Это опасно, правда?

— Да, — мягко ответил Гуннар, — опасно. Для выздоровления очень важна воля к жизни, а когда человек находится в коме, у него нет сил сражаться за себя.

— Но Стивен хочет, очень хочет жить, — задумчиво нахмурившись, проговорил Эндрю. — Он так радовался, что мы едем в Седихан, так хотел увидеть свою звезду.

— Значит, возможно, он вспомнит об этом и очнется, — сказал Гуннар. — По крайней мере, будем на это надеяться.

— Мы должны не просто надеяться, а предпринять что-то еще. — Эндрю поднес стакан к губам и сделал глоток. — Мне нужно подумать над этим.

— Обязательно, — согласился Гуннар, ласково положив руку на плечо мальчика. — Допей сок, а затем позволь Квинби отвести тебя в кафетерий на первом этаже. Чтобы думать, нужна ясная голова, а для этого тебе необходимо подкрепиться. На пустой желудок плохо думается.

— Что? — мысли мальчика были по-прежнему заняты Стивеном, и он не без труда вернулся к реальности. — Ах да, конечно...

Квинби облегченно вздохнула. Она боялась, что правдивые слова Гуннара нанесут мальчику еще одну травму, но он воспринял их на удивление стойко.

Гуннар подошел к ней. Выражение его лица вновь стало напряженным.

— Тебе тоже не мешает позавтракать.

— Обязательно. А ты сам?

— Не знаю. Я не...

— Что с ним? — послышался задыхающийся голос, и, обернувшись, они увидели на пороге высокую, лет тридцати, женщину с каштановыми волосами.

— Элизабет! — Гуннар торопливо подошел к женщине и поцеловал ее в щеку. — А где Джон?

— Он задержался, чтобы поговорить с врачом. Я же хотела поскорее увидеть Эндрю. — Все это она проговорила на ходу, направляясь к окну, возле которого сидел ее сын. — Привет, малыш! Ну что, несладко вам пришлось этой ночью?

— Мама? — изумленно посмотрел на нее мальчик. Затем его лицо осветилось ослепительной улыбкой, он соскочил со стула, побежал навстречу матери и прижался к ней. — Я не знал, что ты должна приехать.

— А как же иначе! Где же мне еще быть, как не здесь? — Элизабет взяла из его руки стакан с соком и поставила на стол. — Ты в порядке?

Эндрю кивнул, крепко обнимая мать.

— Но Стивен ранен, мама.

— Я знаю. Мы сделаем все, чтобы его вылечить. — Элизабет еще раз прижала к себе мальчика и отпустила его. — Папа сейчас как раз говорит с врачом.

— Квинби собиралась отвести Эндрю в кафетерий, чтобы он позавтракал, — сказал Гуннар. — Похоже, тебе тоже не помешает чашка кофе.

— Прекрати нянчиться со мной, Гуннар. — Элизабет поморщилась. — Я знаю, что выгляжу как привидение, потому что не могу спать в самолете. Здравствуйте, Квинби, — проговорила она, поворачиваясь к ней. — Полагаю, вы уже догадались, что я — мать этого юного джентльмена. Я хочу поблагодарить вас за ту заботу, которой вы окружили моего сына.

— Любое общение с ним доставляет мне огромное удовольствие. Эндрю — замечательный мальчуган.

Веснушчатое лицо Элизабет осветилось улыбкой и стало еще красивее.

— Да. Он справится. Я решила впредь держать его при себе. — Она взяла Эндрю за руку. — А теперь пойдем завтракать.

Мальчик вдруг озабоченно нахмурился.

— Может, мне все-таки остаться здесь? Вдруг Стивен... Мне не хочется его бросать.

— Не волнуйся, я останусь здесь, — поспешно вмешалась Квинби, — и если что-то произойдет, сразу же позову тебя. А ты принесешь мне что-нибудь перекусить.

На лице Эндрю отразилось облегчение.

— Правда, Квинби?

— Конечно. Не волнуйся, я побуду здесь.

— Спасибо, — сказала Элизабет. На мгновение Квинби увидела в ее глазах усталость и беспокойство, которые та тщательно прятала от сына, но в следующую секунду она снова беззаботно улыбалась. — Мы попросим, чтобы вам на завтрак приготовили что-нибудь необычное. — Она повернулась к Гуннару. — Когда придет Джон, скажи ему, где мы будем, хорошо?

— Жаль, что все так получилось, — невпопад ответил Гуннар.

— Я знала, что ты, как всегда, станешь мучиться угрызениями совести, но, поверь, тебя никто ни в чем не винит, — мягко сказала Элизабет. — Ты сделал все, что мог. И нам это прекрасно известно. — Она перевела взгляд на сына. — Мы с Джоном уверены, что все случившееся — результат простого невезения.

Через несколько секунд Элизабет и Эндрю вышли из комнаты ожидания и пошли по коридору по направлению к лифтам.

— Она мне понравилась, — проговорила Квинби. — Сильная женщина.

— Ей пришлось стать сильной, — сказал Гуннар. — Таких женщин — поискать. — Он помолчал и добавил: — Но ты тоже сильная, Квинби. Спасибо, что осталась здесь и помогла мне.

— Чепуха. Где же мне еще быть? — как сказала Элизабет. Я была нужна здесь, потому что ты дорог мне не меньше, чем Стивен и Эндрю.

— Я это чувствую. И хочу, чтобы ты знала... — Гуннар замешкался и тряхнул золотистыми волосами. — Что-то я не очень хорошо соображаю. В голове путается... — Он сделал несколько шагов вперед и оказался рядом с женщиной, а затем привлек ее к себе и поцеловал со страстной нежностью. — Квинби! О, Квинби!

Затем он отпустил ее и, прежде чем она успела

сказать хоть слово, вышел из комнаты. Квинби отсутствующим взглядом смотрела ему вслед до тех пор, пока за ним не закрылись двери лифта, и только тогда поняла, что Гуннар с ней прощался.

Он отправился на поиски Карла Бардо.

* * *

— Судя по всему, вы — Квинби Свенсен? Очень рад наконец-то с вами встретиться. Я Джон Сэнделл.

Квинби отвернулась от окна и увидела, что через комнату к ней шагает высокий человек. На его загорелом лице светилась улыбка. Он был таким же обаятельным, как и его жена, но помимо этого его лицо выражало властность и решительность.

— Я боюсь, мы злоупотребляем вашим терпением и добротой, но кто же мог предполагать, что случится такое?

— Я сама решила остаться, — с усилием проговорила Квинби. — И сделала бы это опять, возникни в том необходимость.

Джон Сэнделл оглядел ее и печально вздохнул:

— Вас следовало бы примерно наказать. Ну разве можно так измываться над собой! Вы же сейчас в обморок свалитесь! — Помолчав, он спросил: — А где Эндрю и моя жена?

— В кафетерии. — Квинби зябко обхватила себя руками. Ее знобило от холода. Странно, ведь в комнате было тепло. — Эндрю немного успокоился.

— Хорошо, — ответил Джон, но тем не менее озабоченно нахмурился. — И все же мы не знаем, какова будет его реакция, если Стивен Блаунт... — Он умолк, не закончив фразы. — Ну да ладно, поживем — увидим. Гуннар пошел с ними?

— Нет. — Квинби подняла глаза и встретилась взглядом с мужчиной. — Он отправился в погоню за Карлом Бардо.

Джон замер.

— Этого следовало ожидать.

Квинби поникла головой.

— Меня это тоже не удивило.

— В самом деле? — спросил он и поглядел на нее, сузив глаза. — Почему же?

— Ему это нравится. Ему доставляет удовольствие... — У Квинби перехватило горло, и стало трудно дышать. — Извините, я немного расстроена. Мне не хочется говорить об этом сейчас.

— Напротив, — возразил Сэнделл, — я полагаю, нам необходимо это обсудить. Насколько я понял, между вами и Гуннаром по этому поводу произошла размолвка. Но вы наверняка знаете о нем далеко не все. Он не любит рассказывать о своем прошлом и даже отказался снова посещать психотерапевта после того, как прошел первый курс лечения.

— Лечения? — медленно переспросила Квинби. — От чего он лечился?

— Он страдает от чувства вины. Он не рассказал вам, как погибли его родители?

— Нет.

— Они были убиты, жестоко убиты, когда армия Саид-Абабы вошла в Гарванию. «Кланад» направил Гуннара на задание, поэтому во время вторжения он находился далеко и вернулся на ферму родителей только через два дня после того, как все было кончено. Когда он наконец добрался туда, то нашел своих родителей изрубленными на куски, а дом — сожженным дотла.

Квинби смотрела на рассказчика широко раскрытыми от страха глазами.

— Какой ужас!

Джон угрюмо кивнул.

— В то время Гуннар был еще совсем юным. Он чуть не сошел с ума от горя и во всем винил себя. Он считал, что должен был находиться рядом с ними и защитить их.

— Но тогда он бы тоже погиб!

— Умом он понимает это, но сердцем... — Джон немного помолчал. — Родители Гуннара были замечательные, но не очень образованные люди — придерживались старомодных взглядов. Их очень расстроило то, что парень покинул ферму и пошел в армию, но все же это решение было для них понятным. Но вот его участие в экспериментах с мирандитом они принять не смогли, считая, что их сына превращают в какого-то урода.

Урод! — горько усмехнулась про себя Квинби.

Господи, ведь Гуннар и ей говорил, что боится, как бы она не стала считать его уродом, но она тогда даже не поняла, на что он намекал, а должна была как следует расспросить его, успокоить.

— После того, как его родители были убиты, Гуннар впал в глубокую депрессию. — Сэнделл сжал губы. — «Кланад» должен был бы помочь ему, но в то время у нас хватало других забот. Мы оказались в руках правителей Саид-Абабы. Над нами собирались ставить какие-то опыты, и я до сих пор удивляюсь, как мы все не сошли с ума к тому моменту, когда нам наконец-то удалось выбраться из научного заведения, куда нас запихнули. Тогда нам показалось, что Гуннар сумел оправиться, вот мы и пустили все на самотек. Лишь некоторое время спустя стали заметны произошедшие в нем перемены. С тех пор он был совершенно безрассудным, неуправляемым, но при этом оставался тем же Гуннаром, и мы все его любили.

— Почему же вы не помогли ему? — гневно спросила Квинби. — Ведь он мог погибнуть, черт побери!

— Мы пытались. После того, как мы обосновались в Седихане, все прошли специальный курс лечения для укрепления психологической стабильности. И только тогда выяснилось, что происходит с Гуннаром. Он не только винил себя в гибели родителей, но каким-то образом вбил себе в голову, что действительно является неким уродцем. И время от времени это чувство вины становилось причиной крайне отчаянной бесшабашности, когда он начинал играть в прятки со смертью, словно провоцируя ее.

— Он и сейчас такой.

Джон беспомощно развел руками.

— Гуннар согласился на лечение. Казалось, он уяснил, что с ним что-то не так, что он нуждается в помощи. Однако он оказался чересчур нетерпеливым и не дождался, пока его вылечат окончательно. Поскольку во всем остальном Гуннар был совершенно нормальным, мы не настаивали на продолжении лечения. Это ущемляло бы его права, а у «Кланада» существуют правила, в соответствии с которыми...

— Правила? — Голос Квинби дрожал. — Когда я увидела его в первый раз, он бежал по взлетному полю, уворачиваясь от автоматных очередей.

— Мы оберегали его, как могли. Мы дали ему работу, выполняя которую он был постоянно окружен нашими самыми лучшими людьми. Людьми, которые его любят, — мягко добавил Джон Сэнделл.

Квинби невольно вспомнила Марту, необычную «бабушку», которая была приставлена к Гуннару, чтобы спасать его от самого себя. Видимо, это не помогло. Ничто не помогло.

— Вы должны были предпринять что-то еще.

— Кодекс «Кланада» запрещает...

— Черт с ним, с этим вашим кодексом! — Глаза ее сверкали от гнева. — Что, по-вашему, важнее, соблюдать какие-то там права или спасти человеку жизнь? — Она сделала глубокий вдох, пытаясь хоть немного успокоиться. — Да знаете ли вы, какой он — Гуннар? Знаете ли вы, какой он любящий и заботливый? Он такой чудесный человек, а вы бросили его на произвол судьбы, позволяете ему рисковать жизнью, словно она для вас ничего не значит!

— Он значит для нас очень много, — мягко возразил Джон. — Мы тоже любим его, Квинби.

— В таком случае вы очень странно проявляете свою любовь. Впрочем, — слабо улыбнулась она, — я, видимо, тоже не сумела доказать ему свою любовь. Но это еще не поздно исправить.

— Что вы задумали?

— Скажите, у вас здесь есть машина?

— Да, — кивнул он. — Мы взяли ее напрокат в аэропорту. Она — на стоянке.

— Могу я одолжить ее?

Сэнделл сунул руку в карман, вытащил брелок с ключами от автомобиля и протянул женщине.

— Темно-бордовый «Бюик». Его номер выбит на брелке. Куда вы собрались, если не секрет?

— Как только вернется Эндрю, я поеду за Гуннаром. Я не должна была отпускать его одного. Он скорее всего поедет сначала в Милл-Коттедж, так что, возможно, я его там застану. А если нет, пойду за ним в лес. — Пока она говорила, двери лифта отворились, и из него вышли Элизабет и Эндрю. — А вот и они. — Квинби направилась к лифту. — Время от времени я буду звонить, чтобы справиться о состоянии Стивена.

— Гуннару это точно не понравится, учтите. Он не хотел бы, чтобы вы подвергали себя какой-либо опасности, пока где-то поблизости разгуливает Бардо.

— Меня не волнует, понравится Гуннару это или нет, — отрезала Квинби. — Пусть по этому поводу переживает ваш «Кланад». Я волнуюсь только за его жизнь.

Не дожидаясь ответа, она вышла из комнаты и пошла по коридору навстречу Элизабет и Эндрю.

* * *

Серый «Мерседес» был припаркован на подъездной дорожке перед входом в Милл-Коттедж. Увидев его, Квинби глубоко и с облегчением вздохнула, а затем остановила свою машину рядом с «Мерседесом» и выбралась из нее. Гуннар, как она и предполагала, все еще здесь. Остается только надеяться на то, что он еще не ушел прочесывать лес.

Входная дверь оказалась незапертой, и это еще больше обнадежило Квинби. Возможно, Гуннар еще здесь. Она постояла в вестибюле, прислушиваясь. В старом доме царила полная тишина.

— Гуннар!

Она заглянула в гостиную. Все здесь оставалось так же, как вчера вечером, когда они в спешке бежали: брошенные в беспорядке видеокассеты, столик на колесиках с недоеденным праздничным тортом, тарелками и вилками... На диванных подушках до сих пор можно было различить отпечатки тел Эндрю и Стивена, словно они вышли из комнаты на минуту и вот-вот вернутся. Как бы ей этого хотелось! Она мечтала о том, чтобы можно было повернуть время вспять и снова пережить счастливые дни, когда ничто не нарушало их безмятежную жизнь в Милл-Коттедж.

Нет, прошедшего не вернуть. Об этом и думать-то глупо. Теперь ей предстоит сделать все возможное, чтобы хоть как-то исправить положение.

Может, Гуннар пошел наверх, чтобы принять душ и переодеться, прежде чем пуститься в погоню? Может, бегущая вода помешала ему услышать, как она его окликнула?

Квинби вышла из гостиной и стала подниматься по лестнице, рассеянно думая, что после ночи, проведенной в больнице, и сама бы не отказалась от горячего душа.

И все же что-то ее тревожило. В душе копошился какой-то неприятный червячок. Чувствовалось, здесь что-то не так, хотя она не могла определить, что именно.

Поднявшись на второй этаж, она двинулась по коридору в сторону двери в комнату Гуннара.

Послышался негромкий скрип кресла-качалки.

Единственное такое кресло находилось в комнате Эндрю.

Квинби остановилась и медленно повернулась в ту сторону, где она находилась. Дверь в комнату была приоткрыта, и оттуда доносилось мерное уютное поскрипывание.

— Гуннар?

Молчание.

Лишь продолжает поскрипывать кресло.

О Боже! Она ощутила, что задыхается под удушливой волной накатившего страха. Ей хотелось сломя голову кинуться вниз по лестнице и выбежать из дома, но тело отказывалось повиноваться.

Она поняла, что именно тревожило ее, что именно было не так.

На столике в гостиной не было кухонного ножа.

Кресло в детской комнате неожиданно перестало скрипеть.

14 Зак. № 1108 Джоансен

Глава 9

— Тебе не убежать, и ты это знаешь. — Голос был низкий, словно лоснящийся от самодовольства. — Я поймаю тебя раньше, чем ты успеешь добежать до середины лестницы, и к тому же очень рассержусь. Я устал прятаться от дураков-полицейских и хочу отдохнуть. Будь же умницей, иди сюда!

Квинби, словно окаменев, стояла посередине коридора, не в силах отвести взгляда от двери.

— Я знаю, кто ты такая. — Звуки безумного хохота, который последовал за этим утверждением, леденили кровь. — Ты — девка этого урода. Ты, наверное, без ума от него. Эти сволочи здорово умеют запудривать мозги вам, дуракам, своей черной магией. — Голос на несколько мгновений умолк. — Не желаешь взглянуть, что я сделал с твоим любовничком? Вот он, здесь. Лежит у моих ног с ножом в груди.

Нож! Кухонный нож!

Не чувствуя под собой ног, Квинби побежала по коридору, распахнула дверь в комнату Эндрю и стала шарить взглядом сначала по полу, а затем по сторонам. Гуннара здесь не было — ни живого, ни мертвого.

— Я соврал, — насмешливо признался мужчина, сидевший в кресле-качалке. — Доброе утро. Меня зовут Карл Бардо.

— Я знаю. — Она узнала бы это лицо среди тысячи других. Она, как сейчас, видела его за стеклом автомобиля. И — ствол пистолета, наведенный на Эндрю. Теперь тот же самый пистолет был нацелен ей в живот.

— Вы что-то сказали про нож... — туго соображая, выдавила из себя Квинби.

— А вот тут я не соврал. — Мужчина ухмыльнулся и похлопал себя по карману куртки, откуда действительно выглядывала черная рукоятка ножа. — Видишь ли, я никак не мог решить, чем побаловать Гуннара Нильсена — ножом или пистолетом. Честно говоря, я до сих пор не принял решения на этот счет. Что ты мне посоветуешь?

— Вы хотите убить его. — Это был не вопрос, скорее констатация факта.

Бардо бросил на нее удивленный взгляд.

— А как же! Ты даже не представляешь себе, как долго я дожидался возвращения этих уродов. Каждую неделю на протяжении многих лет я приходил к этой развалюхе и высматривал, не вернулись ли они. Твой Нильсен должен умереть. Они все должны умереть. Я уже прикончил щенка, а теперь очередь за остальными.

Видимо, этот негодяй не знал, что его пуля угодила не в Эндрю, а в Стивена. Боже милостивый, он совершенно безумен! Это же было видно с первого взгляда.

— Вас упрячут за решетку до конца жизни.

— Это не имеет значения.

Мужчина снова принялся раскачиваться. Его жидкие волосы были растрепаны, куртка и брюки промокли и выглядели так, будто он снял их с огородного пугала. Однако даже в мокрой одежде он, казалось, чувствовал себя вполне комфортно, и это почему-то испугало Квинби даже больше, чем его угрозы и пистолет в руке.

— Где Гуннар? — спросила она, переведя дыхание.

— Ищет меня. Я видел, как он отправился в лес на мои поиски, и решил: пусть немного пошарит по кустам. — Его губы скривились в злобной ухмылке. — Я сам провел там целую ночь, но этим кретинам так и не удалось меня поймать. Не получится и у твоего уродца-любовника. Я сейчас гораздо сильнее, чем пять лет назад. — Он перестал раскачиваться и встал с кресла. — И гораздо умнее.

— Не сомневаюсь. — Квинби старалась, чтобы ее голос звучал уверенно и не дрожал. — Но, причинив вред Гуннару, вы ничего не добьетесь.

— Его смерть будет... — Бардо осекся. — Впрочем, ты сама увидишь, какой будет его смерть. Пойдем! — Он повелительно махнул пистолетом в сторону двери. — Спустимся вниз и подождем его. Я уверен, что он скоро появится. Гуннар ведь очень сообразительный молодой человек. Чуть не поймал меня прошлой ночью в лесу, причем целых два раза. — Бардо прошел через комнату и остановился в нескольких сантиметрах от Квинби. — Пошевеливайся!

Она повернулась, вышла в коридор и направилась к лестнице. Ее мысли лихорадочно метались в поисках выхода из создавшейся ситуации.

— Да, чуть не забыл! Тебе, кстати, тоже придется умереть, — беззаботно проговорил Бардо за ее спиной. — Любая женщина, которая имеет с ними дело, должна умереть, чтобы на свет не рождались новые чудовища.

— Эндрю — не чудовище! — яростно крикнула Квинби. — Скорее это относится к вам, ничтожный убийца детей!

Сказав эти слова, она сразу же почувствовала, как в спину ей уперлось холодное дуло пистолета.

— Ах ты, шлюха! Да я...

— Бардо!

Входная дверь с грохотом распахнулась, и в дом ворвался Гуннар. Они в этот момент находились на площадке между двумя лестничными пролетами.

— Нет, Гуннар, нет! Не подходи, у него — пистолет!

Не понимая, что делает, Квинби метнулась назад, всем телом ударилась в Бардо, и они упали на пол.

Внезапно Бардо закричал.

Квинби зажмурилась, настолько пронзительным и страшным был этот крик. Что произошло? Может, он себе что-нибудь сломал во время падения? Ей еще никогда не приходилось слышать крика, в котором звучала бы такая боль.

— Квинби! — Гуннар уже взбежал на лестничную площадку и склонился над любимой. — Ради всего святого, зачем ты это сделала! Я боялся, что не успею его остановить прежде, чем он нажмет на курок! — Гуннар опустился на колени возле Квинби, не обращая на Бардо никакого внимания, будто того вовсе не существовало.

Но это было не так. Убийца по-прежнему находился здесь, причем — с ножом и пистолетом.

— Осторожно! — отчаянно крикнула она. — Он вооружен.

— Все в порядке, он уже не опасен, — нетерпеливо оборвал ее Гуннар. — Сейчас меня волнуешь только ты. Ты не ранена?

— Нет, — пробормотала Квинби и перевела взгляд на Бардо, лежавшего позади нее. Его пистолет валялся в стороне, широко открытые глаза, не мигая, смотрели в потолок, а на лице застыла маска невыносимой боли.

— Что ты с ним сделал?

— Парализовал и внушил ему боль, — равнодушно ответил Гуннар.

Квинби снова посмотрела на Бардо, и ее передернуло. Было очевидно, что этот человек испытывает чудовищные мучения. Каждая складка его лица выражала страдание.

— Ты можешь прекратить его мучения? У него такой страшный вид!

— Могу. — Гуннар помог ей встать на ноги. — Но не буду. — Его лицо стало жестоким и беспощадным. Квинби сразу же вспомнила, как они летели в самолете, и он на несколько мгновений стал таким же и напомнил ей берсеркера. — Он ранил Стивена и без колебаний убил бы тебя. Он должен быть наказан. Болью.

С этими словами Гуннар подошел к стоявшему на столике телефону и снял трубку.

Квинби бросила еще один опасливый взгляд на Бардо и только после этого последовала за ним.

— Ты звонишь в полицию?

— Нет. — Гуннар продолжал методично набирать номер на диске. — Джадд ждет в аэропорту. Он заберет Бардо и доставит его в Седихан.

— И что с ним там сделают?

— Лично мне хотелось бы, чтобы этому подонку отрезали голову, — хищно оскалился Гуннар. — Но, вероятнее всего, «Кланад» попытается вылечить его от злобы. В соответствии с нашим кодексом, мы не должны причинять вред никому из тех, кто уже не представляет угрозы для окружающих. Остается надеяться, что лечение не даст результатов, и его передадут в руки правосудия Бен-Рашида, с тем чтобы он понес заслуженное наказание. — Гуннар улыбнулся, но в улыбке таился яд. — А ведь Алекс известен тем, что в подобных случаях бывает беспощаден.

На другом конце провода кто-то снял трубку, и Гуннар стал давать инструкции — четко и внятно.

* * *

— Ну вот и все. — Фургон Джадда Уокера скрылся за поворотом, и Гуннар пошел к крыльцу, на котором стояла Квинби. Брови его нахмурились. — Послушай, в чем дело? С тех пор как я позвонил Джадду, ты не произнесла и двух слов. — Затем его лицо смягчилось. — Да не волнуйся ты! «Кланад» более милосерден, чем я. Скорее всего первое, что они сделают, это избавят Бардо от боли.

— Плевать на Бардо, — процедила она. — Ты, похоже, не очень хорошо меня понимаешь. Мне, конечно, жаль этого человека, немного. Но он заслужил наказание. Люди, которые способны на убийство беззащитного ребенка, не должны оставаться безнаказанными.

— Тогда почему ты такая мрачная? Я даже отсюда чувствую, как ты напряжена.

— Да потому, что я готова взорваться! — Стараясь успокоиться, Квинби набрала полные легкие воздуха и медленно выдохнула. — Нам нужно поговорить.

Развернувшись, она прошла в гостиную, отдернула шторы, и лучи утреннего солнца залили комнату ярким светом. Сзади захлопнулась входная дверь, и в гостиную вошел Гуннар, но Квинби не обернулась.

— Ты устала, — мягко сказал он. — За последнюю ночь ты прошла сквозь ад кромешный и все еще переживаешь за Стивена. Так, может, отложим разговор до тех пор, пока ты не отдохнешь?

— Да, я очень переживаю из-за Стивена. — Квинби старалась говорить медленно и размеренно. — И из-за Эндрю. И из-за всей этой жуткой истории. — Она повернулась к нему. Глаза ее горели, как у пантеры. — Но тебя, Гуннар, я просто готова растерзать.

Мужчина смотрел на нее с опаской.

— Но, Квинби, я просто обязан был добраться до Бардо...

— Может, и так, но ты не обязан был делать это в одиночку! Похоже, с самого детства ты настолько привык рисковать своей башкой, что это стало твоей второй натурой. Так вот, хватит! Я больше не намерена терпеть твое безрассудство! Ты больше не будешь рисковать своей жизнью. — Она помолчала и закончила: — Потому что она принадлежит мне.

От неожиданности Гуннар окаменел.

— Правда?

— Правда, черт тебя побери! Почему, как ты думаешь, сегодня на рассвете я помчалась сюда вслед за тобой? Твой расчудесный «Кланад» может сколько угодно кудахтать вокруг комплекса вины, который ты носишь на шее, как ярмо, но я не намерена...

— Выходит, Джон все рассказал тебе, — помрачнев, перебил ее Гуннар. — Он не должен был этого делать! Я хотел сам поговорить с тобой об этом.

— Если бы я стала дожидаться, пока ты расскажешь мне об этом сам, то состарилась и умерла бы, так ничего и не узнав. Ты считаешь, что меня необходимо оберегать от всех неприятностей, что самой тяжелой моей обязанностью должно быть одевание по утрам. Но вспомни свои собственные слова. Помнишь, ты говорил мне о том, что по своей природе мы с тобой оба — няньки и станем по очереди заботиться друг о друге. А сам все время отбираешь у меня мою очередь! Вот я и решила, что теперь этим пора заняться мне. — Она подошла к нему и взяла его лицо в ладони. — Так вот, слушай, Гуннар Нильсен. Ты — не урод. Ты — чудесный, любящий человек, обладающий удивительным талантом, который используешь во благо людей. Ты не виновен в гибели родителей и не несешь ответственности за те трудности, с которыми столкнулся Эндрю. Каждому из нас приходится делать тот или иной выбор, и ты, с учетом того, что имелось в твоем распоряжении, сделал самый правильный. Ты больше никогда не должен мучиться чувством собственной вины и рисковать своей жизнью.

— Правда? — шепотом спросил Гуннар, вглядываясь в ее лицо. — Ты говоришь так, будто совершенно уверена в своих словах.

— Я и впрямь уверена.

— Почему, Квинби? Объясни же, почему!

— Почему, черт побери? Да потому, что я — твой *валон*! Неужели, по-твоему, мне очень хочется, чтобы моя вторая половинка скакала под пулями, ходила по натянутому канату и...

В следующую секунду он стал осыпать Квинби

поцелуями, стиснув ее с такой силой, что у нее перехватило дыхание. Приподняв ее голову, он смотрел ей в лицо неверящим взглядом и спрашивал:

— Значит, ты любишь меня? Любишь?

Она моргнула, чтобы справиться с застилавшими глаза слезами.

— Да! Да, черт побери! Я люблю тебя так сильно, как только можно любить — и умом, и сердцем. Я хочу находиться рядом с тобой каждую секунду, и будь я проклята, если позволю тебе помешать этому своими безумными выходками! Каждый раз, когда ты снова вздумаешь рисковать собой, я буду находиться рядом. Хватит уже тебе сходить с ума, слышишь?

— Слышу, — откликнулся Гуннар, снова целуя ее. — Как же я люблю тебя, Квинби!

— Тогда не забывай о том, что я тоже нянька и хочу заботиться о тебе. Не тяни одеяло на себя, и когда у тебя будут возникать какие-то проблемы, не таи их в себе, делись со мной.

— И ты будешь поступать так же?

— Да, я тоже буду поступать так же. — Ее губы дрожали, но сквозь пелену слез сияла радость. — Я надеюсь, что когда пойму до конца, что значит быть *валоном*, у меня это получится.

— Не сомневайся! Еще как получится! — Он счастливо засмеялся. — Но, ничего не скажешь, подходящее же ты выбрала время, чтобы сказать все это! Мы с тобой оба измучены, напуганы и ничего не соображаем.

Квинби недовольно нахмурилась.

— Ты говоришь, что я выбрала неподходящее время? Но я была настолько расстроена, что...

Гуннар приложил кончики пальцев к губам женщины и заставил ее замолчать.

— Все в порядке. Когда два человека любят друг друга, такого понятия, как «неподходящее время», не существует. *Валон* — это тот, кто с одинаковой радостью разделяет с тобой как ровные дороги, так и ухабистые.

Он вновь привлек ее к себе и крепко прижал к груди. Сейчас в этих объятиях не было страсти — только нежность и теплая сила. Квинби прижалась к любимому с такой же нежностью, даря ему такое же чувство надежности, какое получала от него.

Она потеряла ощущение времени и не знала, как долго они стояли в гостиной, прижавшись друг к другу, оказавшись в своем мире, где не существовало ни времени, ни пространства. Лишь они вдвоем. Они могли бы стоять так вечно, если бы внезапно не прозвучал телефонный звонок.

Гуннар прикоснулся губами к ее щеке и сказал:

— Я отвечу. — Разжав объятия, он подошел к телефону, стоявшему в вестибюле, и взял трубку. — Алло? Да, Элизабет.

Квинби увидела, что по его лицу пробежала тень, и почувствовала, как у нее упало сердце. Ее ноги вросли в пол, а ладони стали влажными от страха. Неужели что-то со Стивеном? Сделав над собой усилие, она подошла к Гуннару и стала всматриваться в его лицо, пытаясь угадать, о чем идет речь.

— Ты уверена? — медленно проговорил он. — Нет, я не хочу вмешиваться.

Что же могло произойти? — недоумевала Квинби. Неужели Стивен... Нет, об этом она не могла даже помыслить.

— До свидания, Элизабет, — сказал Гуннар и положил трубку.

— Стивен? — сильно дрожащим голосом спросила Квинби.

— Плохие новости, — тихо ответил Гуннар. — Он до сих пор в коме, и врачи говорят, что его состояние ухудшается.

— Боже мой! — ошеломленно пробормотала Квинби.

— Мы должны немедленно возвращаться в больницу.

— Врачи считают, что он скоро... умрет?

— Нет, дело в Эндрю. — Гуннар нахмурился. — Элизабет говорит, что в последние несколько часов он ведет себя очень странно: рассеян, замкнулся в себе... Малыш страшно переживает за Стивена. — Он взял Квинби за руку и повел ее к двери. — Сказал матери, что хочет поговорить со мной. Даже не сказал, а потребовал.

— Это понятно: он любит тебя, ему нужно, чтобы в такую минуту ты находился рядом.

— Может быть. — На лице Гуннара читалась растерянность. — Но мы этого не узнаем, пока не приедем туда.

С этими словами он открыл входную дверь.

* * *

Элизабет встретила их в коридоре, у лифта.

— Где Эндрю? — спросил Гуннар.

— В комнате ожидания, с Джоном. — Элизабет, показавшаяся Квинби похудевшей и осунувшейся, вцепилась в руку Гуннара. — Я так боюсь! Я еще никогда не видела его таким.

— Этому должно быть какое-то объяснение. — Гуннар накрыл ее пальцы ладонью и ободряюще стиснул их. — Пойдем, выясним, в чем дело.

Эндрю стоял у окна и смотрел вниз на автостоянку. Услышав, как хлопнула дверь, он повернулся к вошедшим.

Взглянув на него, Квинби испытала потрясение. Она ожидала увидеть его растерянным, но мальчик, похоже, был собран и полностью владел собой. Лицо его было бледным, а под глазами залегли темные круги, но в нем не было никаких признаков безнадежного горя и отчаяния.

— Здравствуй, Гуннар. — Хриплый голос мальчика также звучал спокойно. — Я хочу попросить тебя об одном одолжении.

Джон Сэнделл встал со стула и подошел к сыну, положив руку ему на плечо.

— Ты же знаешь, сынок, что мы делаем все от нас зависящее.

— Да, я знаю. Но вы с мамой слишком сильно волнуетесь за меня, и поэтому... Вы можете помешать мне сделать то, что я задумал, а Гуннар разрешит мне довести дело до конца.

— О чем ты толкуешь, Эндрю? — растерянно спросила Элизабет.

— Я должен помочь Стивену, — просто объяснил он.

Гуннар глубоко вздохнул, затем пересек комнату и, подойдя к Эндрю, опустился рядом с ним на колено.

— Видишь ли, Стивен... — Он замялся. — У него не очень хорошие дела.

— Он умирает, — сказал Эндрю. — А я не могу позволить ему умереть, Гуннар. Я должен что-то сделать.

— Что именно? — Взгляд Гуннара изучал лицо мальчика.

— Помнишь, ты сказал, что он спит, и из-за комы не может проявиться его воля к жизни? — Мальчик бесхитростно смотрел в глаза Гуннара. — Мне кажется, я смогу его разбудить. Стивен — мой друг. Он впустит меня.

Впустит? Квинби почувствовала холодок страха. Это слово могло означать только одно, а ведь Стивен умирает! Что случится, если он умрет как раз в тот момент, когда Эндрю будет находиться в его сознании?

— Эндрю, ты не понимаешь...

Мальчик перевел взгляд на Квинби.

— Это ты не понимаешь, Квинби. Я смогу это сделать. Скажи ей, Гуннар.

— У него может получиться. — Гуннар не отводил напряженного взгляда с лица мальчика. — Бывали случаи, когда нашим лучшим целителям удавалось войти в сознание пациента и пробудить в нем волю к жизни. — Он помолчал и неуверенно добавил: — Но им никогда не удавалось пробиться через кому, Эндрю.

— Нет! — в отчаянии вскрикнула Элизабет. — Джон, скажи ему, чем это может закончиться!

— Мы боимся, что ты... Что тебе это может повредить, Эндрю. Ты отгородился от того, что случилось с тобой прежде, но если ты вспомнишь, то поймешь...

— Я все помню. Я никогда и не забывал этого. Просто старался об этом не думать. — Эндрю облизнул губы. — Но пока я здесь сидел, я много всего передумал. — Он глубоко вздохнул и вновь перевел глаза на Гуннара. — Мне страшно, Гуннар. Помоги мне. Я не хочу, чтобы ты входил вместе со мной. Просто следи за мной и вытащи обратно, если... — Эндрю осекся и несколько секунд молчал, а потом договорил шепотом: — Я... Я люблю его, Гуннар. Я боюсь, что мне захочется уйти вместе с ним.

Квинби почувствовала, что стоявшая рядом с ней Элизабет покачнулась и оперлась о стену.

— Ты сможешь это сделать? — спросил Эндрю.

— Да, — задумчиво ответил Гуннар, — смогу.

— Эндрю, я не разрешаю! — Голос Элизабет дрожал.

— Я не хочу поступать наперекор тебе, мама. — На лице Эндрю появилось жалобное выражение. — Но мне придется это сделать. Я обещал Стивену, что мы будем друзьями навечно, и сказал, что это будет длиться очень долго. А если Стивен умрет, так не получится. — Мальчик поднял глаза на мать. — Если ты не разрешишь Гуннару помочь мне, я сделаю это один.

Элизабет, окаменев от ужаса, смотрела на сына немигающим взглядом. В комнате повисла тишина. Наконец Элизабет заговорила. По контрасту с ситуацией ее слова прозвучали ошеломляюще:

— Эндрю, боюсь, я с тобой еще намучаюсь. Мог бы хоть немного подрасти, прежде чем учить жизни свою мать.

Мальчик облегченно улыбнулся.

— Со мной все будет в порядке, мама.

— Конечно, малыш. Гуннар присмотрит за тобой, — твердо сказала Элизабет. — Джон, — обратилась она к мужу, — врач может не пустить никого в палату к Стивену. Может, ты поговоришь с ним?

— С этим проблем не будет, — ответил Джон. — Но... ты уверена, Элизабет?

— Я не могу сомневаться. — Она с усилием улыбнулась. — Разве ты не видишь? Это же типичный бунт на корабле!

Джон кивнул и деловито обратился к Гуннару:

— Через несколько минут приводи Эндрю к Стивену. А я пока обо всем договорюсь.

Сказав это, он повернулся, вышел из комнаты и двинулся по коридору.

Гуннар стал что-то говорить Эндрю, а тот внимательно слушал, время от времени кивая. Наверное, подумалось Квинби, они вырабатывают какой-то план. Но какой же может быть план в этой немыслимой ситуации?

Она повернулась к Элизабет и испытала прилив горячей симпатии к этой женщине. Та смотрела на сына со смешанным чувством страха, огромной любви и уважения. «Элизабет — сильный человек», — как-то сказал Гуннар, но подлинный смысл этих слов стал понятен Квинби только сейчас. Какое огромное мужество потребовалось матери, чтобы поддержать сына в его опасной затее, вместо того, чтобы затевать бессмысленные препирательства!

Квинби осторожно прикоснулась к руке Элизабет.

— Гуннар не допустит, чтобы с ним что-то случилось.

Та кивнула.

— Именно это я и твержу себе самой. Кто знает, может, это даже к лучшему. По крайней мере, Эндрю уже заговорил о том, что травмировало его, и понизил свой защитный барьер, чтобы помочь другу. А что, если... — Увидев, что сын смотрит в ее сторону, Элизабет умолкла и прикусила губу, а затем заставила себя улыбнуться. — Ну что, обо всем договорились? Не хотите взять и меня с собой?

— Нет, не надо. — Эндрю пробежал через комнату и обнял мать. — Мама, я... — Он поднял вверх лицо с блестящими от слез глазами. Было очевидно, что, как любой ребенок, он испытывает страх перед неведомым. — Я люблю тебя, мама!

Элизабет с силой прижала его к себе, но уже в следующее мгновение отпустила.

— Я тоже люблю тебя, малыш. — Она нежно поцеловала его в лоб и сказала: — Я буду ждать тебя здесь.

Квинби испытала желание обнять мальчика и прижать его к себе так же крепко, как это сделала Элизабет, но она видела, что Эндрю уже сосредоточился на своем, и не захотела мешать ему.

— С твоей мамой буду я, — сказала она.

— Спасибо, Квинби, — серьезно кивнул Эндрю.

Гуннар прошел через комнату и остановился рядом с ними.

— Ты еще можешь передумать, Эндрю. Ты вовсе не обязан делать это.

— Но я хочу это сделать. — Ребенок вложил свою маленькую ладошку в огромную руку мужчины. — Пойдем, Гуннар. На сей раз приключение ждет меня, а не тебя.

— Верно, — улыбнулся Гуннар.

И они пошли к двери.

— Эндрю! — не выдержав, окликнула сына Элизабет. Она поколебалась мгновение и вместо вопроса, который, видимо, хотела задать, спросила: — Как ты собираешься помочь Стивену? Каким образом ты это сделаешь?

В улыбке, которой озарилось лицо Эндрю, одновременно читались наивная радость ребенка и вся мудрость предков.

— Я хочу показать ему его звезду.

Глава 10

Эндрю и Гуннар отсутствовали довольно долго. Казалось, что с момента их ухода прошла целая вечность.

— Могу я для вас что-нибудь сделать? — спросила Квинби. — Может быть, кофе?

Элизабет покачала головой.

— Нет, не надо ничего. — Она с усилием улыбнулась и спросила: — Такое чувство, будто тебя поджаривают на медленном огне, верно? Но вы не думайте, так бывает не всегда. Хотя не могу сказать, что нам в Седихане приходится скучать.

— Мне кажется, даже если бы так было всегда, вы вряд ли согласились бы изменить свою жизнь, — проговорила Квинби, задумчиво глядя на Элизабет.

Лицо женщины осветилось такой же ясной улыбкой, какой обычно улыбался Эндрю.

— Я ни одной секунды не жалела о том, что моя жизнь сложилась именно так. Любовь меняет абсолютно все.

Ах, как ее понимала Квинби!

— Да, — пробормотала она. — Любовь меняет все.

В комнату вошел Джон, и женщины замерли, выпрямившись на стульях.

— Все кончено? — спросила Элизабет.

— Еще нет, — ответил Джон, — но я решил, что уже могу сообщить вам новости. Состояние Стивена стабилизировалось. — Он помолчал, и его лицо медленно расплылось в улыбке. — Стивен только что открыл глаза.

Элизабет обмякла.

— Слава тебе, Господи!

— Эндрю и Гуннар пока остаются со Стивеном, но я надеюсь, что его жизнь уже вне опасности. — Джон подошел к жене и с нежностью погладил ее блестящие шелковистые волосы. — Мне неловко в этом признаться, но я не удержался и время от времени подглядывал за ними. Эндрю ужасно устал, но вцепился в Стивена, как собака в кость, и не отпускает. Видела бы ты, какие чудесные вещи он ему показывает! У нас с тобой необыкновенный сын, Элизабет.

Женщина взяла его руку и прижалась к ней щекой.

— Мы ведь всегда это знали. Всегда.

Квинби встала со стула и бесшумно пошла к двери. Элизабет и Джон сейчас не нуждались в ней. Теперь им не был нужен никто. Они находились в мире, существовавшем только для них двоих, в созданном ими мире любви и нежности. Он был чудесен, но в нем не было места для нее, Квинби Свенсен.

* * *

Ночное небо сияло бесчисленными звездами.

Квинби поудобнее устроилась в объятиях Гуннара и удовлетворенно вздохнула. Стоял изумительный вечер — теплый и нежный, словно соловьиная песня. Он настолько напоминал ей один из вечеров шесть недель назад, что Квинби на какое-то мгновение испытала ощущение дежа-вю: они вдвоем уютно устроились на качелях, а Стивен и Эндрю сидят на речном берегу и рассматривают звезды. Где-то неподалеку плещет мельничное колесо, а поодаль мелькают светлячки.

— Что-то не так? — спросил Гуннар, опустив взгляд на ее лицо.

— Все так, — ответила она. — Нет, правда, все в порядке! Здесь все замечательно! Не понимаю, как Элизабет смогла уехать отсюда.

— Элизабет хорошо в Седихане, но, мне кажется, ей очень понравились и эти последние несколько недель, которые они с Джоном провели здесь, в Милл-Коттедж. Когда сегодня утром я вез их в аэропорт, в ее глазах стояли слезы.

— Меня удивило, что они с Джоном решили оставить здесь Эндрю и Стивена.

— Всего лишь до конца лета. Кроме того, дела у Эндрю и Стивена продвигаются так хорошо, что Элизабет и Джон не решились помешать этому процессу. Они не просто излечивают, но и учат друг друга.

— Да. — Взгляд Квинби скользнул на две фигуры, сидевшие на берегу реки. — Ты прав.

— Знаешь, теперь у меня есть время поработать с Эндрю и помочь ему создать новый защитный барьер. Элизабет решила, что сможет потерпеть еще несколько месяцев вдали от сына, если только это пойдет ему на пользу.

— Вытерпеть... — задумчиво повторила Квинби. — Да, Элизабет — явно из тех, кому нужно иметь большое терпение.

Она с удивлением почувствовала, как тело Гуннара напряглось.

— Ты полагаешь, что быть женой такого человека, как Джон, невероятно трудно? Такого, как Джон, а значит, и такого, как я?

Не желая того, Квинби уязвила Гуннара в его самое больное место. Она моментально смешалась и хотела было пойти на попятный, но затем передумала. С этим его болезненным комплексом надо было кончать.

— Да, я так считаю, — прямо ответила она и бесстрашно посмотрела ему в глаза. — И мне тоже будет очень непросто жить с человеком, наделенным такими способностями, как у тебя. Это будет странно, может быть, даже страшно, и я уверена, что мне нередко придется заламывать руки и выть от отчаяния. И ты, возможно, время от времени будешь испытывать то же самое. Я ведь, как и ты — тоже далека от совершенства. От моего упрямства и бесконечных претензий кто угодно полезет на стену. — Квинби подняла голову, лежавшую на плече Гуннара, и заглянула ему в глаза. — Но ни один брак не бывает идеальным, и в каждом из них партнерам приходится притираться друг к другу и идти на уступки. В нашем случае проблемы могут оказаться посерьезнее, чем у других пар. Однако мы выживем. Потому что у нас есть одно волшебное снадобье.

Глаза Гуннара блеснули в свете луны.

— Какое же?

Квинби улыбнулась и наградила его легким поцелуем.

— Любовь. Элизабет говорит, что любовь меняет все. И, по-моему, она права.

Гуннар согласно кивнул и заставил ее снова прижаться к его плечу.

— По-моему, тоже, — сказал он чуть охрипшим голосом. — Какие же мы счастливые, Квинби!

После этого они замолчали, и воцарившуюся тишину нарушало лишь равномерное поскрипывание подвешенных на цепях качелей.

* * *

В темноте мелькали светлячки, неторопливо крутилось мельничное колесо, звезды, как и миллионы лет назад, мерцали своим неугасаемым алмазным светом, а на берегу речки сидели маленький мальчик и взрослый мужчина.

— Эндрю, я выучил то стихотворение, которое ты мне дал. Хочешь послушать?

— Конечно, Стивен!

— Звездочка светлая, звездочка ясная,
Первая звездочка в небе ночном,
Я загадаю сегодня желание,
Чтоб не расстаться с тобою потом.

— Молодец, Стивен! Ты запомнил каждое слово!

— А ты вправду думаешь, что желания могут сбываться?

— Я бы этому не удивился.

— А как ты думаешь, если я сейчас загадаю желание, оно исполнится?

— А что бы ты хотел загадать?

— Не знаю... Чего сейчас можно пожелать? Разве что клева, когда пойдем завтра на рыбалку... Чему ты смеешься?

— Не очень-то большое желание!

— Ну, тогда можно пожелать, чтобы мы поймали рыбу величиной с кита. А может, даже настоящего кита.

— Знаешь, Стивен, давай лучше оставим китов в покое. Им сейчас и так не сладко приходится.

— Ладно, тогда я желаю, чтобы мы сели на космический корабль и полетели к моей звезде.

— Я уже думал о таком путешествии, но решил, что нам вряд ли захочется отправиться в космос.

— Почему?

— Потому что тогда нам придется расстаться с очень многими людьми, которых мы любим. И когда мы вернемся на Землю и будем еще молодыми, они уже состарятся, а возможно, даже умрут.

— Если мы останемся молодыми, то почему они состарятся?

— Это связано со скоростью света и временем. По теории Эйнштейна... Ну, в общем, это довольно сложно.

— Расскажи мне об этом.

— Ты и вправду хочешь знать? Хорошо, я расскажу тебе. — Последовало молчание. — Нет, лучше по-другому...

И пока звезды смотрели вниз, а ветер нашептывал несбыточные обещания, Эндрю показывал своему другу то, о чем тот мечтал.

СОДЕРЖАНИЕ

Литературно-художественное издание

Айрис Джоансен

ТЫ У МЕНЯ ОДНА

Редактор *Ю. Григорьева*
Художественный редактор *С. Курбатов*
Технические редакторы *Н. Носова, Г. Соболева*
Корректор *Н. Бахолдина*

Изд. лиц. № 065377 от 22.08.97.

Налоговая льгота — общероссийский классификатор
продукции ОК-005-93, том 2; 953000 — книги, брошюры.

Подписано в печать с оригинал-макета 13.11.98.
Формат 84×108 1/32. Гарнитура «Таймс».
Печать офсетная. Усл. печ. л. 23,52. Уч.-изд. л. 15,4.
Тираж 12 000 экз. Заказ № 1108.

ЗАО «Издательство «ЭКСМО-Пресс»,
123298, Москва, ул. Народного Ополчения, 38.

Изготовлено с оригинал-макета в Тульской типографии.
300600, г. Тула, пр. Ленина, 109.